Dom z moich marzeń

otwarte
DLA CIEBIE Kobieta

Przenieś się w świat czarujących powieści.
Poznaj różne odcienie miłości.
Serie *Romans*, Kobieta, Namiętność
to trzy odsłony kobiecej natury.
Pozwól sobie na chwilę tylko dla siebie.

otwarte
DLA CIEBIE *Romans*

Pisane z rozmachem epickie powieści z historycznym tłem, romantyczne sagi oraz ciepłe historie osadzone w sielskim krajobrazie. To rodzinne sekrety, miłosne intrygi, losy kobiet stawiających czoła najtrudniejszym wyzwaniom.

otwarte
DLA CIEBIE Kobieta

Pełne wzruszeń i humoru obyczajowe historie, ukazujące blaski i cienie dnia codziennego. Miłość, przyjaźń, rodzina – tematy, o których będziesz chciała porozmawiać z przyjaciółką!

otwarte
DLA CIEBIE Namiętność

Historie o kobietach żyjących z pasją, intensywnie poszukujących miłości, często wplątujących się w niebezpieczne sytuacje. Wciągająca fabuła uruchomi wyobraźnię, obudzi silne emocje, poruszy wszystkie zmysły. Przeniesie w świat, w którym marzenia erotyczne to dopiero początek…

Dołącz do nas na www.otwartedlaciebie.com i wygrywaj nagrody!

Wejdź na eTorebka.pl, wpisz kod rabatowy hc55ba13
i kup wymarzoną torebkę 10% taniej.

Laura Dave

Dom z moich marzeń

tłumaczenie Olga Kozak

WYDAWNICTWO
otwarte
Kraków 2012

Tytuł oryginału: *The First Husband*

Projekt okładki: Katarzyna Bućko

Fotografia na okładce: © Emely / Corbis / FotoChannels

Grafika na s. 2: © Steve Taylor / Photographer's Choice / Getty Images / Flash Press Media

Opieka redakcyjna: Joanna Dziubińska

Opracowanie typograficzne książki: Daniel Malak

Adiustacja: Zuzanna Szatanik / d2d.pl

Korekta: Barbara Pawlikowska / d2d.pl, Anna Woś / d2d.pl

Łamanie: Zuzanna Szatanik / d2d.pl

ISBN 978-83-7515-207-4

WYDAWNICTWO
otwarte
www.otwarte.eu

Zamówienia: Dział Handlowy, ul. Kościuszki 37, 30-105 Kraków,
tel. (12) 61 99 569
Zapraszamy do księgarni internetowej Wydawnictwa Znak,
w której można kupić książki Wydawnictwa Otwartego: www.znak.com.pl

Wydawnictwo Otwarte sp. z o.o.,
ul. Kościuszki 37, 30-105 Kraków. Wydanie I, 2012.
Druk: Abedik, Poznań

Jak zawsze – dla Josha

„Zapalcie światła. Nie chcę iść do domu po ciemku".

O. Henry

CZĘŚĆ I

DAWNO, DAWNO TEMU…

ROZDZIAŁ 1

Czuję, że powinnam zacząć od opowiedzenia całej prawdy i tylko prawdy na temat tego, jak się tu znalazłam. Kiedy wszystko staje się zagmatwane, okrutne i skomplikowane, prawda to całkiem niezły punkt wyjścia, czyż nie? Zazwyczaj wszyscy starają się ją ukryć, koloryzować lub całkowicie zmieniać. Zupełnie tak, jakby przeinaczanie faktów miało sprawić, że rzeczywistość stanie się mniej pogmatwana, okrutna i skomplikowana. Ale tej jednej rzeczy nie da się naprawić, ponieważ prawda jest taka, że sama jestem sobie winna. Nikt inny, tylko ja. Wszystko to, co nastąpiło później, to, co nie powstałoby nawet w najskrytszych zakamarkach mojej wyobraźni, wydarzyło się w ciągu jednego roku. W końcu to właśnie ja tamtego ranka wprawiłam nieprzewidywalną machinę swojego przeznaczenia w ruch, wiedząc dokładnie, jakie będą konsekwencje mojego lekkomyślnego zachowania. Już dawno nauczyło mnie tego doświadczenie.

Zeszłam do salonu, mając na sobie wyłącznie za dużą bluzę od piżamy Nicka. Włączyłam odtwarzacz DVD i wsunęłam się pod ciepły koc, otulając się nim po sam czubek nosa. Wszystko miało być proste i przyjemne, zupełnie jakby *Rzymskie wakacje* były jakimś zwyczajnym filmem, a nie tykającą bombą, mogącą wybuchnąć gdzieś w samym środku mojego ułożonego życia.

Z zasady nie jestem przesądna. Jednak pewnych zjawisk nie można ignorować. Miałam tylko siedem lat, gdy pewnej nocy razem z rodzicami po raz pierwszy obejrzałam *Rzymskie wakacje*. Następnego dnia zakomunikowali mi, że się rozwodzą, a mój ojciec wyprowadził się z domu na dobre. Kolejny raz zdecydowałam się obejrzeć ten film w wieku lat szesnastu. Jeszcze tej samej nocy moja matka oznajmiła, że się wyprowadzamy. Warto wspomnieć, że była to dziesiąta przeprowadzka w moim życiu. Tym razem zamieniłyśmy San Francisco, gdzie mieszkałyśmy wystarczająco długo, bym znalazła sobie prawdziwych przyjaciół, chłopaka i potencjalnego ojczyma, na małe miasteczko gdzieś w zachodniej części Dakoty Północnej. Ostatni rok liceum miałam spędzić w mieścinie o oszałamiającej liczbie mieszkańców, nieprzekraczającej trzystu pięćdziesięciu jeden sztuk, w szkole, do której uczęszczało mniej uczniów niż do mojej klasy w San Francisco.

Trzecią próbę podjęłam zaraz po tym, jak skończyłam studia i znalazłam sobie wymarzoną pracę w „The New York Sun". Miałam być na samym końcu łańcucha pokarmowego w stadzie wytrawnych reporterów, ale przynajmniej byłabym reporterem. I to w Nowym Jorku! Podczas pakowania się trafiłam na *Rzymskie wakacje* i pomyślałam, że jestem już dorosłą, niezależną kobietą, niezwracającą uwagi na takie błahostki jak przesądy. Dlaczego więc nie miałabym obejrzeć tego filmu? Odpowiedź na to pytanie pojawiła się już następnego ranka, kiedy dostałam od mojego przyszłego pracodawcy wiadomość, że ze względu na cięcia w budżecie zmuszeni są wstrzymać wszystkie nowe oferty pracy. Pozostało mi mniej niż czterdzieści osiem godzin do końca pobytu w akademiku, miałam pożyczkę studencką na karku, wszystkie oszczędności zamrożone w kaucji za jedyne mieszkanie, na jakie było mnie stać, czyli maleńką kawalerkę, i żadnych planów zawodowych, przynajmniej nie w tej chwili.

Kolejną szansę dałam nam, gdy miałam dwadzieścia siedem lat. Razem z Nickiem obchodziliśmy właśnie naszą pierwszą rocznicę i szykowaliśmy się do wielkiej przeprowadzki. Mieliśmy zamieszkać w Los Angeles. Nick przecierał szlaki w branży filmowej i przeprowadzka do miasta aniołów wydawała się jedyną słuszną decyzją. Mnie osobiście to odpowiadało. Nawet więcej, pomysł ten wydawał mi się bardzo ekscytujący. Pisałam cotygodniowe artykuły dla podróżników do jednej z gazet w Filadelfii, a skoro i tak spędzałam większość czasu w delegacjach, moi pracodawcy byli bardziej niż zadowoleni z naszych planów dotyczących przeprowadzki do Los Angeles.

Włączyłam więc *Rzymskie wakacje* z poczuciem pewności co do mojej pracy, związku i decyzji o wyjeździe. Wydawało mi się, że nie ma takiej rzeczy, która mogłaby pójść nie tak, jak to sobie wymarzyłam. Jakaś cząstka mnie chciała chyba udowodnić sobie, że ten film nie jest już w stanie pokrzyżować żadnych moich planów.

Nie musiałam długo czekać, by się przekonać, w jak wielkim byłam błędzie. Dotarłam do połowy filmu, kiedy zadzwonił telefon. Najwyraźniej kolejna katastrofa nie miała zamiaru czekać, aż obejrzę film do końca. Okazało się, że dom, w który zainwestowaliśmy ponad trzy czwarte naszych oszczędności, doszczętnie spłonął. Nie udało się ustalić przyczyny pożaru. Tylko ja jedna nie miałam co do niej żadnych wątpliwości.

Cztery lata później, kilkanaście dni przed swoimi trzydziestymi drugimi urodzinami, co znowu zrobiłam? Można by pomyśleć, że to jakiś rodzaj masochizmu. Film ten przyczynił się do większości moich niepowodzeń, sprawił mi wystarczającą ilość przykrości, bólu i cierpienia, a spora część najgorszych momentów w moim życiu wydarzyła się w podejrzanie krótkim odstępie czasu od obejrzenia go. Jakim cudem jeszcze nie uświadomiłam sobie tej oczywistej zależności? Dlaczego miałam po raz kolejny obejrzeć film, który wielokrotnie wywracał moje życie do góry nogami? Odpowiedź była tylko jedna: dlatego, że kochałam go nade wszystko. Był dla mnie tym, czym *Kiedy Harry poznał Sally* dla moich przyjaciółek, a *Pole marzeń* dla Nicka.

Był moim filmem pocieszenia. Sprawiał, że czułam się lepiej. Zupełnie jak po rozmowie z najlepszym przyjacielem. Co więcej, moja mama przyznała się kiedyś, że swoje imię zawdzięczam, przynajmniej częściowo, postaci granej przez Audrey Hepburn, księżniczce Annie. A czy istnieje na świecie chociaż jedna dziewczynka, która po obejrzeniu *Rzymskich wakacji* nie marzyła, by być jak Audrey Hepburn? Jednak w mojej fascynacji filmem było coś więcej. Może to fakt, że sama też byłam reporterką? Byłam dziennikarką podróżniczką. Moja kolumna *Checking out* dawała wskazówki, jak w najlepszy sposób zorganizować wyprawę w najbardziej egzotyczne i interesujące miejsca na ziemi. Stanowiła kompletny przewodnik dla podróżników chcących przeżyć najbardziej ekscytujące przygody w bajecznych miastach i miasteczkach, na rajskich wyspach i w cudownych metropoliach. Nic dziwnego, że swój pierwszy artykuł w całości poświęciłam Rzymowi. Szczerze mówiąc, była to moja pochwała *Rzymskich wakacji* i doznań, które dawało mi oglądanie księżniczki Anny oraz dziennikarza Joe Bradleya (Gregory Peck), którzy zatracają się w zwiedzaniu wiecznego miasta, zapominając o rzeczywistości. W końcu właśnie to najbardziej kochałam w swojej pracy. Możliwość poznawania świata i co za tym idzie, ucieczka od codzienności, były dla mnie czymś wyjątkowym. Jednak gdzieś głęboko w środku zawsze zastanawiałam się, czy nie mam nadziei na to, by być jak postać grana przez Audrey Hepburn. Zasnąć na ławce w jednym z tysiąca odwiedzanych przeze mnie miast i obudzić się następnego ranka, by spędzić jeden dzień dokładnie w taki sposób, o jakim zawsze marzyłam.

Kolejny powód, dla którego tak strasznie kochałam ten film, był trudniejszy do określenia. Miał coś wspólnego z niezwykle piękną historią miłości między Bradleyem a Anną. Niesamowity urok tego uczucia, radość i lekkość sprawiały, że nawet tak rozsądnie myśląca osoba jak ja nie chciała powiązać wszystkich swoich życiowych katastrof z filmem, który był tak romantyczny i pełen nadziei. Taka okrutna zależność byłaby wręcz niemożliwa. W końcu pasmo spotykających mnie nieszczęść nie mogło się wywodzić z czegoś tak wspaniałego jak ten film. To właśnie powtarzałam sobie za każdym razem, kiedy po niego sięgałam.

Oto ja, przekonana, że tym razem się uda, ponownie wyruszyłam w podróż po *Rzymskich wakacjach*. Miałam trzydzieści jeden lat. Byłam zadowolona z życia i cholernie śpiąca. Moja wspaniała i piękna suczka Amelia (nazwana tak w hołdzie dla fantastycznej podróżniczki Amelii Earhart, choć my pieszczotliwie mówiliśmy na nią Mila) i ja miałyśmy cały ranek wyłącznie dla siebie. Nick musiał pracować. Był reżyserem filmowym i właśnie kręcił thriller o podstępnych wampirach planujących przejęcie władzy nad Waszyngtonem. Po tym jak jego pierwsze dzieło, film drogi bez wampirów w obsadzie, zostało dobrze przyjęte na jednym z ważniejszych festiwali filmowych, Nick miał okazję zakosztować słodkiego smaku sławy. Cieszyłam się za niego, za nas oboje. Byłam przy nim od samego początku jego drogi prowadzącej do kariery filmowej. Pamiętałam nawet cielęce lata i te beztroskie chwile, kiedy kręciliśmy jego pierwszy film krótkometrażowy, w którym ja byłam i statywem, i główną bohaterką. Produkcją zajęła się siostra Nicka, a nasz pies Mila... zagrał psa Milę.

Teraz, oszołomiony nagłym sukcesem, Nick stał się nieco męczący w sposobie, w jaki opowiadał o swojej pracy. Była to jego praca. Wiedziałam, że to tylko okres przejściowy, jednak nie mogłam się doczekać końca. Na dodatek właśnie wróciłam z trwającej miesiąc wyczerpującej podróży. Spędziłam cały sierpień, jeżdżąc po Meksyku, Dominikanie i Argentynie. Całkowicie poświęciłam się intensywnej pracy nad artykułami do mojej kolumny i byłam wyczerpana. Potrzebowałam chwili wytchnienia i właśnie wtedy zdecydowałam się wyruszyć na *Rzymskie wakacje.* Chciałam sprawić sobie odrobinę przyjemności. W towarzystwie Mili leżącej na moich kolanach włączyłam odtwarzacz DVD. Chwilę później na ekranie pojawiły się tak dobrze znane mi obrazy. Białe litery dyskretnie zagościły na pierwszym planie, a najsłynniejsze zabytki Rzymu przewijały się w tle przy subtelnym akompaniamencie orkiestry. Watykan. Tort weselny. Antyczne ruiny. Aż do kolejnej sceny, kiedy na ekranie pojawiła się wiadomość z ostatniej chwili, a tuż za nią zabójcza Audrey Hepburn siedząca w powozie. Jak się miało później okazać, była najsmutniejszą księżniczką na świecie.

Kiedy na ekranie zagościły napisy końcowe, rozejrzałam się po domu, który dzieliłam z Nickiem od naszej przeprowadzki do Los Angeles. Domu znalezionym przez nas wkrótce po pożarze w budynku, w którym planowaliśmy zamieszkać. Zamarłam na chwilę w oczekiwaniu, ale żaden wazon nie runął z hukiem na podłogę. Żadna szklana ramka na zdjęcia nie spadła ze ściany i nie roztrzaskała się o posadzkę. Sprzęty kuchenne nie zaczęły szaleć po domu, a świeże tulipany, które kupiłam wcześniej na targu za zawrotną cenę czterech dolarów, nie zwiędły. Stały niewzruszone w miejscu, w którym je zostawiłam.

Zanurzyłam palce w puszystej sierści Mili, a ona spojrzała na mnie pełnymi miłości i zaufania pieskimi oczami.

– Chyba nic nam nie grozi – powiedziałam z niepewną ulgą.

W tym właśnie momencie usłyszałam dźwięk klucza otwierającego zamek w drzwiach.

Nick otworzył drzwi delikatnym kopniakiem, uważając, by termos, gazeta i telefon, które miał przy sobie, nie wypadły mu z rąk. W czapeczce baseballowej założonej daszkiem do tyłu i koszulce z klasycznym nadrukiem przedstawiającym jakiegoś superbohatera z kreskówki wyglądał bardziej na szesnaście niż trzydzieści sześć lat. Podsumowując, Nick prezentował się jak zwykle, tylko w nieco przemęczonej wersji. Miał podkrążone oczy, a jego twarz nie widziała maszynki do golenia już od dobrych kilku dni, czego dowodem była rosnąca na niej bezkarnie broda.

Wskazał na telefon, dając mi do zrozumienia, że z kimś rozmawia. Następnie wykonał w powietrzu gest świadczący o tym, że marzy, by osoba, z którą rozmawiał, w końcu się rozłączyła. Widocznie rozmówca wyczuł aluzję, ponieważ nie dłużej niż minutę później Nick odłożył telefon i ruszył w moją stronę. Po drodze odłożył na stół wszystkie rzeczy, które miał w ręku, układając z nich mały stos.

– Cześć, podróżniczko – powiedział, pochylając się, by pocałować mnie na powitanie. Przez chwilę trzymał dłoń na moim karku.

– Cześć, filmowcu – odpowiedziałam, nie ruszając się z miejsca. Chciałam czuć jego bliskość chociaż przez dodatkowy ułamek sekundy.

Byliśmy przyzwyczajeni do długich rozstań, ale rozłąka, na którą skazało nas moje pisanie i jego praca nad filmem, była wyjątkowo ciężka. Czasami miałam wrażenie, że mogę poczuć jego obecność, jego zapach i słodycz tylko w ramach wyjątku od reguły, na którą składały się ciągłe pożegnania. Niestety, w mojej rzeczywistości takich wyjątków było niewiele.

Później Nick uklęknął przed Milą, by czule podrapać ją po grzbiecie. Była to jego typowa pieszczota, którą zawsze obdarowywał ją po powrocie do domu niczym mąż stęskniony za swoją ukochaną żoną.

– Cześć, maleńka – wyszeptał jej do ucha.

Po chwili zajął miejsce na kanapie tuż obok mnie, zakładając ręce za głowę. Z tej odległości wyglądał na jeszcze bardziej zmęczonego. Wyczerpujące całodniowe zdjęcia sprawiły, że miał czerwone, przekrwione spojówki. Szkła kontaktowe, które całkiem niedawno zastąpiły klasyczne, niezawodne okulary, noszone przez niego odkąd go znałam, wcale nie sprawiały, że jego oczy prezentowały się lepiej.

Postanowiłam jednak przemilczeć zarówno to, co myślę na temat szkodliwego wpływu soczewek na jego przemęczone oczy, jak i sprawę rozmowy telefonicznej, którą odbyłam z pracownikiem biura podróży. Planowaliśmy z Nickiem wyjechać do Londynu w grudniu. Wynajęłam już mały domek w Battersea po całkiem przystępnej cenie. Moglibyśmy mieszkać w nim, kiedy Nick pracowałby nad swoim kolejnym projektem filmowym. Nie mogłam się doczekać tego wyjazdu i już wyobrażałam sobie, jak spędzam czas, odwiedzając ukochane zakamarki tego wspaniałego miasta. Chodziłabym na cudowne sztuki teatralne, szukałabym skarbów na miejscowych targach staroci, spędzałabym za dużo czasu w księgarniach i zbyt mało na spacerach w pobliżu londyńskiej Tower. Pracownik biura zadzwonił z prośbą o dopełnienie formalności i wpłacenie zaliczki za dom. Dlatego też musiałam się dowiedzieć, czy zdjęcia w krainie wampirów idą zgodnie z planem i zdążymy wyjechać do Londynu w ustalonym terminie. Jednak wyglądało na to, że ta rozmowa będzie musiała zaczekać.

– Co oglądasz? – zapytał.

– Raczej: co oglądałam. Film przed chwilą się skończył – odpowiedziałam, wyłączając telewizor. – *Rzymskie wakacje.*

– Nawet nie wiedziałem, że mamy ten film. Nie pamiętam, kiedy ostatnio go widziałem – powiedział. – W zasadzie to zawsze wydawał mi się mocno przereklamowany...

Nigdy nie opowiadałam Nickowi o *Rzymskich wakacjach* ani o przykrych konsekwencjach, które w moim przypadku łączą się z oglądaniem tego filmu. W zasadzie nie mówiłam o tym nikomu oprócz mojej przyjaciółki Jordan. Jestem pewna, że Nick uznałby mnie za kompletną wariatkę. W zasadzie nie miałabym mu tego nawet za złe. Sama zaczęłam się zastanawiać, czy przypadkiem nią nie jestem.

– Jak było wczoraj? – zapytałam szybko, zmieniając temat.

Nick znacząco pokręcił głową, jakby chciał dać mi do zrozumienia, że nie ma najmniejszej ochoty o tym rozmawiać.

Po czym zdecydował się jednak kontynuować temat. Opowiedział mi o skomplikowanych problemach z elektryką w księgarni w Pasadenie, którą wynajęli do jednej ze scen. I właśnie *ta* scena w *tym* miejscu była najważniejsza. Oczywiście wszystko poszło nie tak, jak powinno.

Kiedy skończył opowiadać, zmrużył przemęczone oczy, prawie zamykając powieki.

– W każdym razie – powiedział, ostrożnie otwierając oczy. – Posłuchaj, Annabelle…

Roześmiałam się. Nie mogłam się powstrzymać. Nick nigdy nie używał mojego pełnego imienia. Zawsze mówił do mnie Annie. No chyba że się kłóciliśmy. Wtedy używał zupełnie innych określeń. Podobnie było, kiedy odzywał się w nim Don Juan i wpadał w romantyczny nastrój. Na takie okazje też miał przygotowaną całą listę oryginalnych epitetów.

– Tak, Nicholasie… – odpowiedziałam żartobliwym tonem, naśladując go.

Wyciągnęłam rękę, by dotknąć jego policzka. Przysunął się do mnie i wtulił twarz w moją dłoń.

– Muszę z tobą o czymś porozmawiać – zaczął poważnym tonem. – Chciałem to zrobić już jakiś czas temu, ale nie miałem okazji. Nie było cię w domu, a ja i tak nie wiedziałem, jak w ogóle mam ci to powiedzieć…

– W porządku – odpowiedziałam.

Tydzień wcześniej, podczas wyjazdu do Punta Cana, widziałam program telewizyjny, w którym gościem był pewien terapeuta dla par. Wyjaśniał, że sytuacja, kiedy kobieta patrzy mężowi lub chłopakowi prosto w oczy, gdy ten chce powiedzieć jej coś ważnego, jest oznaką agresji. Takie bezpośrednie spojrzenie sprawia, że w mężczyźnie budzą się mroczne myśli zamiast pozytywnych. Dość dziwne spostrzeżenie. A jednak podczas naszej rozmowy mimowolnie zastosowałam sugestię telewizyjnego eksperta. Siedziałam na kanapie z nogami schowanymi pod obszerną bluzą Nicka, unikając jego spojrzenia, zupełnie tak, jak radził terapeuta.

– Chciałem powiedzieć ci, że moja terapeutka uważa, że dobrze zrobiłaby nam przerwa.

– Przerwa od czego? – zapytałam.

Tak, właśnie te słowa jako pierwsze wypłynęły z moich ust. Jakbym była jakąś kompletną idiotką. „Przerwa od czego?" – co ja sobie myślałam? Ale właśnie to pytanie stanowiło doskonały dowód na to, jak wielką abstrakcją w tamtym momencie był dla mnie pomysł zrobienia jakiejkolwiek przerwy w związku.

– Ona sądzi, że powinienem spędzić trochę czasu sam ze sobą. Bez ciebie.

Podniosłam głowę i spojrzałam na niego. Są takie słowa, których nie da się cofnąć. Kiedy padną już z czyichś ust, nigdy się ich nie zapomni. Czy właśnie usłyszałam takie słowa? Spędziliśmy ze sobą pięć lat. Pięć długich lat. Czy nie powinno się wprowadzić jakichś zasad na temat tego, co wolno, a czego nie wolno mówić sobie po tak długim czasie?

– Ale dlaczego? – zapytałam z niedowierzaniem.

– Ona mówi, że cię kocham, ale że również usiłuję cię kochać. Twierdzi też, że muszę przestać przedkładać dobro innych nad swoje i zacząć myśleć o sobie.

– Usiłujesz mnie kochać? – powoli powtórzyłam jego słowa, analizując je w swojej głowie zupełnie tak, jakby nagle miały nabrać całkiem innego znaczenia.

Spojrzałam na Milę pytającym i zdezorientowanym wzrokiem. Czy tylko ja czegoś tu nie rozumiem?

Jednak nie znalazłam w jej oczach odpowiedzi na moje pytanie. Ukochana psina miała najwyraźniej ważniejsze rzeczy na głowie. Na przykład to, jak wygodnie ułożyć się na kanapie i oddać upragnionej popołudniowej drzemce.

Nick nie przestawał mówić, a ja zaczęłam czuć okropny ucisk w gardle i w żołądku. Nie mogłam się skupić na jego słowach. Nie mogłam jednocześnie go słuchać i próbować opanować to okropne uczucie, które powoli wdzierało się do mojego serca. Zamiast tego rozejrzałam się po naszym wspólnym domu. Sama go zaprojektowałam, urządziłam i w większości utrzymywałam. Może rzeczywiście nie byłam najlepsza w tworzeniu domu. No dobrze, zdecydowanie nie byłam w tym najlepsza. Nie spędzałam w nim wystarczająco dużo czasu, by się tego nauczyć. Najlepszym tego dowodem były ciągle spakowane walizki, które dyskretnie czekały w pełnej gotowości do kolejnego wyjazdu.

– ... mówi, że muszę się zastanowić, co jest najlepsze dla mnie.

„Ona mówi". Nick cały czas to powtarzał. Usłyszałam to już chyba ze sto razy, jeśli moje zaawansowane obliczenia matematyczne mnie nie myliły. Pewnie zdawał sobie sprawę, że gdyby pominął to całe „ona mówi", jego słowa byłyby bardziej bolesne. To była moja pierwsza jasna myśl. Kolejna była bardziej przygnębiająca: co ja takiego zrobiłam, że on chce ode mnie odejść?

Właśnie wtedy zaczął przechodzić do sedna sprawy.

– Poza tym – dodał ściszonym głosem – być może są jeszcze inne powody, dla których czuję się taki... zdezorientowany.

Przynajmniej miał odwagę, żeby się do tego przyznać.

– Być może są jeszcze inne powody? Nie chciałbyś najpierw ustalić tego ze swoją terapeutką?

Spojrzał na mnie wzrokiem pełnym przygnębienia.

– Wcale mi tego nie ułatwiasz – stwierdził.

Wcale mu tego nie ułatwiam? Może to i prawda, ale wcale nie miałam zamiaru mu niczego ułatwiać. Ta cała terapeutka wcale nie była prawdziwą terapeutką. Nick nigdy w całym swoim życiu nie był u żadnego terapeuty. Ale ktoś z pracy polecił mu tę kobietę. Była kimś w rodzaju medium albo, jak głosił tytuł na jej niebiańsko błękitnej wizytówce, doradcą duchowym. Znaczyło to mniej więcej tyle, że mówiła, co cię czeka w przyszłości, i pomagała ci tam dotrzeć lub tego uniknąć. A wszystko to za promocyjną cenę sześciuset pięćdziesięciu dolarów za godzinę.

Właśnie w tym momencie dotarło do mnie to, czego tak strasznie starał się mi nie powiedzieć.

– Kim ona jest? – zapytałam.

Tak naprawdę doskonale znałam odpowiedź: Michelle Bryant. Była dziewczyna Nicka i jego największa miłość z czasów studiów. Razem zdawali na ten sam uniwersytet, spotykali się przez całe cztery lata spędzone na uczelni, a przez ostatnie dwa nawet mieszkali razem. Żyli wspólnie w malowniczym domu na Brooklynie przez kolejne dwa lata po zakończeniu szkoły. Michelle była neurochirurgiem dziecięcym na Uniwersytecie Kalifornijskim. A jakby samo to było zbyt mało imponujące, przez ostatni rok pracowała również jako specjalny konsultant FBI. Zajmowała się badaniami nad dziećmi ze skłonnościami do przemocy. Chyba zapomniałam wspomnieć jeszcze o tym, że była zniewalająco piękna. W zasadzie nie powinnam chyba mieć do Nicka pretensji o to, że nadal chciał się z nią spotykać. Obiektywnie rzecz biorąc, sama chciałabym się z nią spotykać.

– To Michelle, prawda? – zabrzmiało to bardziej jak stwierdzenie.

– Nie! Mówiłem ci już, że między mną a nią wszystko skończone.

Nick na krótką chwilę zapomniał o swoim przygnębieniu, a na jego twarzy pojawił się wyraz zadowolenia. Zupełnie tak, jakby fakt, że rzuca mnie dla kogoś zupełnie innego niż kobieta, która wzbudzała moją zazdrość, miał jakieś znacznie.

– Pracujecie razem na planie *Niepokonanych*?

Niepokonani to tytuł filmu Nicka. Inspiracją był wiersz Williama Ernesta Henleya, który uwielbialiśmy oboje. Był to jeden z kilku wierszy, których fragmenty Nick oprawił i zawiesił na ścianie w naszej kuchni. Cytat głosił:

Że w zdarzeń złych potrzasku
Ni razu nie zapłakałem,
Że głowa moja, choć obficie krwawi,
Przed niczym się nigdy kornie nie pochyli[*].

Były takie momenty, kiedy uwielbiałam go za to, że zatytułował w ten sposób swój film. Ten moment do nich nie należał.

---

* Fragment wiersza Williama Ernesta Henleya *Invictus* w przekładzie Czesława Sowy Pawłowskiego (wszystkie przypisy pochodzą od tłumaczki).

– Oczywiście, że nie. To nie ma z nią nic wspólnego – wymruczał pod nosem i potrząsnął głową dla podkreślenia swoich słów. – Jesteśmy tylko przyjaciółmi…

– Tylko przyjaciółmi?

– Znamy się od lat. Z czasów, kiedy mieszkałem jeszcze w domu – powiedział i potakująco skinął głową. – Odezwała się jakiś czas temu, krótko po tym, jak odwołała swój ślub. Ale przysięgam ci, Annie, że jeszcze do niczego między nami nie doszło.

Wyglądał tak, jakby to wyznanie sprawiło mu ulgę. Zastanawiające jest, dlaczego pomyślał, iż fakt, że zostawia mnie dla kobiety, z którą j e s z c z e nie spał, miałby sprawić, że poczułabym się lepiej. Nie mogłam też przestać myśleć o tym, co dało się wyczytać z jego wypowiedzi między słowami. Znali się z czasów, kiedy Nick mieszkał jeszcze w domu. To oznaczało, że jego dom był gdzie indziej. Nie tutaj. Nie ze mną.

– Wybacz mi, Annabelle – powiedział. – Prawda jest taka…

Chciał coś dodać, ale zamilkł w pół słowa. Zupełnie tak, jakby nie wiedział, czy na pewno chce to powiedzieć. Po chwili ciszy zdecydował się jednak kontynuować.

– Prawda jest taka, że dużo częściej przebywasz poza domem niż w nim. Czasami mam wrażenie, że nigdy cię nie ma. – Potrząsnął głową.

– Chcesz powiedzieć, że jesteś z nią dlatego, że mnie przy tobie nie ma? – dokończyłam za niego.

– Chcę powiedzieć tylko tyle, że być może to ja odchodzę, ale czasem odnoszę wrażenie, jakby ciebie nigdy tutaj tak naprawdę nie było.

W tym momencie to poczułam. Poczułam, jak jego słowa zmieniają się w najostrzejszy sztylet i przeszywają moje serce, łamią je na pół.

Byliśmy ze sobą pięć lat. Pięć długich lat. Mieliśmy spędzić razem resztę życia. Czy nie miałam prawa wierzyć, że tak właśnie będzie? W końcu obiecaliśmy to sobie. Mieliśmy być razem na dobre i na złe, w zdrowiu i w chorobie. Bez znaczenia było to, że nie mieliśmy ślubu. Wierzyłam, że nie potrzebujemy złotych obrączek, by móc przetrwać. Wierzyłam, że nam się uda, bo mieliśmy być czymś więcej niż małżeństwem. Bo w końcu kawałek papieru niczego nie zmienia. Ale w tym momencie mogłabym przynajmniej wyciągnąć go na dowód, że Nick nie może sobie tak po prostu z nas zrezygnować i odejść. Bez żadnego ostrzeżenia. Bez pytania mnie o zdanie.

Nick siedział ze spuszczoną głową. Patrzył na swoje dłonie. W pełnym skupieniu zajmował się dłubaniem pod paznokciami. Nie robił tego, by w jakiś sposób mnie unikać. Wydawał się rzeczywiście przejęty tym zajęciem. Był skupiony i wykończony zarazem. Po chwili ponownie na mnie spojrzał. Spojrzał na mnie wzrokiem zdającym się pytać: „Czy mamy to już z głowy?". Znałam to spojrzenie doskonale. Znałam wszystkie jego spojrzenia. W końcu byliśmy ze sobą pięć lat.

Ja również na niego popatrzyłam. Miałam nadzieję, że wyczyta w moich oczach, że nie chcę mieć tego tak po prostu z głowy. Chciałam, żeby pomógł mi zrozumieć to, co się stało.

Czy jeszcze wczoraj nie siedzieliśmy dokładnie w tym samym miejscu, na tej samej kanapie? Siedzieliśmy.

Właśnie wróciłam z lotniska totalnie wykończona, ale nie położyłam się spać, żeby móc spędzić z Nickiem kilka minut, nim pójdzie do pracy. Zrobił dla nas francuskie tosty z brzoskwiniami, a ja pomogłam mu przerobić ostatnią scenę filmu. Ostatnie ujęcie. Był taki szczęśliwy, kiedy udało mu się w końcu dopracować ten fragment. Cieszył się, że mu w tym pomogłam. Posłał mi szczery, radosny uśmiech i przysunął się do mnie, by powiedzieć: „Jesteś niezastąpiona, Annabelle, wiesz o tym?".

To wydarzyło się niespełna dwadzieścia cztery godziny temu, a wydawało mi się, jakby lata świetlne oddalały nas od tej chwili. Powinnam była się tego spodziewać. W końcu widziałam to już tyle razy. Idealny moment zanim wszystko runie i rozsypie się na kawałki. A jednak powiedziałam to głośno. Zrobiłam to jakby na dowód, że wierzę w naszą miłość.

– Ale jeszcze wczoraj mówiłeś, że jestem niezastąpiona.

Przysunął się i pogładził mnie po twarzy. Wydawało mi się, że zaraz powie, że dla niego byłam, jestem i zawsze będę niezastąpiona. Że kocha mnie z całego serca, a ta p r z y j a c i ó ł k a tylko miesza mu w głowie. Myślałam, że powie, że potrzebuje jedynie trochę czasu, żeby sobie o tym przypomnieć. Żeby utwierdzić się w przekonaniu, że jesteśmy sobie przeznaczeni. Jednak Nick powiedział coś zupełnie innego i chyba sam do końca nie zdawał sobie sprawy, jak strasznie zabrzmiały jego słowa.

Wyciągnął dłoń i dotknął mojej twarzy.

– Byłaś – powiedział.

ROZDZIAŁ 2

Tajemnicą sukcesu i popularności prowadzonej przeze mnie kolumny był fakt, że dawała ona czytelnikom poczucie kontroli. Dowiadywali się z niej o rzeczach, których koniecznie musieli doświadczyć, przebywając w danym miejscu. Należały do nich nadzwyczajne widoki („wypij drinka, rozkoszując się zapierającym dech w piersiach widokiem na Tadż Mahal, który rozciąga się z hotelu Oberoi Amarvilas w Agrze"), wyjątkowe smaki („musisz spróbować wyśmienitych potraw będących specjalnością restauracji T'ang Court w Hongkongu), niepowtarzalne produkty, które można było dostać tylko i wyłącznie w tym jednym miejscu na świecie („nie zapomnij kupić stu kartek świeżo wyprodukowanego papieru w jedynej tego typu fabryce, działającej w Amalfi, która funkcjonuje od 1592 roku!"). Moi czytelnicy doświadczali tych rzeczy, czerpali z nich radość, a na dowód tych fantastycznie spędzonych chwil uwieczniali je na zdjęciach. Mogli całkowicie zanurzyć się w zupełnie nowych doznaniach i zapomnieć o realnym świecie.

Mój wydawca Peter W. Shepherd powiedział mi nie tak dawno temu, cytując Steinbecka, że „podróż jest jak małżeństwo – niezawodnym sposobem popełnienia błędu jest myśleć, że się nad nią panuje"*. Peter, z pochodzenia Brytyjczyk, miał chyba ze sto lat i należał do grona najwspanialszych ludzi, których znałam. A odkąd rozpoczął pracę nad powieścią, którą określał mianem brytyjskiej wersji *Tortilla Flat*, wykorzystywał każdą nadarzającą się okazję, by cytować swojego ulubieńca Steinbecka.

Bez względu na to, czy mi się to podobało, czy też nie, w jego słowach było coś prawdziwego. Tak naprawdę moja kolumna rządziła się własnymi, bliżej niezgłębionymi prawami, a poczucie kontroli nad nią było tylko złudzeniem. Przykładowo: magiczną aurę Big Sur w Kalifornii odkryłam dopiero po całym dniu spędzonym na kamienistym wybrzeżu niedaleko poczty, przy akompaniamencie szumiących fal oceanu szalejącego za moimi plecami. Tyle tylko, że większość ludzi nie miałaby ani czasu, ani ochoty na bezczynne siedzenie koło poczty. Ale na pewno wygospodarowałaby pięćdziesiąt minut czasu, by pojechać na most Bixby Creek i zobaczyć najpiękniejsze klify kalifornijskiego wybrzeża i ocean, którego nie można sobie nawet wymarzyć. Trzeba to zobaczyć, skreślić z listy rzeczy do odwiedzenia i ruszyć dalej.

Być może właśnie dlatego w każdym ze swoich artykułów starałam się dać czytelnikom poczucie wol-

---

* J. Steinbeck, *Podróże z Charleyem. W poszukiwaniu Ameryki*, tłum. B. Zieliński, Poznań 1991.

ności, możliwość oderwania się od otaczającego świata i wyzwolenia z ograniczeń związanych z szarą codziennością. Chciałam, by pozwolili sobie na opuszczenie strefy bezpieczeństwa, dali się ponieść i odważyli się postawić pierwszy krok w nieznane. Zawsze miałam to na uwadze, wymyślając nagłówki kolumn. Część dotyczącą zwiedzania nazwałam „Oczy szeroko otwarte", a tę poświęconą wyprawom w rzadko odwiedzane zakątki świata zatytułowałam „Zbaczając z kursu". I zawsze uważałam na to, by nie wybierać najoczywistszych miejsc jako tych wartych zobaczenia (Statua Wolności nie została bohaterką żadnego z moich artykułów) ani zbyt popularnych potraw jako godnych spróbowania. Jednak największą wagę przykładałam do ostatniej części: „Jedna rzecz, której nie znajdziesz w żadnym innym miejscu", która oprócz tego, że musiała być najbardziej porywająca, miała też najważniejsze zadanie. Miała sprawiać, że po zakończeniu tego ostatniego etapu wyprawy podróżnik był gotów na powrót do domu.

Przez pierwsze kilka dni po odejściu Nicka nie mogłam przestać zastanawiać się, co on zamieściłby w poszczególnych częściach takiej kolumny, gdyby pisał ją o mnie? Najbardziej interesowało mnie to, co powiedziałby w podsumowaniu tej podróży. Co skłoniło go do tego, by w ogóle w nią wyruszyć, a co sprawiło, że ostatecznie zdecydował się tak nagle ją zakończyć?

Jedynym małym błogosławieństwem związanym z naszym rozstaniem był fakt, że to właśnie Nick się wyprowadził. Jeszcze tego samego popołudnia przeniósł się do swojej rodziny albo do *przyjaciółki*. Ja nie pytałam, a on nie zagłębiał się w szczegóły. Powiedział natomiast, że nie będzie przychodził do domu, dzwonił ani rozpoczynał całej procedury związanej z naszym rozstaniem (dzielenia kont bankowych, domu, samochodów, obligacji, wspólnego komputera i psa), dopóki nie będę na to gotowa. Ustaliliśmy, że to ja dam mu znać, kiedy uznam, że nadszedł odpowiedni czas i jestem w stanie to zrobić. Kiedy atmosfera między nami będzie zdrowsza. Właśnie takiego określenia użył. Nie wiem, jakim cudem powstrzymałam się przed rozbiciem jakiegoś dużego, ciężkiego przedmiotu na jego głowie, kiedy to powiedział.

Wydaje mi się, że byłam jeszcze w zbyt dużym szoku, by pozwolić sobie na gniew albo chociaż na smutek. Ale smutek pojawił się później. Był nieunikniony i chyba nigdy wcześniej nie odczuwałam go tak mocno. Gdybym miała teraz opisać te pierwsze dni po rozstaniu, powiedziałabym, że w zasadzie spędzałam całe noce, leżąc w łóżku i wsłuchując się w trzeszczenie podłogi. W ciągu dnia robiłam niewiele więcej. Tylko moje serce wydawało się jakieś nieswoje. Biło w ten sam sposób, co zawsze, ale stało się jakby ciężkie i obce. Tak wyglądała wtedy moja marna egzystencja. Leżałam bezwładnie w łóżku, wsłuchując się w ciszę i czując, jak serce usiłuje bić dalej mimo cierpienia.

Dziesiątego dnia tej agonii w progu domu stanęła Jordan, moja najlepsza przyjaciółka, znana również jako światowej klasy adwokat, superpiękność i twarda sztuka, w towarzystwie swojej trzyletniej córki. Jordan miała klucz, co oznaczało, że mam niewiele do powiedzenia w kwestii jej odwiedzin.

Poznałam Jordan na pierwszym roku studiów. Mieszkałyśmy w tym samym akademiku, w sąsiednich pokojach. Jej współlokatorka była lekko stuknięta (nie zagłębiając się w szczegóły, powiem tylko, że tworzyła ołtarzyki poświęcone bohaterom serialu *Byle do dzwonka*), więc po pierwszych dwóch tygodniach Jordan praktycznie zamieszkała w moim pokoju. Od tamtej pory byłyśmy najlepszymi przyjaciółkami. Łączyła nas ta szczególna, szczera, niewymuszona więź, jaka wiąże ludzi, którzy poznają się, kiedy są jeszcze młodzi, zanim zdąży przytrafić im się reszta życia.

Odbierałyśmy na tych samych falach. Byłyśmy jak jeden organizm, jeden umysł funkcjonujący w dwóch różnych ciałach, do tego stopnia, że kiedy w końcu po dziesięciu dniach podniosłam się z łóżka, wzięłam prysznic i ubrałam swój „najlepszy" zestaw, czyli jeansy i czerwoną bluzkę, wiedziałam, że Jordan mnie odwiedzi. A ja za wszelką cenę chciałam pokazać jej, że jakoś się trzymam. Kolor czerwony miał to symbolizować, bo w końcu smutni, żałośni ludzie nie ubierają się na czerwono. Ubierają się na czarno. Albo na zielono.

Jordan była też główną i chyba jedyną przyczyną, dla której siedziałam przy kuchennym stole, udając, że pracuję. Pomyślałam, że dzięki temu będzie się mniej o mnie martwiła. A dodatkowo, stanowiłoby to niezłe przesłanie dla Nicka, gdyby miała okazję z nim rozmawiać.

Była jeszcze jedna rzecz, którą warto wiedzieć o Jordan. To chyba istotna informacja w całej tej skomplikowanej sytuacji. Jordan była siostrą Nicka.

Ja i Nick poznaliśmy się na uroczystości z okazji zakończenia studiów. Nick często powtarzał, że to właśnie wtedy się we mnie zakochał. W dniu, kiedy kończyłam studia. I że była to miłość od pierwszego wejrzenia. Ja zawsze miałam co do tego wątpliwości. Głównie dlatego, że zaczęliśmy się spotykać dopiero rok później. Poza tym bajeczny i szaleńczo modny zestaw, który miałam na sobie podczas tej uroczystości (kwadratowa czapka z dyndającym frędzlem i zbyt długa, obszerna toga) nie sprawiał, że ustawiała się za mną kolejka wielbicieli.

Jordan zatrzymała się w drzwiach kuchni z rękoma opartymi na biodrach i wnikliwie mi się przyglądała.

– Dobra wiadomość jest taka, że wyglądasz dużo szczuplej – powiedziała. – Wydaje mi się, że schudłaś ładnych parę kilogramów.

Zeskoczyłam z krzesła i podeszłam, żeby się przytulić. Mocno objęłam ją rękami i nie puszczałam przez dłuższą chwilę. Sasha w tym czasie stała, trzymając się moich nóg. I trwałyśmy tak we trzy w żelaznym uścisku, płacząc. Jordan płakała bardziej ode mnie, co było dość żenujące. Nie należała do ludzi użalających się nad sobą. Zawsze była twarda. A jednak za każdym razem, kiedy pojawiał się kolejny mój artykuł, pisała list do redakcji. Za każdym razem. Samo to stanowiło dla mnie niepodważalny dowód na to, że była posiadaczką prawdziwie złotego serca. Nawet jeśli czasem bardzo starała się to ukryć. Nie zmienia to jednak faktu, że przez te czternaście długich i intensywnych lat naszej znajomości widziałam, jak płacze, dokładnie dwa razy. Z czego drugi raz miał miejsce właśnie teraz.

– Więc tak... – zaczęła, ścierając ślady łez z policzków. – Przyniosłam ci trochę tej obrzydliwej sałatki, którą tak lubisz. Wiesz, tej z restauracji wegańskiej znajdującej się w dzielnicy Palisades.

– Naprawdę? – zapytałam, a Jordan skinęła głową.

– Tak w ogóle to śmierdzi tu, jakby ktoś podrzucił ci zdechłą rybę do mieszkania. Otwierasz czasem okna? Ale po kolei. Przyniosłam ci jeszcze kawę, więc zacznijmy może od tego, że siądziesz przy stole i grzecznie skonsumujesz wszystko, co dla ciebie przygotowałam, a właściwie wyniosłam z restauracji.

Zabrzmiało to bardziej jak stwierdzenie niż propozycja. Zgodziłam się.

– No to pierwszy krok w stronę normalności masz już za sobą. Teraz siadaj i zjedz to paskudztwo, zanim całkiem wystygnie i stanie się jeszcze bardziej niezjadliwe – dodała, patrząc z obrzydzeniem na stojący przede mną talerz.

– A jaki będzie krok drugi? – zapytałam.

– Zobaczysz.

Siedziałyśmy przy kuchennym stole. Sasha kolorowała rysunki w książce o superbohaterach. Jordan i ja zajęłyśmy miejsca obok siebie. Oddzielała nas tylko paskudna sałatka z jarmużu. Słońce wdzierało się przez okno, sprawiając, że w świetle jego promieni jarmuż mienił się jak kryptonit.

Kiedy nalewałam sobie kawy, Jordan podniosła kawałek jarmużu, powąchała i odłożyła z powrotem na talerz.

– Cierpliwie czekałam, aż w końcu do mnie zadzwonisz, ale ponieważ wyjeżdżam jutro do Włoch, musiałam sama wyjść z inicjatywą. Nie mogłam przecież czekać w nieskończoność.

Pociągnęłam łyk kawy, zastanawiając się, jak jej to wyjaśnić.

– Nie chciałam stawiać cię w niezręcznej sytuacji.

– Co masz na myśli, mówiąc o niezręcznej sytuacji? – Jordan przysunęła się bliżej i spojrzała mi prosto w oczy. – Tak dla jasności, chcę, żebyś wiedziała, że nienawidzę mojego brata za to, co ci zrobił.

– Dla jasności – dodałam – ja też nie jestem obecnie jego największą fanką.

– Najwyraźniej całkiem zwariował. To po pierwsze. A ta cała Pearl?

Jordan znała jej imię. Pearl.

Pokręciła tylko głową, odchylając się na krześle.

– Nigdy jej nie lubiłam. Nawet kiedy ją znałam – powiedziała. – Mieszkała na naszym osiedlu, kilka domów dalej. Nick wspominał ci o tym?

– Niezupełnie.

– Powiem tylko, że jest jeszcze bardziej despotyczna niż ja, a to już mówi samo za siebie. – Jordan ponownie pokręciła głową kompletnie zdegustowana. – P e a r l. Co to w ogóle za imię? Czy ktoś, kto nie ma jeszcze stu lat, może się tak w ogóle nazywać?

– Znam jedną barmankę, która ma tak na imię. Dziewczyna ma dopiero dwadzieścia jeden lat. Może dwadzieścia dwa.

Jordan podniosła rękę, uciszając mnie teatralnym gestem.

– Chodzi o to, że Nick jest skończonym idiotą, jeśli myśli, że zaakceptuję tę sytuację. Zapytał nawet, czy nie zjedlibyśmy wspólnie kolacji w niedzielę. Powiedziałam, że musiałabym chyba upaść na głowę, żeby mieć ochotę na zacieśnianie więzi z nim i jego nową perełką.

Zaśmiałam się głośno, co wywołało uśmiech na twarzy małej Sashy. Sasha i Jordan uśmiechały się niemal identycznie. Miały ten sam kształt ust i podobne rysy. Było to dość zaskakujące z uwagi na fakt, że Jordan nie była biologiczną matką Sashy. Była jej macochą. W pewien sposób miało to jednak sens. Jordan kochała Sashę, jakby ta była jej rodzoną córką. Pierwszy raz widziałam płaczącą Jordan, kiedy Simon pojechał z Sashą w odwiedziny do swoich rodziców w Martha's Vineyard. Jordan nie mogła jechać ze względu na pracę. Wtedy przyrzekła sobie, że bez względu na wszystko już nigdy więcej nie pozwoli na to, by jej ukochana córka przebywała bez niej tak długo.

– Ostatecznie chcę, żebyś wiedziała, że nie mam zamiaru tolerować tego, że mój brat zachowuje się jak skończony palant, dupek, idiota, zdrajca, bałwan i żałosna namiastka mężczyzny.

Znów spojrzałam na Sashę wciąż pochłoniętą kolorowaniem.

– Niezła wiązanka.

– Wiem. Trochę mnie poniosło – westchnęła, a ja ścisnęłam jej rękę. – Po prostu strasznie mnie to wkurza, wiesz? Nie mam zamiaru go bronić. Uwierz mi. Ale w świecie internetu, Facebooka, Twittera i innych błogosławieństw technologii, które umożliwiają kontaktowanie się z każdą jednostką ludzką na świecie o każdej porze dnia i nocy, trzeba uważać, żeby nie pozwolić sobie na emocjonalną bliskość z kimś innym. Należy spróbować nie spędzać całego swojego czasu, zastanawiając się nad tym, co oznacza fakt, że myślisz o dawnym zauroczeniu. Rozumiesz, co chcę ci powiedzieć?

– Skłamałabym, mówiąc, że tak – odpowiedziałam, kręcąc głową.

Jordan spojrzała na mnie wzrokiem pełnym dezaprobaty.

– Chodzi mi o to, że w dzisiejszych czasach wszyscy są bardziej zagubieni i pozwalają wmanewrować się we wszystko. Mam tego dość. Co się stało ze starymi, dobrymi czasami, kiedy zdrada oznaczała wyłącznie zdradę? Bez żadnych emocjonalnych podtekstów.

Podniosłam się i zaczęłam zbierać talerze, żeby włożyć je do zlewu.

– Posłuchaj mnie uważnie, Jordan. Nick kocha cię bardziej niż kogokolwiek na świecie. Jesteś również jego najlepszą przyjaciółką. Nie wkurzaj się na niego tylko i wyłącznie ze względu na mnie. Nie zrobił nic złego. Myślę, że właśnie dlatego odszedł. Pod tym względem zachował się w porządku. Ta sytuacja może i nie jest dla mnie zbyt fajna, ale przynajmniej uczciwa. Zresztą sama też nie jestem zupełnie bez winy, jak zapewne zdążył ci już uprzejmie donieść. W końcu cały czas mnie nie ma.

– Słucham?

– Mówię tylko, że on też ma trochę racji. Nie jest łatwo tworzyć związek z kimś, kto więcej czasu spędza poza domem niż w nim. Ze mną zawsze tak było. Miałam na koncie dwanaście przeprowadzek, zanim zdążyłam skończyć osiemnaście lat. Nawet teraz przynajmniej sześć miesięcy w roku spędzam, podróżując. – Wzruszyłam ramionami. – Nie sądzę, żeby w całym moim życiu zdarzyło mi się być w jednym miejscu dłużej niż tydzień.

Jordan otworzyła szeroko oczy, jak gdyby moje słowa nie miały dla niej sensu.

– A więc to wszystko twoja wina, tak? To, że twoja zwariowana matka kochała urozmaicać ci życie przeprowadzkami, i to, że Nick uważa, że ma prawo obwiniać cię o swój nagły atak kryzysu wieku średniego?

Zanim zdążyłam jej odpowiedzieć, Jordan zaczęła nerwowo rozglądać się po całym pomieszczeniu. Później odwróciła się w moją stronę.

– Gdzie jest pies? – zapytała.

– Jaki to ma związek z naszą rozmową?

– Pozwoliłaś mu zabrać cholernego psa?

– Tylko nie cholernego – powiedziałam z lekkim oburzeniem.

– Przecież ty kochasz Milę. Kochasz ją w ten irytujący sposób, w jaki ludzie kochają swoje zwierzęta.

– Nick też ją kocha.

Poczułam na sobie mordercze spojrzenie Jordan. Jak miałam jej to wytłumaczyć? Jak miałam wyjaśnić to, że nawet teraz, po tym, ile bólu zadał mi Nick, ja nie chciałam, żeby on cierpiał przeze mnie?

Jordan odwróciła się w kierunku córki, kręcąc głową z powątpiewaniem.

– Wyobrażasz to sobie, kochanie? – zapytała. – Twoja ciocia jest lojalna wobec mężczyzny o wątpliwym kręgosłupie moralnym. Pamiętaj, żeby nigdy nie brać z niej przykładu. Kiedy dorośniesz i jakiś facet zachowa się wobec ciebie nie w porządku, spławisz go bez chwili zastanowienia. Jasne?

Sasha nie przestawała kolorować. Była ewidentnie usatysfakcjonowana swoim dziełem przedstawiającym komiksową superbohaterkę, której kostium był teraz całkiem pomarańczowy.

– Potwierdź, że zrozumiałaś, skarbie.

– Potwierdzam, mamusiu – odpowiedziała. Następnie wyciągnęła z pudełka nową kredkę. Wybrała inny odcień pomarańczowego i zajęła się kolorowaniem włosów superpostaci.

Jordan pocałowała Sashę w czoło i odgarnęła jej miękkie, kręcone włosy na bok.

– Powiem ci, co zrobimy – zaczęła, odwracając się w moim kierunku. – I nie chcę słyszeć ani słowa sprzeciwu.

– A to ci nowina – odpowiedziałam, uśmiechając się pod nosem.

– Pojedziesz z nami do Wenecji. Zostaniesz tam, dopóki sytuacja trochę się nie uspokoi. Zajmuję się tam pewnym przypadkiem defraudacji. Sprawa powinna potrwać około dwunastu tygodni. Wynajmiemy duży dom w pięknej okolicy. Tuż obok najlepszej kawiarni na świecie. No i sam fakt, że to W e n e c j a, powinien być wystarczająco przekonujący. – Jordan spojrzała na mnie z zadowoleniem. – Zdystansujesz się od tego wszystkiego.

– Brzmi wspaniale – powiedziałam.

– Świetnie. W takim razie wszystko ustalone.

Przecząco pokręciłam głową.

– Nie mogę jechać. Mam sporo pracy.

– Wybacz, nie wiedziałam, że we Włoszech nie mają komputerów. Albo samolotów, które umożliwiłyby ci dostanie się do miejsc, o których planowałaś pisać.

Nie miałam wystarczająco dobrej wymówki, żeby wykręcić się od tego wyjazdu. Chciałam tylko, żeby Jordan zrozumiała, jak bardzo nie byłam w stanie przyjąć jej propozycji. Jak strasznie było to dla mnie niemożliwe.

– Nie mogę teraz tak po prostu zostawić wszystkiego.

– Annie, wydaje mi się, że to wszystko, o którym mówisz, właśnie zostawiło ciebie – powiedziała.

Gdyby spojrzenie mogło zabijać, miałabym na kuchennej podłodze zwłoki mojej najlepszej przyjaciółki.

– Wybacz mi, Annie. Nie jestem w tym najlepsza. Chcę ci po prostu zaoszczędzić jeszcze większego cierpienia.

– Co masz na myśli? – zapytałam.

Zadałam to pytanie, mimo że doskonale znałam na nie odpowiedź. Nie byłam jedną z tych kobiet, które szybko zapominają o przeszłości i idą dalej. Znajdują sobie nowego chłopaka tydzień po rozstaniu z poprzednim i zmieniają uczucia w przeciągu jednej sekundy. Proces mojego dochodzenia do siebie był nieco bardziej wymagający i czasochłonny. Na moje nieszczęście nie był też bezbolesny. W początkowej fazie obwiniałam się o wszystko, co poszło nie tak. W kolejnej obwiniałam się o całą resztę.

– Jedź z nami do Wenecji – powiedziała Jordan, zbliżając się do mnie. – Nick w końcu zrozumie, że popełnił błąd, a wasze życie wróci do normalności. A tymczasem możesz się porządnie zabawić. Zrób coś, czego nigdy byś nie zrobiła.

„Zrób coś, czego nigdy byś nie zrobiła". Te słowa uderzyły mnie z siłą rozpędzonej kuli armatniej. Nagle wszystko stało się jasne. Był to pierwszy dobry pomysł, jaki usłyszałam w ciągu dziesięciu dni od rozstania. W końcu pojawił się realny plan, który dawał mi nadzieję na wyjście z tej sytuacji. Na uporanie się z nią.

– Mnie też to dobrze zrobi – Jordan kontynuowała. – Ja i Simon będziemy mogli spędzić trochę więcej czasu razem. Moglibyśmy wybrać się na jakąś romantyczną kolację co jakiś czas. Albo pójść na długi spacer. Widzisz? Tu wcale nie chodzi tylko o twoje potrzeby. Przydałabyś się nam jako opiekunka do dziecka.

– Sama nie wiem… – Zaśmiałam się.

– Ależ tak! Obydwie doskonale wiemy, że Nick do ciebie wróci. Przechodzicie tylko kryzys. To normalne po pięciu latach związku. Ja planuję wypad do Maroka, kiedy kryzys dopadnie mnie i Simona. A skoro już o tym mowa, pewnie będę potrzebowała kilku dobrych rad w sprawie wyboru hotelu. Oczywiście, kiedy już nadejdzie ten moment. Najlepiej coś ze spa.

Zaprzeczyłam ruchem głowy.

– To nie to samo – powiedziałam. – My nawet nie jesteśmy małżeństwem.

– W zasadzie nie ma to żadnego znaczenia. Stanowicie klasyczny przykład konkubinatu. Dzielicie ze sobą życie, i wiesz co? – Jordan podstępnie uniosła brwi. – Mogłabyś nawet zażądać podziału majątku, gdybyś tylko chciała. Połowa tego domu jest twoja. Nawet ten beznadziejny kabriolet w garażu w połowie należy do ciebie.

– Nie mam zamiaru pozywać Nicka.

– I dobrze. Prawdę mówiąc, w Kalifornii nie obowiązuje takie prawo. Ale obowiązuje w Pensylwanii. Przynajmniej obowiązywało przed 2005 rokiem. A przecież tam właśnie się poznaliście, więc…

– Jordan! – przerwałam jej.

– Dobrze już, dobrze. Rzeczywiście wasz kryzys pojawił się w najmniej sprzyjającym momencie. Nick po raz pierwszy zakosztował słodkiego smaku sławy, od którego najwyraźniej doznał tymczasowej amnezji. Nasz biedak zapomniał, że w rzeczywistości nie jest jakąś supergwiazdą, a zwyczajnym gogusiowatym facetem… – Jordan przerwała na chwilę, szeroko otwierając oczy, jak gdyby właśnie sobie coś uświadomiła. – Który przestał nosić swoje gogusiowate okulary.

– I co z tego? – zapytałam.

– Powinnam była się domyśleć, że coś jest na rzeczy, kiedy zaczął nosić szkła kontaktowe. Jak mogłam tego nie zauważyć? – Jordan potrząsnęła głową ze zdumieniem. – Zupełnie jakby jego rozum przestał funkcjonować w chwili, kiedy zdjął okulary. To bardzo w stylu Prosiaczka z *Władcy much*.

Spojrzałam na nią zupełnie zdezorientowana.

– Wydaje mi się, że okulary Prosiaczka się połamały.

Jordan machnęła ręką.

– Nie rozumiesz tego? – zapytała.

– Czego?

– Nick cię kocha. Tak bardzo, że żadna tam Pearl nie jest w stanie tego zmienić. Jestem tego pewna. Ale mężczyźni czasem zapominają. Jeśli minie zbyt dużo czasu, mogą zapomnieć, jak cenne jest to, co mają. Przestają pamiętać o tym, jak bardzo tego pragną i potrzebują.

Ale ty nie powinnaś cierpieć, kiedy on będzie sobie przypominał. Nie pozwolę ci na to. – Jordan przerwała na chwilę, żeby złapać oddech. – Poza tym, im szybciej się otrząśniesz, tym szybciej on do ciebie wróci. Tak to właśnie działa.

Nie mogłam się nie zgodzić z tym ostatnim stwierdzeniem. Wydawało mi się, że wszechświat jest wyjątkowo złośliwy pod tym względem. Jak tylko przestajesz czegoś tak bardzo pragnąć, nagle to dostajesz.

Przysunęłam się do Jordan i oparłam swoje czoło o jej.

– Bardzo cię kocham – powiedziałam. – Mówię to na wypadek, gdybyś jeszcze tego nie wiedziała.

– Więc jedź ze mną do Wenecji. Chociaż ten jeden raz pozwól, by ktoś się o ciebie zatroszczył.

– Twój brat twierdzi, że się mną opiekował – odparłam. – Nawet za bardzo.

– Chciałabym, żebyś przestała tytułować go w ten sposób – odpowiedziała, głęboko wzdychając.

Uśmiechnęłam się.

– Zastanowię się nad wyjazdem. Obiecuję – zapewniłam, chcąc skończyć temat.

– Nieprawda.

– Może masz rację – dodałam. – Ale dość już tego złowieszczego gadania i użalania się na sobą. Obiecuję, że wszystko będzie dobrze. Już jest. Jutro zaczynam wszystko od nowa. Albo nawet jeszcze dzisiaj. Wyskoczę gdzieś wieczorem uczcić powrót do świata żywych. Mam już nawet plany. Całkiem niezłe.

– Boże, fatalny z ciebie kłamca – westchnęła, opierając się wygodnie na krześle. – Twoje usilne próby przekonania mnie, że wszystko jest w porządku, są nawet zabawne.

– Co mnie zdradziło? Pewnie ten fragment o planach na wieczór?

Jordan przysunęła się i chwyciła mnie za nadgarstek.

– Tak, myślę, że powinnaś trochę dopracować tę część – przyznała. – No i jest jeszcze jedna rzecz. Założyłaś bluzkę na lewą stronę.

ROZDZIAŁ 3

Po wyjściu Jordan przepłakałam pół nocy, zanim w końcu udało mi się zasnąć.

Musiałam zmierzyć się ze wszystkimi myślami, które kłębiły się w mojej głowie. Pięć wspólnie spędzonych świąt Bożego Narodzenia. Pięć szampańskich sylwestrów. Dziesięć imprez urodzinowych i każde Święto Dziękczynienia. Sześć wycieczek, w czasie których zwiedziliśmy cały kraj, i trzy takie, podczas których zjeździliśmy tylko pół. Cztery telewizory. Jeden zlot absolwentów. Dwa pobyty w szpitalu po koszmarnym zatruciu pokarmowym. Jeden wypadek samochodowy w Meksyku. Trzy złamane kości. Jeden wycięty wyrostek. Pięć pogrzebów dziadków i babć, w tym również tych przyszywanych. Szalone walentynki w Hongkongu. Szalone walentynki w Nowym Jorku. Ciche walentynki w domu, podczas których w ogóle ze sobą nie rozmawialiśmy. Ślub jego siostry. Dwa rozwody mojej matki. Czwórka wspólnych chrześniaków. Jeden cudowny, biszkoptowy labrador. Wspólny język. Wspólna rodzina. Wspólne plany na przyszłość. Dwa tygodnie spędzone na koszmarnej łodzi na jeziorze Michigan. I wisiorek, który podarował mi ostatniej nocy, z czterema magicznymi słowami wygrawerowanymi na odwrocie: „Dla ciebie, na zawsze". Ani jednego dnia bez rozmów, nawet jeśli oznaczały one tylko kłótnie. Ani jednego wieczoru, kiedy nie powiedziałabym „dobranoc", nawet jeśli wcale mu tego nie życzyłam. Ani jednego poranka, kiedy pierwszą myślą w mojej głowie nie byłby on.

Obudziłam się w środku nocy, przypominając sobie o czymś jeszcze. Przypomniałam sobie o podróży, którą odbyliśmy na samym początku naszego związku. Pojechaliśmy do Utah na długi weekend. Pierwszej nocy zatrzymaliśmy się w starym domku na obrzeżach Moab, tuż za miastem. Chwilę przed snem zapytałam Nicka, jakim cudem wszystko tak dobrze się między nami układa, dlaczego wszystko wydaje się takie proste.

– Powinniśmy cieszyć się tą chwilą, kiedy trwa – odpowiedział. – Pewnie nie zawsze będzie tak łatwo...

Musiał zobaczyć zmartwienie i strach na mojej twarzy, ponieważ przysunął się do mnie i mocno objął, próbując pocieszyć. Mówił, że wcale tak nie myśli i że między nami zawsze będzie tak jak teraz. Wierzyłam w to. Jednak to nie kwestia, czy wszystko między nami będzie układało się wspaniale, budziła mój niepokój. Skupiłam się na słowie „zawsze". Jakaś cząstka mnie od samego początku bała się polegania na kimś. Bała się wierzyć, że ten ktoś zawsze będzie obok. A jednak było to dokładnie to, czego inna cząstka mnie pragnęła z całego serca.

I zaczęłam się zastanawiać, jakim cudem się tutaj znalazłam.

ROZDZIAŁ 4

Dopiero dwa dni później postanowiłam, że dotrzymam obietnicy złożonej Jordan i wrócę do świata żywych. Koło godziny piątej włączyłam radio, wzięłam gorący prysznic i zrobiłam makijaż. Te drobne zajęcia sprawiały, że pozostawałam w ruchu, nie dając sobie czasu na myślenie o ostatnich wydarzeniach. Wysuszyłam i uczesałam włosy. Założyłam duże, wiszące kolczyki. Czułam się, jakbym oglądała film ze sobą w roli głównej, kiedy złapałam swoje spojrzenie w lustrze: „Cześć, czy my się przypadkiem nie znałyśmy w innym czasie, w innej rzeczywistości?".

Wybór kreacji na wieczór okazał się o wiele prostszy, niż się spodziewałam. Głównie dlatego, że nie robiłam prania od dnia, w którym Nick się wyprowadził, i w mojej szafie wisiały tylko dwie czyste rzeczy. Jedną z nich było seksowne różowe kimono, które kupiłam na pchlim targu w Camden Town w Londynie. Miało ono jednak dwie zasadnicze wady. Po pierwsze, było seksownym różowym kimonem. A po drugie, było o dwa numery za małe. Jedynym słusznym wyborem okazała się więc żółta sukienka, która w pełnej gotowości spoglądała z wieszaka. Była zarezerwowana na te wszystkie wyjątkowe, odświętne okazje, jak śluby i przyjęcia. Żyłam w ciągłym strachu, że ją zniszczę, dlatego na co dzień chronił ją plastikowy pokrowiec. Była to moja magiczna sukienka. Przynajmniej tak zwykle mawiała Jordan. To taka sukienka, która sprawia, że jesteś o kilka centymetrów wyższa, o parę kilogramów lżejsza, i w jakiś cudowny sposób dodaje objętości w pewnym strategicznym miejscu. Powiedzmy to sobie otwarcie: wyczarowuje parę bajecznych cycków. Chyba każda z nas, jeśli ma wystarczająco dużo szczęścia, trafi na taką sukienkę chociaż raz w życiu.

Tej nocy była wszystkim, co miałam.

Usiadłam na łóżku. Zakładałam czerwone sandałki na obcasie i zastanawiałam się, jakie miejsce byłoby odpowiednie dla takiej kreacji. Mój ulubiony bar na Abbot Kinney nie wydawał się najlepszym kandydatem. Najbardziej elegancki bywalec tego miejsca pokusiłby się co najwyżej o czysty podkoszulek.

Zdecydowałam więc, że pojadę do Santa Monica i odwiedzę moje ukochane miejsce. Był nim mały, elegancki hotel położony tuż przy złocistej plaży. Mogłabym usiąść przy jednym z pięciu stolików na patio i rozkoszować się wspaniałym widokiem na najpiękniejszy zachód słońca, jaki można sobie wyobrazić. Taki widok miał magiczną moc. Oprócz oczywistych doznań estetycznych, mógł sprawić, że myślami odpływało się tysiące kilometrów od spraw, które przypominały o przytłaczającej rzeczywistości.

Taki właśnie był mój tajny plan. Ucieczka od rzeczywistości. Przynajmniej na ten jeden wieczór. Byłam na dobrej drodze do jego realizacji, dopóki nie zasnęłam, niwecząc swoje własne zamiary. Zasnęłam dokładnie na brzegu łóżka, na którym siedziałam ubrana w moją magiczną sukienkę.

Nie pamiętam chwili, kiedy się kładłam. Ale kiedy się obudziłam, miałam jeden but założony do połowy, a magiczna sukienka była cała wygnieciona. Zegar na ścianie wybijał północ. Mogła być równie dobrze czwarta nad ranem, ponieważ wszystkie knajpy w Los Angeles były już zamknięte albo właśnie je zamykano. Wliczając w to moją elegancką restaurację na plaży. Mimo wszystko podniosłam się, założyłam drugi but, wzięłam kluczyki od samochodu i ruszyłam w stronę drzwi. Sama nie wiem, co mną kierowało. Być może chciałam móc powiedzieć Jordan, że udało mi się zrobić coś konstruktywnego. A może nie miało to zupełnie nic wspólnego z moją przyjaciółką. Może kierowała mną jakaś totalnie nieznana siła, której nawet ja nie umiałam wyjaśnić ani zrozumieć.

Wiem tylko tyle, że kiedy weszłam do restauracji i zobaczyłam te kilkumetrowe okna zapewniające zniewalający widok na plażę, ocean i tę niesamowitą przestrzeń, nie miało dla mnie znaczenia, że światła były już przygaszone, a pomieszczenie puste. Nie interesowało mnie też, że meble na patio zostały uprzątnięte, a muzyka ściszona. Ani nawet to, że jedyną osobą oprócz mnie, której obecność byłam w stanie odnotować, był jakiś facet o kręconych włosach. Stał za barem, wycierając go przy akompaniamencie piosenki Springsteena. Chociaż właśnie to był pierwszy problem.

Kolejnym był fakt, że ten kędzierzawy facet wycierający blat nie był moim barmanem. Tym, z którym zdążyłam poznać się przez te wszystkie lata na tyle, by pewnej nocy pomóc mu przećwiczyć fragment scenariusza przed przesłuchaniem do serialu, które miało odbyć się następnego dnia. I tym, u którego miałam największe szanse na zdobycie drinka w środku nocy.

– Nie jesteś Rayem – powiedziałam, podchodząc do niego.

Musiał usłyszeć w moim głosie całkowite rozczarowanie, ponieważ roześmiał się z prawdziwym rozbawieniem.

– Obawiam się, że nie – przyznał.

Posłał mi sympatyczny, przyjacielski uśmiech, a ja poczułam ulgę, że pierwsze słowa, które padły z jego ust, nie były komunikatem, że już zamykają. Dopiero później zwróciłam uwagę na jego twarz. Miał niezwykle ładne rysy. Silną szczękę i duże oczy. Do tego trzydniowy zarost pasujący kolorem do zabawnych, chłopięcych blond loczków. Uroczy dołeczek w brodzie dawał się zauważyć mimo zarostu. Był ubrany w zieloną marynarkę, która odcieniem zbliżona była do jego oczu. Może nawet za bardzo.

– Czy to znaczy, że już za późno na ostatniego drinka? – zapytałam.

– Oficjalnie czy nieoficjalnie? – Nieznajomy przetarł blat baru po raz ostatni.

– Zależy, która wersja zwiększy moje szanse na szklaneczkę bourbona – odpowiedziałam. – Ze szczyptą soli.

Uśmiechnął się ponownie. Muszę przyznać, że miał powalający uśmiech. Taki, który sprawia, że ma się ochotę patrzeć na niego w nieskończoność. Był szczery i łagodny, jak uśmiech beztroskiego chłopca. Ale momentami wydawał się też zupełnie inny, niebezpieczny i pociągający.

Lekkim ruchem ręki mężczyzna zarzucił sobie białą ścierkę na ramię.

– Też bym go wybrał.

– Nikt nie wybiera takiego drinka z własnej woli.

Właśnie wtedy wyciągnął małą szklaneczkę zza baru. Na dnie została jeszcze resztka whisky z widocznym śladem soli.

– Pamiętam, że kiedy byłem dzieciakiem, mój wujek lubił pić go w ten sposób. Pewnie mam to po nim – dodał. – Może pani spróbować.

Zamiast skorzystać z jego propozycji, spojrzałam za kontuar. Musiałam lekko wspiąć się na palcach, żeby mieć lepszy widok.

– Założę się, że masz szklanki po wszystkich możliwych drinkach, czekające za barem, żeby je wyciągnąć w odpowiedniej chwili. Niezły sposób na napiwki.

– Może pani usiądzie?

Wskazał na jeden z pustych barowych stołków znajdujących się tuż obok mnie, sugerując, żebym na nim usiadła.

– Poważnie? – zapytałam, jakbym miała zamiar dyskutować na ten temat i jakbym jeszcze nie wskoczyła na ten barowy stołek, starając się usadowić na nim jak najwygodniej, blisko baru.

Musiałam wyglądać dziwnie podczas tych starannych zabiegów, mających pozwolić mi zająć miejsce na krześle w nieułatwiającej sprawy, długiej sukni, ponieważ spojrzał na mnie wzrokiem pełnym konsternacji.

– Wszystko w porządku?

– Jasne – zapewniłam. Następnie wyciągnęłam dłoń w jego kierunku, chcąc się przedstawić. Pomyślałam, że jeśli pokuszę się o tę drobną uprzejmość i wzmocnię efekt, dodając przyjazny uśmiech numer pięć, zdobędę w końcu drinka. – Jestem Annie. Annie Adams.

Wychylił się zza baru, aby uścisnąć moją dłoń. Ale zanim zdążył to zrobić, usłyszeliśmy czyjeś kroki. Oboje odwróciliśmy się jednocześnie, by zobaczyć kto to. W drzwiach pojawiła się znajoma twarz Raya, mojego barmana. Zbliżał się do nas ubrany w codzienne ciuchy. Na jedno ramię zarzucił skórzaną kurtkę.

– Griffin, ja stąd spadam, człowieku... – zaczął Ray, ale przerwał w pół zdania, kiedy mnie zauważył.

– My się chyba znamy? Meredith, prawda? Meredith w pięknej sukience?

– Blisko – odpowiedziałam z uśmiechem.

– Ray, to jest Annie Adams – przedstawił mnie facet stojący za barem. Najwyraźniej na imię miał Griffin.

Ray patrzył raz na mnie, raz na niego.

– W takim razie, Annie Adams w pięknej sukience. Przykro mi, ale zamykamy na dziś. Zapraszam ponownie jutro. Szaleństwo zaczyna się jak zwykle o czwartej.

Zaczęłam zbierać się do wyjścia, ale zanim zdążyłam wstać, Griffin położył swoją dłoń na mojej, delikatnie zatrzymując mnie na miejscu.

– Właściwie to Annie jest moją dobrą znajomą. Ściągnąłem ją tutaj na nocnego drinka, żeby dotrzymała mi towarzystwa. Możesz już iść, jeśli chcesz. Ja pozamykam wszystko, jak skończę.

Ray ponownie na mnie spojrzał.

– Przyjaźnisz się z Griffem?

Uśmiechnęłam się do Griffa, kiedy ten nalewał mi whisky. Dużo whisky do dużej szklanki. A do tego sporo soli. Od dziś był moim najlepszym przyjacielem.

– Jasne – potwierdziłam.

– Spoko. – Ray zakręcił swoją skórzana kurtką tuż nad głową i odwrócił się w kierunku wyjścia. – Na razie!

Kiedy ponownie spojrzałam na Griffina, trzymał w górze swoją szklankę z drinkiem.

– Domyślam się, że teraz już się cieszysz, że nie jestem Rayem?

– Bardzo – zapewniłam, podnosząc swoją szklankę. Następnie powoli wzięłam pokaźny łyk bourbona. Poczułam, jak fala gorąca spływa wzdłuż mojego gardła.

– Co do jednego miał rację – powiedział. – To rzeczywiście ładna sukienka.

– Nie daj się zwieść. – Beztrosko wzruszyłam ramionami. – To magiczna sukienka.

– Nie bardzo rozumiem.

– Jest trochę jak fatamorgana. Sprawia, że widzisz rzeczy, które w rzeczywistości nie istnieją. Tak się składa, że miałam do wyboru albo ją, albo różowe kimono. Ale kimono już na mnie nie pasuje. – Przerwałam na chwilę. – I szczerze mówiąc, nie jestem pewna, czy kiedykolwiek pasowało.

Zaczął się śmiać. To było zabawne? Najwyraźniej.

Griffin wyszedł zza baru, podszedł bliżej i wskazał na krzesło stojące tuż obok mojego.

– Mogę? – zapytał. – Dzięki temu nasza znajomość będzie bardziej wiarygodna.

– Na wypadek gdyby wrócił Ray? – Uśmiechnęłam się.

– Właśnie. – Odwzajemnił mój uśmiech, a dołeczek w jego brodzie stał się jeszcze bardziej widoczny.

– Zapraszam – powiedziałam, zachęcająco klepiąc stołek.

Usiadł i odwrócił się w moim kierunku. Siedzieliśmy teraz twarzą w twarz. Dopiero wtedy zauważyłam, że zielona marynarka, którą miał na sobie, była tak naprawdę kitlem szefa kuchni.

– Chwila. Jesteś tutaj szefem kuchni?

Spojrzał na swój kitel z tytułem szefa kuchni wyszytym białą nitką.

– Jestem? – zażartował, widząc moje zdziwienie. – Na to wygląda. Napisy na uniformach nie kłamią.

– Przepraszam… Stałeś za kontuarem, jak weszłam. Pomyślałam, że musisz być barmanem. Że może pracujesz tutaj dorywczo, a na co dzień jesteś początkującym aktorem albo kimś takim.

– Dlaczego tak pomyślałaś? – zapytał.

Nie wiedziałam, jak sprawić, żeby moja odpowiedź zabrzmiała w miarę normalnie. W końcu, jak miałam mu powiedzieć, że powodem były jego zabójcze oczy, tak, by nie pomyślał, że jestem jakąś stukniętą nimfomanką?

– Wygląda na to, że błędnie interpretuję to, co widzę, i przypisuję nieznajomym rozmaite historie – wyjaśniłam.

Uśmiechnął się.

– Ostatni raz stałem na scenie w piątej klasie. Wystawialiśmy *Piżamową rozgrywkę*.

– Uwielbiam to przedstawienie – powiedziałam.

– Możesz mi wierzyć, że ta wersja raczej by ci się nie spodobała.

– A teraz jesteś tutaj szefem kuchni? – Uśmiechnęłam się.

Skinął głową.

– Przynajmniej tymczasowo. Zastępuję Lisę, która jest na urlopie macierzyńskim. Nie będzie jej przez parę najbliższych miesięcy. Wcześniej pracowałem w restauracji jej siostry w Berkshire. Znajduje się kilka kilometrów od Stockbridge. Miejsce nazywa się Maybellines.

– Byłam w Stockbridge. Właściwie to w pobliżu Stockbridge. W Great Barrington. Jakieś trzy lata temu. Pojechałam tam służbowo. Gdybym wiedziała o tej restauracji, na pewno bym ją odwiedziła. Mogłabym coś o was napisać. Jestem dziennikarką, piszę artykuły podróżnicze. Ale pisałam o Great Barrington, więc chyba jednak nie mogłabym wspomnieć o was. Przynajmniej nie wtedy.

Poczułam, jak ponownie ogarnia mnie fala zmęczenia. Nie umiałam jej powstrzymać. Griffin znacząco odchylił głowę i posłał mi pytające spojrzenie. Znowu wyglądał na zdezorientowanego. Jakby nie do końca wiedział, co się dzieje.

– Przepraszam – powiedziałam. – W ostatnim czasie sen nie był moim najlepszym przyjacielem. I chyba za dużo mówię.

Wyciągnął rękę i przysunął dłoń niebezpiecznie blisko mojego policzka, nie dotykając go jednak.

– Masz na policzku ślady od poduszki. O, tutaj.

Poczułam, jak przechodzą mnie dreszcze w miejscu, które mógł dotknąć swoją dłonią. Instynktownie podniosłam rękę, zasłaniając tę część twarzy.

– To dość skomplikowane – powiedziałam.

– Nie wątpię. – Zaśmiał się.

– Więc nie pracujesz już w Maybellines? – zmieniłam temat.

– Już nie. Właściwie to otwieram własną restaurację w Williamsburgu. W przyszłym roku, kiedy wrócę do Massachusetts.

Spojrzałam na niego zmieszana. Przez chwilę zastanowiłam się, czy przypadkiem się nie przesłyszałam.

– Powiedziałeś: Williamstown? – upewniłam się, mając już przed oczami niezwykle żywe wspomnienie cudownego miasteczka w Berkshires, w którym każdego lata odbywały się niesamowite festiwale teatralne. Pisałam o nim w jednym z moich artykułów.

– Nie. Powiedziałem: Williamsburg. Ale nie martw się, wszyscy mylą je z Williamstown. Nie jesteś jedyna – odpowiedział. – Znajduje się w Pioneer Valley. Mieszkałem tam całe swoje życie.

– Brzmi ciekawie. – Uśmiechnęłam się.

– Cieszę się, że tak myślisz. – Griffin odwzajemnił mój uśmiech. – Będziesz mogła mnie tam odwiedzić i napisać coś o mojej restauracji w ramach rewanżu za dzisiejsze drinki.

– Umowa stoi – odpowiedziałam.

Griffin sięgnął za bar po bourbona i nalał nam po jeszcze jednej szklance. Później postawił butelkę na barze, pomiędzy nami. Nie mogłam przestać patrzeć na tę butelkę. Jej zawartość zmniejszała się w bardzo szybkim tempie.

– Chcesz o tym porozmawiać? – zapytał, a ja spojrzałam na niego nieco zmieszana i zaskoczona. – O śladach na policzku i o tych skomplikowanych sprawach?

– A, o tym. – Wzruszyłam ramionami, zastanawiając się, co powiedzieć. – Ostatnio nie całkiem jestem sobą.

Griffin wziął duży łyk bourbona, delektując się smakiem. Kiedy trzymał szklankę, zauważyłam tatuaż na jego nadgarstku. Przedstawiał kotwicę, a w zasadzie jej część. Wyglądała, jakby ktoś nagle urwał ją w połowie.

Następna rzecz, którą zrobiłam, stanowiła niezbity dowód na to, że nie byłam sobą. A przynajmniej nie zachowywałam się jak ja. Bez zastanowienia dotknęłam go. Dotknęłam jego tatuażu, przesuwając palcami wzdłuż konturów kotwicy. To chyba nie mieściło się w kanonach normalnego zachowania. A jednak w jakiś dziwny sposób było to zupełnie naturalne i oczywiste. Griffin nawet nie zareagował. Spojrzał tylko na swój nadgarstek. Przez chwilę obserwował, jak moje palce przesuwają się po tatuażu w miejscu, gdzie rysunek nagle się urywa, obnażając gołą skórę.

– Jest pewna historia związana z tym tatuażem – zaczął. – Chociaż nie jestem pewien, czy warto ją opowiadać.

– Dotyczy jakiejś byłej dziewczyny? – zapytałam.

– Tak. Dotyczy byłej dziewczyny, moich osiemnastych urodzin i bardzo długiej nocy spędzonej w pewnym salonie tatuażu w Kanadzie.

– Naprawdę myśleliście, że to dobry pomysł, kiedy robiliście sobie te tatuaże? To trochę jak naszyjnik najlepszych przyjaciół.

Potrząsnął głową, wskazując na mnie palcem.

– Właśnie dlatego mam swoją zasadę na temat rozmawiania o innych kobietach z tą, która siedzi właśnie ze mną – powiedział.

– Jaką?

– Nie rozmawiam o innych kobietach z tą, która siedzi ze mną.

Zaśmiałam się.

– Rozumiem – odpowiedziałam. – Ale co w sytuacji, kiedy nowa dziewczyna chce poznać całą historię twoich poprzednich związków? Co wtedy robisz?

– Wtedy mówię jej tylko dwie rzeczy. Tę najlepszą i najgorszą. A cała reszta? Ludziom wydaje się, że dzięki takiej wiedzy stają się sobie bliżsi. Ale ja nie wiem, czy to jest do końca uczciwe.

Nalałam sobie kolejnego drinka, usiłując rozgryźć, co miał na myśli.

– Uczciwe wobec osoby, z którą się było?

– Wobec wszystkich. To tak, jakby żyło się przeszłością. W dodatku jej zniekształconą wersją. Tak naprawdę pamiętamy wszystko przez pięć lat. Później jedyne, co zostaje w naszej głowie, to tylko wspomnienie rzeczywistości, nie sama rzeczywistość. A kolejne pięć lat później zostajemy ze wspomnieniem wspomnienia. Wiesz, co mam na myśli?

– Na tyle, by zacząć odczuwać lekką depresję.

Griffin znowu się uśmiechnął, a ja uświadomiłam sobie jedyną obiektywną, niezaprzeczalną prawdę. Ten uśmiech mógł doprowadzić każdą dziewczynę do szaleństwa.

– Dobra, wchodzę w to – postanowiłam. – Chcę usłyszeć o dziewczynie od tatuażu. Opowiedz mi najlepszą i najgorszą rzecz.

– Najlepszą rzeczą w Gii...

– Podoba mi się to imię. – Uśmiechnęłam się.

– Mnie też – zgodził się i skinął głową, jak gdyby zaczął się nad tym zastanawiać. – Najlepszą rzeczą w Gii był pewnie ten tatuaż.

– A najgorszą?

Podniósł szklankę i przez chwilę trzymał ją przy ustach.

– Ta sama odpowiedź – powiedział.

Nie pamiętam nawet, jak i kiedy znaleźliśmy się w kuchni.

Ta część nocy zaskoczyła mnie bardziej niż wszystko, co wydarzyło się później. Wylądowaliśmy w kuchni nieco po trzeciej i przygotowywaliśmy pokaźną porcję jajecznicy. W zasadzie to Griffin smażył ją na wielkiej patelni. Ja w tym czasie siedziałam z nogą założoną na nogę na kuchennym blacie tuż obok kuchenki i obserwowałam jego poczynania. Zupełnie jakbyśmy znali się od lat i dokładnie wiedzieli, jak zachowywać się w swojej obecności. A przecież jeszcze pięć godzin temu nie wiedziałam nawet, że on istnieje. Pamiętam, że myślałam o tym, kiedy patrzyłam, jak gotuje. Wydawało mi się to takie nierealne i nieprawdopodobne. Wręcz niemożliwe.

– Robisz to zupełnie jak moja matka – powiedziałam, przyglądając się, jak dolewa mleka i w jaki sposób miesza wszystkie składniki.

– To moja specjalność – pochwalił się z widoczną pewnością siebie.

– W zasadzie to mama nie umiała zbyt dobrze gotować. – Wzruszyłam ramionami, a Griffin zaśmiał się, słysząc to stwierdzenie.

Następnie otworzył drzwi lodówki stojącej w pobliżu i wyciągnął z niej homara oraz piękny kawałek szwajcarskiego sera gruyère.

– No dobra, mama tego nie używała.

– Poczekaj, aż spróbujesz gotowego dania – powiedział.

Zdjął bluzę szefa kuchni i w zabawny sposób podciągnął rękawy koszuli. Zupełnie tak, jakby dopiero teraz miała zacząć się prawdziwa zabawa. Nagle coś wypadło z kieszeni jego jeansów. Był to mały, czerwony inhalator przeciw astmie. Griffin schylił się, żeby podnieść przedmiot z podłogi, po czym schował go z powrotem do kieszeni.

Wskazałam miejsce, gdzie przed chwilą leżał inhalator, i zapytałam, czy ma astmę.

– Tak, od dziecka – potwierdził.

– Masz z tym jakieś poważniejsze problemy?

– Od lat już nie. – Pokręcił przecząco głową.

– Syn mojego drugiego ojczyma ma astmę. Zawsze, kiedy przyjeżdżał w odwiedziny, kradłam jego niebieski inhalator i udawałam, że jest mój. Wydawało mi się, że to musi być fajne. Wiesz, to wciąganie powietrza z inhalatora.

Zrobiłam gest imitujący użycie inhalatora. Nagle straciłam równowagę i omal nie spadłam z blatu. Było to pewną wskazówką na temat tego, jaki wpływ na moją głowę zaczynał mieć wypity bourbon.

– Pomóc ci? – zapytał.

– Nie trzeba. Jeszcze się trzymam – zapewniłam. – A przynajmniej się staram. To całkiem spory sukces w tych okolicznościach.

– To znaczy?

– Zrobiłam coś strasznego. Ma to związek z obejrzeniem pewnego filmu, który kocham. Teraz muszę stawić czoło przykrym konsekwencjom tego czynu.

– Co to za film?

– *Rzymskie wakacje.*

Przez chwilę nic nie mówił. Pochłonięty był mieszaniem homara z serem.

– Zawsze jesteś taka bezpośrednia?

– Nie. W zasadzie to nigdy nie jestem taka bezpośrednia. Nigdy przez całe swoje życie nie byłam – przyznałam. – Przepraszam cię za to.

– Nie musisz. Całkowicie się z tobą zgadzam.

– W czym? – zdziwiłam się.

– *Rzymskie wakacje* to naprawdę świetny film – odpowiedział, wywołując tym uśmiech na mojej twarzy.

Zdjął gorącą patelnię z ciągle włączonej kuchenki i nabrał sporo jajecznicy na widelec. Dmuchnął powoli, by ją ostudzić. Następnie ostrożnie zbliżył widelec do moich ust. Pozwolił, bym to ja pierwsza spróbowała jego dzieła.

– Gotowa? – zapytał.

– Zawsze.

Wzięłam pierwszy kęs i uświadomiłam sobie, że na coś takiego nie można się przygotować. Była to najlepsza rzecz, jaką kiedykolwiek jadłam. A próbowałam już chyba wszystkiego, i to niemalże na całym świecie. Jadłam potrawy, które mogłyby wygrywać międzynarodowe rankingi na najsmaczniejsze. Pamiętam boski antrykot w sosie musztardowym, którego skosztowałam, będąc w Salzburgu, w Niemczech, albo zadziwiającą rybę fugu w Kioto. Ale nic nie mogło równać się ze smakiem tej jajecznicy. Jak można opisać coś tak pysznego? Smakowała jak wata cukrowa w wersji jajecznej. Była cudownie kremowa. Miała bogatą konsystencję i rozpływała się w ustach zaraz po dotknięciu jej językiem. Tuż po tym, jak zdążyłam poczuć na nim jej słony posmak.

Być może na moją wysoką ocenę miał wpływ bourbon. A może fakt, że od odejścia Nicka w ogóle nie miałam apetytu i prawie nic nie jadłam. Ale nie sądzę, żeby te dwie rzeczy były aż tak znaczące w tym momencie. Najistotniejsze było to, że gdybym miała możliwość wskoczenia na patelnię i zanurkowania w tej wyśmienitej jajecznicy, poważnie rozważyłabym taką opcję. Zamiast tego nabrałam kolejną porcję na widelec.

Griffin uśmiechnął się z satysfakcją. Wydawał się dumny z tego, że nie mogę oprzeć się jego potrawie. Ja natomiast wzruszyłam tylko ramionami, udając, że jego dzieło nie robi na mnie najmniejszego wrażenia.

– Nie najgorsza – oceniłam z ustami pełnymi jajecznicy.

– Nie najgorsza? Jest cholernie dobra!

– Masz rację – zgodziłam się. – Jest cholernie dobra!

– Dziękuję – powiedział. – Jeśli kiedykolwiek będziesz miała okazję pojechać do Massachusetts, musisz koniecznie nas odwiedzić. Może pojadę nawet do Lassego i specjalnie na tę okazję przywiozę owoce morza z jego targu. Lepszych nie znajdziesz. Trzeba się jednak bardzo postarać, by je zdobyć. Najlepsze homary sprzedaje tylko miejscowym szefom kuchni, i to o trzeciej nad ranem. Czasem później. A jeszcze innym razem koło czwartej, tuż zanim wyruszy na homary ze swoim synem. Ale nawet wtedy sprzedaje je tylko, gdy jest w dobrym nastroju, i wyłącznie tym kucharzom, których toleruje.

– Takie poświęcenie chyba nie będzie konieczne.

– Mówisz tak, bo nie próbowałaś jeszcze tych homarów – powiedział, uśmiechając się tajemniczo.

Następnie wyciągnął drugi widelec z szuflady i wskoczył na blat, zajmując miejsce obok mnie. Siedzieliśmy przodem do siebie, oddzieleni wyłącznie patelnią. Przesunęłam większą porcję na swoją stronę naczynia, jemu zostawiając tylko maleńką część.

– Zrób sobie własną jajecznicę – powiedziałam.

Siedział więc z pustym widelcem w ręku, usiłując powstrzymać śmiech. Jego dołeczek w brodzie stał się jeszcze bardziej widoczny, kiedy czekał tak, aż zmięknie mi serce i pozwolę mu dołączyć do uczty.

– Niech ci będzie – skapitulowałam, przesuwając kolejną mikroskopijną porcję na jego stronę. – Nie pozostawiasz mi wyboru, ale nie licz na więcej.

– Jakaś ty hojna. – Przechylił głowę i spojrzał mi prosto w oczy. – Jak właściwie sobie z tym radzisz?

– Z czym? – zapytałam z uśmiechem. Mój wzrok był nadal wbity w jajecznicę. Pochłonęłam kolejny kęs w sposób, który nie do końca przystoi damie.

– Z tym, co podobno sprowadził na ciebie film.

Nasze spojrzenia spotkały się, a ja spoważniałam na chwilę. Z trudem przełknęłam ślinę.

– Staram się robić rzeczy, których normalnie nigdy bym nie zrobiła – odpowiedziałam.

Nie chciałam zdradzać mu nic więcej. Czekałam, aż zada kolejne pytanie albo powie coś miłego i budującego, żeby mnie pocieszyć. Na przykład to, że w tym wydaniu wydaję mu się całkiem w porządku. Ale powiedział coś o wiele lepszego:

– Czy mogę ci jakoś pomóc?

W tym momencie go pocałowałam.

ROZDZIAŁ 5

Moja praca nauczyła mnie jednej bardzo ważnej rzeczy na temat tego, jak i dlaczego ludzie wyjeżdżają tak daleko od domu, od miejsca, w którym wszystko się zaczęło. Jednym z oczywistych powodów jest chęć ucieczki. Ucieczki od rzeczywistości i monotonii dnia codziennego. Taka ucieczka pozwala na podążanie za marzeniami o życiu, które chcielibyśmy wieść. Ale jest jeszcze jeden, mniej oczywisty i być może o wiele ważniejszy powód. W którymś momencie tej podróży, najczęściej gdzieś w jej środku, zaczynasz uświadamiać sobie, że nigdy nie wrócisz już do domu.

Kiedy następnego ranka obudziłam się w mieszkaniu Griffina, potrzebowałam dłuższej chwili, żeby zorientować się, że nie jestem u siebie w domu. Kolejnej chwili potrzebowałam, by uświadomić sobie, że wcale nie chcę do niego wracać. Przynajmniej nie teraz. Nie chciałam, by uczucie, które towarzyszyło mi, kiedy byłam w domu, wróciło. Dlatego po przebudzeniu nawet się nie poruszyłam. Po prostu leżałam w jego łóżku, udając, że śpię. Zupełnie tak, jakbym zastygła w jednej pozycji. W tym samym czasie Griffin krzątał się po mieszkaniu ubrany tylko w jeansy. Nie miał na sobie nawet koszulki. Wyglądało na to, że szykuje się do kolejnej dwunastogodzinnej zmiany w restauracji.

Praca w hotelu dawała mu możliwość mieszkania w jednym z jego luksusowych pokoi. Był to właściwie apartament usytuowany na ostatnim piętrze budynku. Leżałam w łóżku z metką Ralpha Laurena, otoczona drogimi, markowymi meblami. Dodatkowym bonusem był niesamowity widok na granatowy ocean i piaszczystą plażę. Jednak mimo tego wszystkiego mój wzrok skupiony był wyłącznie na półnagim Griffinie. Wpatrywałam się w niego, usiłując nie dać po sobie poznać, że w tym momencie wyobrażam go sobie kompletnie nagiego. Miałam nadzieję, że on myśli o tym samym, patrząc na mnie. Na samą myśl o tym, czułam, że zaczynam się rumienić. Nie mogłam nad tym zapanować. Zupełnie jak jakaś małolata. Gorzej nawet. Jak jakaś nastoletnia dziunia.

Odwróciłam wzrok, starając się ukryć zarumienioną twarz w pościeli. Nadal udawałam, że śpię. Zostałam jednak zdemaskowana. Griffin zauważył, że się obudziłam, i wszedł do sypialni. Podszedł do łóżka i usiadł na jego krawędzi tuż obok mnie. Naciągnęłam kołdrę po sam czubek nosa. Zaczęłam zastanawiać się, czy pomyślałby, że jestem bardzo szurnięta, gdybym naciągnęła ją na całą głowę.

– Już nie śpisz? – zapytał.

Skinęłam głowę i przycisnęłam kołdrę do podbródka.

Zmrużył oczy, jak gdyby zastanawiał się nad czymś. Chwilę później na jego twarzy pojawił się uśmiech.

– Mam jutro wolne – zakomunikował. – Tak sobie pomyślałem, że może miałabyś ochotę ze mną posurfować? Znam świetne miejsce niedaleko Malibu. A jeśli dobrze ci pójdzie, w nagrodę pójdziemy potańczyć.

Nie mogłam zrobić nic innego, jak tylko odwzajemnić jego uśmiech.

– Chcesz mnie wypróbować? – zapytałam.

– Wydaje ci się, że jesteś internetem bezprzewodowym, żebym miał cię wypróbowywać?

– Tak czy inaczej, na pewno nie przejdę tej próby. Nie umiem surfować.

– Jeszcze nie.

– Jasne…

– Ale lubisz chyba tańczyć?

– Bardzo – odpowiedziałam. – Naprawdę bardzo.

Nagle uśmiech zniknął z mojej twarzy. Naprawdę uwielbiałam tańczyć. Jednak Nick nigdy nie zabierał mnie na imprezy. Sama myśl o tańczeniu sprawiła, że nagle poczułam się bardzo szczęśliwa. Szczęśliwa i niesamowicie smutna zarazem. Te dwa sprzeczne uczucia pojawiły się w tym samym momencie. Nie mogłam przestać myśleć o tym, że to właśnie ten prawie kompletnie obcy mężczyzna był skłonny dać mi to, o czym marzyłam.

– Czy nie miałaś przypadkiem robić rzeczy, których normalnie nigdy byś nie zrobiła? – zapytał, drocząc się ze mną.

– Taki był plan.

– W takim razie najpierw plaża, później impreza. Potańczymy na falach i na parkiecie. Umowa stoi?

Sprzeciw nie wchodził w grę.

ROZDZIAŁ 6

– Przecież to tylko kolacja, prawda? – zapytałam.

Patrzyłam na swoje odbicie w lustrze. Sprawdzałam, jak prezentuję się w skąpym żółtym bikini. Był to jedyny kostium kąpielowy, jaki udało mi się wygrzebać z szafy, i nie był to ten, który planowałam znaleźć. Góra wyglądała całkiem przyzwoicie. Gwarantowała mi nawet czarujący efekt Marilyn Monroe. Muszę nieskromnie przyznać, że była dopasowana idealnie do moich kształtów. Trzymała wszystko, co trzeba, w odpowiednim miejscu. Spore wątpliwości budził we mnie jednak dół kostiumu. Nic nie mogło tego zrekompensować. Nawet powalający efekt Marilyn u góry. Mój tyłek po prostu wylewał się z tych kusych fig w sposób zupełnie spontaniczny i nieokiełznany. Jak na ironię, kolor kostiumu był identyczny z kolorem mojej magicznej sukienki. Żadna magiczna siła nie sprawiłaby jednak, by moje pośladki uformowały się w tej dość niewielkiej ilości materiału przeznaczonego na dół kostiumu.

– Pewnie. T y l k o kolacja – powiedziała Jordan, z premedytacją intonując słowo „tylko".

Rozmawiałam właśnie z moją ukochaną przyjaciółką, która przebywała w malowniczej Wenecji. Domyślałam się, że w tym momencie wylegiwała się razem z mężem na kanapie, ponieważ co jakiś czas słyszałam, jak Simon mruczy coś pod nosem, usiłując dorzucić swoje trzy grosze do naszej dyskusji. Oczywiście nie robił tego z chęci pomocy. Miał raczej nadzieję, że Jordan odłoży w końcu słuchawkę i zajmie się oglądaniem filmu, który wybrali na wieczór. Taki był ich plan na pobyt w Wenecji. Chcieli obejrzeć całą kolekcję stu najlepszych filmów wszechczasów, wybranych przez Amerykański Instytut Filmowy. Dzisiaj oglądali *Dyliżans*. Gdybym miała pewność, że mnie usłyszy, powiedziałabym Simonowi, że bez względu na to, czy ja i Jordan przestaniemy rozmawiać teraz, czy za dwie godziny, ich plany na wieczór z filmem należą już do przeszłości.

– Właściwie – zaczęłam – to nie tylko kolacja. Planujemy spędzić razem cały dzień. Plaża, woda, impreza, no i oczywiście wspólna podróż nad ocean.

– To tylko jedna randka na pocieszenie. W dodatku z superprzystojniakiem. Każdej dobrze by to zrobiło. Pójdziesz na nią i nie chcę słyszeć ani jednego słowa sprzeciwu – powiedziała.

– Ale będę musiała paradować w kostiumie.

– To rzeczywiście fatalnie. Ale myślę, że jakoś to zniesiesz.

W tym samym momencie w tle usłyszałam głos Simona: „Czy ten facet przypadkiem nie widział jej już nago? Wydawało mi się, że właśnie o tym plotkowałyście przez ostatnie dwanaście godzin".

Nagle głos Jordan stał się przytłumiony. Domyśliłam się, że zakryła telefon ręką, żebym nie słyszała, jak odpowiada mężowi, ale i tak mogłam zrozumieć, co mówi: „To coś zupełnie innego".

– Święte słowa! – krzyknęłam do słuchawki. – Dziękuję ci, Jordan, moja jedyna przyjaciółko. Chociaż ty to rozumiesz.

Zaczynałam właśnie rozwiązywać bikini, kiedy ponownie usłyszałam głos Jordan, zupełnie jakby widziała, co robię.

– Idziesz. I żadnych wymówek – powiedziała.

Griffin przyjechał po mnie chevroletem pick-upem z 1957 roku. Samochód był jasnoniebieski, z niewielkimi, lekkimi kołami, na których zamontowano klasyczne, srebrne kołpaki. Drzwi były pięknie wyprofilowane na całej długości. Siedziałam na schodach przed domem, czekając na niego, kiedy podjechał tym wehikułem pod wejście.

W pierwszej chwili pomyślałam, że to moja wyobraźnia robi sobie ze mnie niewybredne żarty, ponieważ był to samochód, w którym skrycie się podkochiwałam. Tak właśnie było. Pick-up z 1957 roku był samochodem moich marzeń. Pośród tych wszystkich wyszukanych, luksusowych supersamochodów, których pełno było w Los Angeles, taki pick-up stanowił największą rzadkość. A ja miałam spędzić najbliższe chwile w tym najwspanialszym cudzie motoryzacji.

– To naprawdę twój samochód? – zapytałam.

Griffin miał na sobie jeansy i białą zapinaną koszulę. Obszedł auto dookoła, by otworzyć mi drzwi. Obok tego samochodu prezentował się jak prawdziwy model. Można by powiedzieć, że jest chodzącą reklamą przystojniaków z Los Angeles.

– A co? Podoba ci się? – zapytał.

– Można tak powiedzieć.

Pocałował mnie na powitanie. Słodki, delikatny pocałunek spoczął na moich ustach. Zupełnie jakby całował mnie w ten sposób już tysiące razy. Zupełnie jakby miał to tego prawo. Jednak sposób, w jaki to zrobił, sprawił, że miałam ochotę przyznać mu takie prawo na wyłączność.

– W zasadzie powiedziałaś.

Uśmiechnęłam się lekko zdezorientowana.

– Jak to powiedziałam?

– Ostatniej nocy. Powiedziałaś mi, że uwielbiasz ten samochód – odpowiedział, przysuwając się do mnie. – Więc znalazłem dla nas taki na dzisiejsze popołudnie.

– Znalazłeś?

– Tak.

Wsiadłam do środka i przesunęłam dłonią po desce rozdzielczej.

– Skąd go wytrzasnąłeś?

– Pewien szemrany typek wisiał mi przysługę.

Spojrzałam na niego z niedowierzaniem.

– Serio?

– Nie. Ale zabrzmiało to fajniej, niż gdybym powiedział, że go wypożyczyłem.

Przygryzłam dolną wargę ze wzruszenia.

– Dziękuję – powiedziałam. – Za narażanie życia i zmuszenie szemranego typka do odwdzięczenia się za przysługę.

Griffin zamknął za mną drzwi i usiadł za kierownicą.

– Zapnij pasy – przypomniał. – Jedziemy.

Podczas tych wszystkich lat, kiedy mieszkaliśmy z Nickiem w Los Angeles, zdążyliśmy zobaczyć tylko kilka najpopularniejszych plaż w mieście. Odwiedzaliśmy czasem Zumę albo Manhattan Beach, ale nigdy nie byliśmy na plaży, na którą Griffin zabrał mnie tamtego popołudnia. Plaża El Matador stanowi część klifowego wybrzeża zachodniej części Malibu. Usytuowana jest w niewielkiej zatoce, prawie w całkowitym ukryciu, z dala od wścibskich oczu wczasowiczów i turystów, których pełno jest na bardziej uczęszczanych plażach. Drobny piasek ma tam zupełnie biały kolor. W pobliżu roi się też od jaskiń skalnych. Musieliśmy nawet przedostać się przez jedną z nich, by dotrzeć do ulubionego miejsca Griffina.

– Niewiarygodne, jak tutaj jest pięknie – westchnęłam, rozkładając beżowy koc.

– Nie znałaś tego miejsca wcześniej?

Potrząsnęłam przecząco głową.

– Najwidoczniej jakoś je przeoczyłam.

– W takim razie musimy to nadrobić – powiedział.

Później uśmiechnął się do mnie, mocno mrużąc przy tym oczy. Zapomniał zabrać ze sobą okulary przeciwsłoneczne. Sięgnęłam do torebki i podałam mu dodatkową parę moich. Były to wielkie, okrągłe okulary w stylu lat sześćdziesiątych w kolorze krwistej czerwieni. Bardzo kobiece. Wyglądał w nich komicznie.

– Jak wyglądam?

– Bardzo stylowo – zapewniłam, nie mogąc powstrzymać się od śmiechu.

Griffin podał mi piankę do surfowania. Wyglądała dość dziwnie.

– Musisz się przebrać – powiedział.

– Przywiozłeś dla mnie piankę? – zapytałam, wciąż patrząc na dziwaczny kombinezon.

– Na to wygląda.

– Pamiętałeś, żeby zabrać dla mnie piankę, ale zapomniałeś o okularach przeciwsłonecznych dla siebie.

– Musisz przecież mieć odpowiedni sprzęt do surfowania.

Spojrzałam na niego i pogroziłam mu palcem.

– Myślałam, że kiedy zaproponowałeś mi to całe surfowanie, a ja powiedziałam, że nigdy wcześniej nie pływałam na desce, domyślisz się, że nasze wspólne surfowanie będzie oznaczało, że to ty będziesz surfował, a ja będę wylegiwała się na plaży.

– A co w tym fajnego? – zapytał.

„Fakt, że się nie utopię, będzie wystarczająco fajny" – miałam to już na końcu języka. Ale niespodziewanie uświadomiłam sobie, że nie jestem w stanie tego powiedzieć. Mogłam to sobie wyobrazić, zupełnie jakby to właśnie Nick stał tu przede mną. Widziałam, jak stoi i śmieje się ze mnie. Wizja ta sprawiła, że o mały włos nie przewróciłam się na tej piaszczystej plaży. Nagle poczułam się kompletnie przytłoczona tą myślą. Co ja właściwie straciłam, zostając bez niego?

Usiadłam na kocu, usiłując złapać oddech. Starałam się dojść do siebie i odzyskać równowagę. Nie chciałam zrobić z siebie kompletnej idiotki.

Griffin pochylił się nade mną, opierając dłonie na kolanach.

– Myślę, że powinniśmy o tym porozmawiać i mieć to już z głowy – powiedział.

– O czym? – Spojrzałam na niego.

Zajął miejsce na kocu tuż obok mnie. Usadowił się wygodnie i podniósł dłoń z wyprostowanym palcem wskazującym.

– Tylko raz.

– Co raz? – zapytałam zaskoczona.

– Porozmawiamy o nim tylko ten jeden raz. Powiesz mi wszystko, co chcesz, o tym facecie i już nigdy więcej nie będziemy wracać do tego tematu.

– Tak po prostu? Mam ot tak wyrzucić to z siebie? Wyrzucić go ze swojej głowy? – Próbowałam powiedzieć, co tak naprawdę miałam na myśli. – Czuję się trochę dziwnie, rozmawiając o nim.

– Rozumiem – skinął głową. – Ale jednocześnie nie rozumiem. Mówisz o nim więcej nawet wtedy, kiedy nic nie mówisz.

Miał rację. Ale prawda była taka, że nie wiedziałabym nawet, od czego zacząć ani gdzie skończyć. Więc siedziałam na kocu, nie mówiąc nic. Czułam pod stopami gorący piasek, a chłodna morska bryza rozwiewała mi włosy, odsłaniając twarz.

– Mam pomysł – zaczęłam po dłuższej chwili. – Zamiast zagłębiania się we wszystkie szczegóły mojego związku, opowiem ci tę najlepszą i najgorszą rzecz.

– Więc teraz się ze mnie nabijasz? – powiedział z uśmiechem na twarzy. – Rozumiem. Chyba sobie na to trochę zasłużyłem.

– Nieprawda. Wcale nie miałam takiego zamiaru – zaprzeczyłam, potrząsając głową. – Może to po prostu twój wpływ.

– W porządku. W takim razie opowiadaj.

– Najlepszą rzeczą w naszym związku było to, że braliśmy razem kąpiel – powiedziałam. – Oboje zawsze dużo podróżowaliśmy służbowo. Zwłaszcza ja. Ale kiedy w końcu byliśmy razem w domu, zanurzaliśmy się w wannie i opowiadaliśmy sobie, jak minął nam dzień. Przytulał mnie do siebie tak mocno, że prawie nie mogłam się ruszyć w jego uścisku. Sprawiał, że czułam się bezpieczna.

Griffin spojrzał na mnie z uśmiechem. Na jego twarzy nie było widać ani śladu poczucia zagrożenia związanego z opowieścią o wspaniałych chwilach, które spędziłam z innym mężczyzną. Nie próbował mnie osądzać ani oceniać.

– To rzeczywiście dobra rzecz – powiedział szczerze.

Przytaknęłam.

– A jaka była ta najgorsza rzecz? – zapytał.

Spojrzałam na niego.

– Nie pamiętam, żebym czuła się bezpieczna w jakimkolwiek innym momencie.

W chwili, kiedy wypowiedziałam te słowa, poczułam, jak bardzo ciążyły mi przez ten cały czas. Nagle dotarło do mnie ich znaczenie. Zrozumiałam to, przed czym tak długo się wzbraniałam. Tak naprawdę przez te wszystkie lata, kiedy byłam z Nickiem, czułam się poddawana ciągłej próbie. Może część mnie robiła wszystko tylko po to, żeby on był szczęśliwy, ponieważ tak strasznie go kochałam i pragnęłam jego akceptacji i uznania. Ale czy powód był rzeczywiście aż tak istotny? Ostatecznie, rezultat był ten sam. Może właśnie dlatego przez większość czasu wolałam przebywać poza domem. Nie chciałam dopuszczać do siebie tej przygnębiającej myśli. Nie chciałam zmierzyć się z tą oczywistą oczywistością, że tak naprawdę pewna cząstka Nicka, te ostateczne dwadzieścia pięć procent jego osoby, była zawsze poza moim zasięgiem.

Griffin wziął moją dłoń, pocałował mnie w nadgarstek i jednym ruchem pociągnął za rękę, pomagając mi wstać.

– Chodźmy do wody – zaproponował.

– Tak po prostu? Nie będziemy o tym więcej rozmawiać?

– A o czym tu rozmawiać?

O niczym. Nagle to do mnie dotarło. Nie było o czym rozmawiać. A właściwe to ja nie czułam niczego. Ten niepokój, który ciążył mi na piersi niczym wielki kamień, nagle stał się jakby lżejszy. To potworne uczucie, które towarzyszyło mi przez ostatni czas, złagodniało. I wszystko stało się jasne i niezaprzeczalne. Uświadomiłam sobie, że mój lęk nie pojawił się dopiero po rozstaniu z Nickiem. Był ze mną dłużej. O wiele dłużej. I może właśnie w tym momencie, kiedy stałam na plaży z Griffinem, zaczęłam się od niego uwalniać.

– A ty? – zapytałam. – Nie powinieneś powiedzieć mi tego samego o swojej byłej dziewczynie?

Griffin wydawał się nie słyszeć mojego pytania. Był zbyt zajęty rozwiązywaniem bikini.

– Co ty robisz? – zdziwiłam się.

– Pomagam ci założyć piankę.

Dotyk jego chłodnych rąk na plecach sprawiał mi przyjemność. Griffin ściągał mi ramiączka kostiumu, a ja na wszelki wypadek rozejrzałam się po plaży. Oprócz nas była tam jeszcze jedna para, znacznie oddalona. W oceanie pływało kilku surferów, zbyt zajętych oczekiwaniem na fale, by zwracać na nas uwagę. Ale w naszej części plaży byliśmy sami. Zupełnie sami.

– Nie martw się. Nie będę podglądał.

Oczywiście nie miał zamiaru dotrzymać słowa.

Tego wieczoru, tak jak obiecał Griffin, poszliśmy potańczyć. Przebrałam się w luźną spódniczkę i miękki jedwabny top. Zwieńczeniem zestawu były moje ukochane buty do tanga. Właśnie tak. Byłam szczęśliwą posiadaczką specjalnych butów, w których szalałam na wszystkich parkietach na tej planecie. Były czarne, wiązane tuż nad kostką i nieziemsko wygodne.

Przetańczyliśmy ze sobą całą noc. Nie odpuściliśmy żadnej piosence. Byliśmy mokrzy i zmęczeni, ale nie przestawaliśmy się śmiać. Griffin nie był może najlepszym tancerzem, ale kochał muzykę. Każdą muzykę, o czym zaczęłam się przekonywać. Delektował się każdą sekundą na parkiecie. Nie czuł się onieśmielony czy zakłopotany. Zatracał się ze mną w dźwiękach dobiegających z głośników. Miałam wrażenie, że jesteśmy jednym i czujemy dokładnie to samo.

– Dość uników. Teraz twoja kolej – powiedziałam w końcu, kiedy siedzieliśmy przy barze, pijąc piwo.

– Moja kolej na co?

– Domyślam się, że nie jestem twoją pierwszą miłością – zaczęłam. – Chcę usłyszeć o swojej poprzedniczce. O najlepszej i najgorszej rzeczy. Oko za oko…

Uśmiechnął się.

– Z czego się śmiejesz?

– Powiedziałaś, że nie jesteś moją pierwszą miłością – przytoczył moje słowa.

– Nieprawda. To znaczy… nie miałam tego na myśli. – Usiłowałam wybrnąć z tej dość kłopotliwej sytuacji, kiedy uświadomiłam sobie, jak zabrzmiały moje słowa. – Nie chodziło mi o to, że jestem twoją miłością, ani o to, że jestem w tobie zakochana albo że myślę, że ty jesteś we mnie zakochany. To znaczy… nie to chciałam powiedzieć.

W tym momencie Griffin chwycił mnie mocno i przyciągnął do siebie. Zacisnął dłonie na moich i przytrzymał mi je tuż za plecami. Zaczął całować moją szyję, nie osłabiając uścisku ani na chwilę.

– Najlepszą rzeczą w mojej poprzedniej dziewczynie było to – zaczął, nie przerywając pocałunków – że mówiła pełnymi zdaniami.

– Bardzo zabawne.

Wziął mnie za rękę i pociągnął z powrotem w stronę parkietu.

– A najgorsza rzecz? – zapytałam, chcąc dowiedzieć się wszystkiego, zanim ponownie zatracę się z nim w tańcu i zapomnę o tej rozmowie.

– W porządku. Wiem, dokąd zmierza ta rozmowa – powiedział. – Ta sama odpowiedź.

ROZDZIAŁ 7

Czasem wszechogarniający smutek, większy niż możemy sobie wyobrazić, zmienia się w szczęście, i to takie, które sprawia, że tuż po przebudzeniu chce się śpiewać i tańczyć. Kiedy dzieje się to w krótkim odstępie czasu, zaczyna się mieć wrażenie, że to pierwsze uczucie było tylko złudzeniem. Że tak naprawdę nigdy nie istniało. To zupełnie tak jak z przeziębieniem. Podczas choroby nie pamięta się, jak to jest, kiedy jest się zdrowym. Albo jak już się wyzdrowieje, nie do końca kojarzy się uczucie towarzyszące chorobie. Nawet jeśli osoba siedząca naprzeciwko wykasłuje sobie właśnie płuca. Można przypomnieć sobie doświadczenie, ale uczucie, które mu towarzyszyło, znika.

To trochę tak jak z podróżami. Dlaczego tak wielu z nas nie może się doczekać kolejnej wyprawy? Czujemy tę fantastyczną ekscytację, przypływ energii i lekkość i nie możemy uwierzyć, że byliśmy w stanie bez tego żyć. A w głębi serca nie chcemy dopuścić do siebie myśli, że to kiedykolwiek zniknie. Nawet jeśli tak naprawdę zdajemy sobie sprawę, że tylko uciekamy w ten sposób od rzeczywistości, to podświadomość każe nam wierzyć, że to wcale nie jest takie przelotne.

Te pierwsze tygodnie z Griffinem sprawiły, że czułam się szczęśliwa. I to nie tylko trochę szczęśliwa. Byłam tak bardzo szczęśliwa, że prawie zapomniałam o tym, że gdzieś tam w głębi serca czułam się potwornie zraniona. To szczęście było tak intensywne, jakby los chciał zrekompensować mi całe cierpienie, które wcześniej zgromadziło się w mojej duszy. Ból, który jeszcze niedawno był tak namacalny, teraz jakby zniknął.

Doprowadziło to do dwóch rzeczy, które zmieniły moje życie na zawsze.

Pierwszą było to, że w ramach pracy nad kolejnym artykułem zostałam wysłana na Ischię, małą, wspaniałą wysepkę na Morzu Tyrreńskim we Włoszech. Spędziłam pięć niewiarygodnych dni, gubiąc się w niezwykle romantycznych ogrodach La Mortella, gapiąc się na wzgórza wulkaniczne Monte Epomeo i ucząc się tajemnej sztuki wybierania miodu od pszczelarki z Forio, która pozwalała mi jeść miód wprost ze swojego palca.

Przez całą drogę powrotną do Los Angeles towarzyszyło mi uczucie, którego nie doświadczyłam od bardzo długiego czasu. Byłam podekscytowana powrotem.

Jednak kiedy w końcu dotarłam do domu, moja początkowa ekscytacja przygasła. W jej miejsce pojawiło się coś skrajnie innego. Zamiast radości poczułam dziwny niepokój. Potrzebowałam chwili, żeby zrozumieć, co spowodowało tę nagłą zmianę.

Był tu Nick.

W zasadzie powinnam spodziewać się, że Nick pojawi się podczas mojej nieobecności. Miał w końcu mój grafik zapisany w swoim kalendarzu. Wiedziałam o tym. Sama mu go zapisałam.

Fakt, że Nick pojawił się w domu, nie stanowił problemu. W końcu był to też jego dom. Chodziło o to, że chciał, by jego obecność nie umknęła mojej uwadze. Rozejrzałam się po kuchni, starając się zlokalizować tę konkretną rzecz, która sprawiła, że się zorientowałam. W końcu dostrzegłam ją na kuchennym stole. Zostawił na nim swój kubek po kawie. Ten, który kupiłam mu podczas naszej wyprawy do Disneylandu. Byliśmy tam kilka lat temu w Święto Niepodległości. Odwiedzaliśmy jego dobrych przyjaciół, którzy spędzali tam wakacje ze swoimi dziećmi. Był to jeden z naszych najbardziej udanych weekendów i na pamiątkę kupiliśmy sobie ten głupi kubek z naszym wspólnym zdjęciem zrobionym w jakiejś budce fotograficznej. Widać na nim, jak jego ręce oplatają moją szyję, a ja pozuję z wydętymi ustami, uformowanymi w dzióbek. Oboje świetnie się przy tym bawimy i śmiejemy.

Nick kochał ten kubek. Postanowił, że to właśnie ten wybierze spośród wszystkich naszych kubków, wyjmie z szafki i postawi na stole. Nie po to, żeby go użyć. Kubek był czysty. Postawił go na stole tylko po to, bym mogła go tam znaleźć.

Przesunęłam palcami po brzegu kubka. W pierwszej chwili pomyślałam, że muszę to rozgryźć. Dlaczego to zrobił? Dlaczego chciał, żebym się zorientowała? Czy próbował dać mi do zrozumienia, że chce zabrać swoje rzeczy? Czy w ten osobliwy sposób chciał zakomunikować mi, że jego podróż dobiegła końca i właśnie znalazł się w miejscu, w którym chciałby spędzić resztę życia? A może chciał powiedzieć, że ucieczka ode mnie była jego największym błędem i że planuje powrót do domu? Czy byłabym skłonna ułatwić mu tę podróż? Czy miałabym w sobie wystarczająco dużo silnej woli, by pomóc mu pokonać tę drogę i znaleźć coś, co pozwoliłoby mu poczuć się dobrze po powrocie?

W tym momencie mój telefon zaczął wibrować. Spojrzałam na wyświetlacz i zobaczyłam kilka nieodebranych połączeń. Dwa od Griffina i jedno od mojego wydawcy Petera. Podeszłam do okna i wyjrzałam na zewnątrz, wlepiając wzrok w podwórko. Wcisnęłam klawisz na telefonie, żeby odsłuchać wiadomość od Petera. Jego głos zawsze dodawał mi otuchy. Wyobrażałam sobie, jak stoi w oknie swojego apartamentu na Manhattanie i mówi do mnie. Jego wiadomość trwała kilka minut i wydawało mi się, że jej głównym celem było poinformowanie mnie, że nasza firma została właśnie wykupiona przez jakiegoś wielkiego potentata prasowego. „Pomyślałem sobie, że będzie lepiej, jeśli usłyszysz to ode mnie. Nie chciałem, żebyś się martwiła, moja droga Annabelle – powiedział Peter przy akompaniamencie zgiełku nowojorskich ulic szumiących w tle. – Nowy wydawca jest gentlemanem najlepszego sortu, który obiecał, że twoja kolumna będzie całkowicie bezpieczna. Zresztą, nie mogliby trafić lepiej. Ja natomiast zaczynam odczuwać coraz większą frustrację. Moja powieść utknęła w martwym punkcie, a na domiar złego słyszałem, że ty i Nick się rozstaliście. To chyba idealny moment, bym pozwolił sobie sparafrazować słowa

Steinbecka: człowiek odczuwa tyle bólu, kiedy pada deszcz". Odłożyłam telefon po odsłuchaniu wiadomości. Nie mogłam przestać myśleć o tym, dlaczego Nick zdecydował się zadać sobie tyle trudu, by samemu zadzwonić do Petera i poinformować go o naszym zerwaniu. Wtedy mój telefon ponownie zaczął wibrować. Tym razem był to Griffin. Próbował dodzwonić się do mnie już po raz trzeci.

– Nigdy nie dajesz swoim dziewczynom ani chwili wytchnienia? – zapytałam.

– To wyjątkowa sytuacja – powiedział poważnym tonem.

– Co się stało? – zapytałam, czując, że serce podchodzi mi do gardła.

– Mam bilety na koncert Wilco*.

Nie mogłam powstrzymać uśmiechu, który mimowolnie pojawił się na mojej twarzy.

– I to ma być ta wyjątkowa sytuacja? – zapytałam, przygryzając dolną wargę.

– Oczywiście! Koncert odbywa się w Santa Barbara, więc jeśli chcemy usłyszeć najlepsze kawałki z *Remember the Mountain Bed* na czele, musimy się zbierać – odpowiedział pełnym przekonania głosem.

Mogłam po prostu wyłączyć tę funkcję mojego mózgu, która kazała mi odpowiadać na wszystkie pytania Nicka, zanim jeszcze zdążył zadać je wprost, i pozwolić sobie na odrobinę swobody. I tak właśnie zrobiłam.

---

* Wilco – zespół rockowy z Chicago.

Dokładnie wtedy wydarzyła się ta druga rzecz, która zmieniła wszystko. Moja matka postanowiła mnie odwiedzić.

Przyjechała do miasta, a ja pozwoliłam Griffinowi ją poznać. Była pośredniczką handlu nieruchomościami. Ostatnimi czasy pracowała w Scottsdale w Arizonie, dokąd ona i jej najnowszy mąż Gil przeprowadzili się jakieś półtora roku temu. Była świetna w swoim zawodzie. Nikt tak jak ona nie potrafił sprzedać klientom nowego domu. Miała też w zwyczaju organizować sobie jakąś wycieczkę przy okazji każdej udanej transakcji. Jednak to był pierwszy raz, kiedy celem jej podróży byłam ja.

Moja matka nie miała najłatwiejszego charakteru, a przebywanie w jej towarzystwie było swego rodzaju wyzwaniem. Przynajmniej dla mnie. W normalnych okolicznościach zrobiłabym wszystko, żeby uniknąć tego spotkania. Byłam pewna, że zarzuci mnie milionem niepotrzebnych pytań na temat tego, jakim cudem Nick przeistoczył się w Griffina, i to w dodatku bez jej wiedzy. Ale tym razem z jakiegoś powodu czułam się winna. Poza tym Gil miał przyjechać razem z nią. Miły i uroczy Gil Taylor. Pomyślałam sobie, że może nie będzie tak źle, ponieważ ona zawsze zachowywała się o niebo lepiej w jego towarzystwie. Ukrywała wtedy swoje mroczne oblicze. W zasadzie wszyscy to robiliśmy.

Mieliśmy się spotkać w wiejskiej restauracji w Venice. Knajpka nazywała się Gjelina. Griffin i ja dotarliśmy tam pierwsi i wydawał się kompletnie zaskoczony, kiedy moja matka i Gil pojawili się w drzwiach.

A właściwie: kiedy ona pojawiła się w drzwiach. Jej uroda miała taki wpływ na ludzi. Nie wyglądała na swoje lata. Można powiedzieć, że wyglądała jednocześnie na starszą i młodszą, niż w rzeczywistości była. Jej zaczesane do tyłu długie blond włosy związane były w ten sam co zwykle koński ogon. Dzięki tej fryzurze jej nieskazitelna cera była jeszcze lepiej widoczna. Miała piękne błękitne oczy, które tym razem wyglądały na nieco zmęczone. Tego wieczoru była ubrana w sukienkę do kolan i wysokie, kasztanowe kozaki, w których jej zgrabne nogi prezentowały się zjawiskowo.

Kiedy moja matka zbliżała się do stolika, nie siląc się nawet na uprzejmy uśmiech w moim kierunku, Griffin ścisnął moją dłoń.

– Cześć, dziecino! – Gil przywitał mnie ciepłymi słowami, kiedy matka wyciągnęła dłoń, żeby przedstawić się Griffinowi. Na szczęście Griffin nie tylko kulturalnie wstał od stołu, aby uścisnąć jej dłoń, ale przysunął jej również krzesło.

– Cieszę się, że mogę panią poznać – powiedział.

– Darujmy sobie te staroświeckie konwenanse. Mów mi Janet. – Uśmiechnęła się. – Janet Adams. Mimo że nazwisko mojego ukochanego męża brzmi Taylor, ja postanowiłam zachować to należące do ojca Annie. Nie chciałam nosić innego nazwiska niż moja córka. Chociaż, jeśli ona kiedykolwiek zdecyduje się w końcu wyjść za mąż, nie sądzę, by miała coś przeciwko zmianie nazwiska.

Jest jeszcze jedna kwestia związana z nazwiskiem, o której Janet zdecydowała się nie wspominać. Jeśli miałaby zmieniać nazwisko za każdym razem, kiedy zmieniała męża, lub dodawać jego nazwisko do swojego, teraz nazywałaby się Janet B. Adams-Samuels-Nussbaum-Taylor. Zapomniałam dodać do tej listy jeszcze nazwisko Everett, ale to małżeństwo trwało tylko tydzień, więc chyba się aż tak bardzo nie liczy. Warto wspomnieć, że to mało istotne małżeństwo przypadło na tydzień, w którym skończyłam czternaście lat i przeniosłyśmy się z Bostonu do Seattle – kolejnego punktu na naszej mapie przeprowadzek. A później wróciłyśmy.

– Więc gościmy dziś nowego członka rodziny przy naszym stole? – zapytała moja matka, usadawiając się wygodnie na krześle. – Nauczyłaś go już dobrych manier czy tylko popisuje się przed nami, by zrobić wrażenie?

Cała Janet. Zadawała jedno drobne, niewinne pytanie, które pozornie nie sugerowało żadnych złych intencji. Ale zazwyczaj drugie dno kryło w sobie całą masę aluzji. Nie rozmawiałyśmy ze sobą zbyt często, ale kiedy nam się to zdarzało, moja matka zadawała pytania właśnie w ten sposób. Potrafiła dodać nutę krytyki i dezaprobaty do każdego wypowiadanego przez siebie zdania. Zawsze mogła powiedzieć: „Ja tylko pytam", kiedy ktoś chciał się jej sprzeciwić. Doskonałym przykładem tej techniki była rozmowa, którą przeprowadziłyśmy, kiedy zdecydowałam, że zostanę dziennikarką. Powiedziała mi wtedy, że to bardzo ciekawy wybór, i zapytała, czy jestem pewna, że będę zwiedzać i poznawać świat, tak jak o tym marzyłam, a nie utknę gdzieś za biurkiem, pisząc relacje z tego, jak poznają go inni. Podobnie było, kiedy po raz pierwszy spotkała Nicka. Stwierdziła, że Nick wydaje jej się czarujący, ale bardzo skupiony na swojej karierze, i zaraz dodała pytanie, czy to aby na pewno nie przeszkodzi nam w zbudowaniu trwałego związku. Ale Janet zawsze *tylko pytała*.

A jednak siedzieliśmy wszyscy w tej uroczej knajpce, zachowując się jak przystało na dorosłych ludzi. Jedliśmy kolację. Podawaliśmy sobie talerz z chlebem i rozmaite potrawy. Piliśmy zbyt dużo wina i słuchaliśmy szczegółów dotyczących planów wyjazdu mojej matki na meksykańskie wybrzeże i jej wypoczynku w hotelu z niezliczoną liczbą basenów zbudowanych na brzegach klifów. Oczywiście nie był to jeden z hoteli, które polecałam w swoich artykułach.

Kolacja przebiegała w miarę przyzwoicie. Przyzwoicie i nienaturalnie. Przyzwoicie i powoli. Była to kolacja ludzi starających się zachowywać jak prawdziwa rodzina, chociaż przez jeden wieczór. Kolacja ludzi, którzy przez resztę roku nawet nie próbowali zachowywać się jak rodzina.

Griffin się starał, mimo że moja matka wcale nie ułatwiała mu zadania. Przerywała w pół zdania, odwracała się zniecierpliwiona. Zupełnie jak gdyby skreśliła go na wstępie i nie chciała pozwolić, by choć najmniejszy drobiazg zmienił jej zdanie na jego temat.

Później Griffin poszedł do łazienki, a ja spięłam się w oczekiwaniu na to, co ma mi do powiedzenia moja matka. Usiłowałam przewidzieć, co może jej się w nim nie podobać. Czy był zbyt szczupły, zbyt poważny, a może nie zachwyciła jej burza jego kręconych blond włosów, która sprawiała, że wyglądał jak rozkoszny czterolatek?

Byłam przygotowana na wszystkie komentarze, które mogły paść z jej ust, ale nie na to, co w rzeczywistości powiedziała.

– A więc to jest nowy mężczyzna twojego życia? – zaczęła. – Chyba naprawdę cię kocha.

Spojrzałam na nią znad talerza, całkowicie zaskoczona tym, co usłyszałam. Nie, zaskoczenie nie jest dobrym słowem opisującym to, co poczułam. W rzeczywistości byłam w takim szoku, że niemal zemdlałam z wrażenia.

– Słucham? – zapytałam, nie dowierzając własnym uszom.

– To całkiem urocze – dodała. – To prawdziwy cud móc widzieć taką miłość. Coś takiego nie zdarza się często. W zasadzie prawie nigdy się nie zdarza.

Zaniemówiłam.

– Widać to w jego oczach – stwierdziła, odwracając się w stronę Gila. – Prawda, Gil?

Gil też to widział.

Wtedy moja matka zrobiła coś, o co nigdy bym jej nie podejrzewała. Wyciągnęła rękę i chwyciła moją dłoń.

– Cieszę się twoim szczęściem – powiedziała, ściskając mój kciuk. – Cieszę się za ciebie i za siebie jednocześnie, ponieważ widzę, że w końcu jesteś sobą, będąc z kimś.

Była to najmilsza rzecz, jaką kiedykolwiek mi powiedziała.

Później, o ile dobrze pamiętam, zamilkła na dłuższą chwilę. Ciszę przerwała w typowy dla siebie sposób.

– Nie uważasz, że powinien mieć krótsze włosy? – zapytała. – To chyba niehigieniczne? W końcu pracuje w kuchni.

– Nie wiem, mamo – odpowiedziałam, kręcąc głową.

– Nie powinnaś wiedzieć? – dopytywała.

– Nie wnikajmy w to. – Wzruszyłam ramionami.

– Ja *tylko* pytam.

Najwyraźniej moja matka wciąż była sobą.

Tej nocy, zanim zasnęliśmy, Griffin powiedział, że moja matka jest urocza.

Przetarłam dłońmi zmęczone oczy. Spojrzałam na cień jego twarzy, który pojawił się na ścianie sypialni za sprawą światła księżyca wdzierającego się przez okno. Księżyc wydawał się wyjątkowo piękny w tę doskonałą, listopadową noc.

– Można powiedzieć o niej wiele rzeczy, ale nie jestem pewna, czy określenie „urocza" jest najodpowiedniejsze.

Kiedy byłam z Nickiem, robiłam wszystko, by uniknąć takich sytuacji. Nie chciałam, żeby był świadkiem moich wewnętrznych zmagań z emocjami wywołanymi przez rodzinne spotkania. Nie chciałam, żeby widział moją bezradność w obliczu tych zmagań. Natomiast jego rodzina była perfekcyjna. Prawie jak z obrazka. Miał kochającą siostrę i rodziców trwających w solidnym małżeństwie. Widywaliśmy ich regularnie. Często organizowaliśmy wspólne spotkania i wypady. Z moją szaloną rodzinką było zupełnie inaczej, a ja nie chciałam, żeby Nick wiedział, jaki ciężar noszę w sobie z tego powodu. On chyba też nie chciał wiedzieć.

Ale Griffin był inny. Cierpliwie czekał, aż będę chciała porozmawiać z nim na ten temat.

– Jesteś blisko ze swoją rodziną? – zapytałam.

– Nie jesteśmy idealną rodziną, ale czy takie w ogóle istnieją? Nie zawsze jest łatwo, chyba nigdy nie jest – odpowiedział. – Ale zrobiłbym dla nich wszystko.

– W mojej rodzinie jest zupełnie inaczej – powiedziałam, patrząc w mrok otaczający sypialnię. – Kiedy odszedł mój ojciec, matka skupiła się wyłącznie na poszukiwaniach kolejnego męża. Starała się jak mogła, ale ja zeszłam na dalszy plan. Nie myślała już o mnie ani o tworzeniu dla nas wspólnego domu. A te wszystkie przeprowadzki sprawiały, że czułam się tak, jakbym go w ogóle nie miała.

– Jakbyś nie miała domu czy rodziny?

– Czy to nie to samo? – zapytałam, wzruszając ramionami. – Pewnie dlatego teraz tyle podróżuję. Przynajmniej częściowo.

Przez chwilę leżeliśmy w kompletnej ciszy.

– Wiem, że ciężko ci to zrozumieć – powiedziałam.

– A co jeśli nie chcę nawet próbować tego zrozumieć?

– Co masz na myśli? – Nie byłam pewna, do czego zmierza.

– Co jeśli zamiast starać się zrozumieć, od razu wybiorę stronę twojej matki?

– Chciałeś chyba powiedzieć moją stronę?

– Nie, chciałem powiedzieć stronę twojej matki.

– Nie do końca rozumiem... – Poczułam się kompletnie zdezorientowana.

– Być może popełniła w życiu wiele błędów i pewnie kilka razy mogła coś zrobić inaczej, ale jest coś, co wyszło jej wspaniale: ty. Jesteś jej najdoskonalszym dziełem. Na całą resztę mogę przymknąć oko. A ty masz wolność wyboru tego, jakie uczucia chcesz wobec niej żywić. Nie będę tego oceniał. – Griffin wypowiedział ostatnie zdanie i delikatnie pocałował mnie w policzek. – I tak uważam, że jest urocza.

Zaczęłam płakać. Była to najcudowniejsza i najbardziej uprzejma rzecz, jaką kiedykolwiek usłyszałam od faceta. Jemu przyszło to bez żadnych starań, bez najmniejszego wysiłku.

– Podoba mi się ten pomysł – powiedziałam w końcu.

– Cieszę się, że doszliśmy do porozumienia. – Uśmiechnął się.

ROZDZIAŁ 8

To pytanie padło z jego ust miesiąc później. Dokładnie trzy miesiące od dnia, kiedy się spotkaliśmy. Trzy spędzone razem miesiące. Równe dziewięćdziesiąt jeden dni. Minęło przesilenie zimowe i kolejna pora roku zaczęła pukać do naszych drzwi.

Nie zabrzmiało to jak oświadczyny. W pierwszym momencie nie zapytał, czy za niego wyjdę. Zamiast tego zaproponował mi wspólny wyjazd.

– Już niedługo będę musiał zacząć myśleć o powrocie – powiedział.

– Kiedy?

– W przyszłym tygodniu. Rozmawialiśmy już o tym.

To prawda. Mówiliśmy, ale ja robiłam wszystko, żeby o tym nie myśleć. Styczeń wydawał mi się częścią odległej przyszłości. Miałam nadzieję, że nigdy nie nadejdzie. Gdzie będę w styczniu? Przestałam wybiegać myślami tak daleko. Zaczęłam żyć w sposób, który mi na to nie pozwalał.

Ale teraz wróciliśmy do punktu wyjścia. Siedzieliśmy przy tym samym barze, w tej samej zamkniętej restauracji. Zajmowaliśmy jednak inne stołki niż te, na których siedzieliśmy w noc, kiedy się poznaliśmy. W noc, kiedy to wszystko się zaczęło. Ludzie zawsze mówią, że życie zatacza krąg, ale myślę, że nie do końca tak właśnie jest. Wydaje mi się, że po prostu niektóre momenty w życiu są do siebie bardzo podobne. W pewnej chwili czujesz się, jakbyś wrócił do początku swoje podróży, ale tak naprawdę zrobiłeś krok do przodu. Krok będący dowodem mijającego czasu, zwieńczeniem tych wszystkich rzeczy, które się przytrafiły. Z nami było tak samo. Fakt, że zajmowaliśmy inne barowe krzesła, był dowodem na to, że coś się zmieniło. My się zmieniliśmy. Mogłam to dostrzec, jak dawno złożoną obietnicę tego, co miało nastąpić. Widziałam siebie siedzącą na barowym stołku w magicznej sukience. Wtedy nie wiedziałam jeszcze, że jest to początek mojej niezwykłej podróży w przyszłość. Początek nowego życia.

– Teraz ta trudniejsza część – powiedział Griffin. – Musimy postanowić, co dalej zrobimy.

– Co dalej zrobimy? – Zrezygnowana pokręciłam głową. – A co możemy zrobić?

– Zostałbym tu, gdyby to było możliwe. Zostałbym, żeby przekonać się, co z nami będzie. Ale muszę wracać. W zasadzie już dawno powinienem był wrócić. W końcu mam szansę osiągnąć to, o czym marzyłem całe życie. Będę mieć własną restaurację. Knajpę na głównej ulicy, tuż obok księgarni i kościoła. – Griffin zaczął malować mapę tego miejsca w powietrzu, chcąc podkreślić znaczenie tego, co tam na niego czekało. – To dla mnie szansa. A ty możesz pisać swoje artykuły z każdego miejsca na świecie, prawda?

– Nie do końca – odpowiedziałam, kręcąc głową.

– Dlaczego nie?

Nie powiedziałam ani słowa o Nicku. Nawet jednego. Nie od chwili, kiedy opowiedziałam Griffinowi o najlepszej i najgorszej rzeczy w naszym związku. Jakimś cudem udawało nam się o tym nie rozmawiać. I nagle uderzyła mnie pewna myśl. Żałowałam, że nie powiedziałam mu o czymś, co miało związek z Nickiem. Żałowałam, że jeszcze o tym nie wie. Prawda była taka, że nie mogłam rzucić wszystkiego i pojechać gdzieś za facetem. Nie znowu. Zrobiłam to raz dla Nicka. Przejechałam cały kraj, żeby z nim być, i jak to się skończyło? Nie miałam zamiaru robić tego po raz kolejny, tylko dlatego że mnie o to poprosił.

Właśnie w tym momencie, zupełnie, jakby czytał w moich myślach, Griffin zrobił coś, czego się kompletnie nie spodziewałam. Wstał z barowego krzesła i uklęknął na jedno kolano.

– Co ty robisz? – zapytałam zaskoczona i zmieszana tą sytuacja.

Następne zdanie powiedzieliśmy razem, dokładnie w tym samym momencie.

– To szaleństwo!

Czasem nie zdajemy sobie sprawy, na co tak naprawdę czekaliśmy przez całe życie. Nie uświadamiamy sobie tego aż do momentu, kiedy to się wydarzy.

– Wiem, że jesteśmy sobie przeznaczeni – powiedział, patrząc na mnie z nadzieją w oczach. – Wiedziałem to od chwili, kiedy weszłaś wtedy do baru ubrana w tamtą sukienkę. Nie potrafię tego wytłumaczyć. Nie wiem, czybym chciał, nawet jeślibym potrafił.

Miał rację. Część mnie czuła dokładnie to samo co on. Nie zmieniało to jednak faktu, że to, co mówił, było czystym szaleństwem. Z tym inna część mnie zgadzała jeszcze bardziej.

– Jeśli naprawdę tego chcesz, zakończymy to wszystko i każde z nas pójdzie w swoją stronę. Wybór należy do ciebie. Ale ja uważam, że powinniśmy zaryzykować – powiedział. – Wiem, że to niełatwe, ale musimy być odważni. Powinniśmy dać sobie szansę i zacząć nasze wspólne życie w tym miejscu, tu i teraz…

Odpowiedź padła z moich ust, nim zdążyłam ją dobrze przemyśleć. Kiedy to wszystko nam się przytrafiło, ja zaczęłam zadawać sobie pytanie, czy nie tak właśnie miało być? Czy nie tak to wszystko miało się zacząć?

– Nie mogę – powiedziałam, nie patrząc mu w oczy.

Moje słowa zraniły go bardziej, niż mogłam to sobie wyobrazić. To było okropne. Nigdy wcześniej nie czułam się tak paskudnie jak w tamtym momencie. Zupełnie jakbym krzywdziła samą siebie, a on pokazywał mi, co to znaczy. Widziałam to uczucie w jego oczach.

Pokazywał mi, jak wygląda człowiek, który słucha swoich obaw. Swoich niepewności. Człowiek, który pozwala sprawom potoczyć się ich własnym torem i nie ingeruje w nie. Być może robi to ze strachu, wmawia sobie, że to dla jego własnego dobra, że tak będzie bezpieczniej. Ale w rzeczywistości taka bierność spowodowana lękiem przed niepewną przyszłością wyrządza nam dużo więcej krzywdy, niż gdybyśmy wzięli sprawy w swoje ręce i zdobyli się na odwagą, pozwalając sobie zrobić coś wielkiego i wspaniałego. Coś śmiałego. Nagle w mojej głowie pojawiły się słowa Jordan: „Zrób coś, czego nigdy byś nie zrobiła". Następnie przypomniało mi się to, co powiedział mi kiedyś Nick: „Czasami wydaje mi się, jakby nigdy cię tutaj nie było, jakbyś nie mogła tu być, nawet gdybyś chciała". Właśnie wtedy uświadomiłam sobie, że mam ostatnią szansę, by powiedzieć to, co tak naprawdę czuję i myślę.

– Naprawdę nie mogę. Wiem, że to szaleństwo, i pewnie każdy psychiatra znający się choć odrobinę na swojej robocie powiedziałby, że jestem stuknięta. I może miałby rację. Może rzeczywiście jestem skończoną wariatką. Ale, na litość boską, nie mogę stanąć tu przed tobą i powiedzieć nie.

Griffin podniósł się z kolan.

Właśnie tak przyjęłam jego oświadczyny.

CZĘŚĆ II

DŁUGO I SZCZĘŚLIWIE

„Bo widzisz, u nas trzeba biec z całą szybkością, na jaką ty w ogóle możesz się zdobyć, ażeby pozostać w tym samym miejscu. A gdybyś się chciała gdzie indziej dostać, musisz biec przynajmniej dwa razy szybciej".

L. Carroll, *Alicja po drugiej stronie lustra*,
tłum. R. Stiller

ROZDZIAŁ 9

Jedną z pierwszych rzeczy, jakiej nauczyła mnie praca nad moją kolumną, było to, jak cudownym doznaniem jest dla podróżnika początek każdej wyprawy. Nic nie może się równać z uczuciem, które wywołuje świadomość posiadania nieskończenie wielu opcji. Brak jakichkolwiek ograniczeń daje poczucie niesamowitej wolności. Można skusić się na całodniową jazdę samochodem z opuszczonym dachem z Brukseli do Amsterdamu. Albo spędzić gorące popołudnie w Don Alfonso, znajdującym się w Sant'Agata sui Due Golfi, na jedzeniu najświeższych cytryn na świecie. Wieczorne karaoke w jakimś barze w centrum Tokio też brzmi całkiem nieźle. Możliwości są nieskończone. Można dokonać tysiąca wyborów albo żadnego. Wszystko zależy od preferencji i nastroju. Trochę czasu minęło, zanim zrozumiałam, jak niezwykle cenne było to uczucie i dlaczego. Nie tylko dlatego, że na samym początku podróży wszystko wydaje się takie świeże i możliwe, ale również dlatego, że dodaje nam nowej pewności siebie. Zanim zaczną się pojawiać pierwsze rysy na tym pozornie idealnym doznaniu. Zanim dokonamy nieuniknionych złych wyborów. Zanim zorientujemy się, że powodem, przez który wszystko poszło nie tak, jak powinno, jesteśmy my sami.

Na samym początku wiara w sens podróży pojawia się na nowo. Całym sercem wierzymy, że tym razem wszystko się uda i nie popełnimy już żadnego fatalnego błędu.

Kiedy Griffin i ja dojechaliśmy do Williamsburga, po raz pierwszy razem, nie mogłam uzmysłowić sobie, z czego wynika wzruszenie, które mną zawładnęło. Przejechaliśmy wzdłuż sennej głównej ulicy, minęliśmy kościół i pocztę, a także plac, na którym wciąż stały przystrojone choinki. Delikatne płatki spadały z nieba, pozostawiając cienką warstwę białego puchu na resztkach ubitego śniegu, który napadał poprzedniego dnia. Przez te wszystkie minione lata zdarzyło mi się przejeżdżać przez podobne ulice setki razy. W zasadzie mogłam przypomnieć sobie kilkanaście o wiele bardziej malowniczych ulic. Ale tym razem chodziło o coś zupełnie innego. Coś wyjątkowego i magicznego. Czułam się, jakbym była tu już wcześniej. Albo jakbym wiedziała, że być może kiedyś się tu znajdę. Wiedziałam, że zobaczę to miejsce jeszcze tysiące razy. Jakbym rozpoznała w nim swój punkt docelowy. Miejsce, które było mi przeznaczone.

Ten entuzjazm musiał być widoczny na mojej twarzy, ponieważ Griffin spojrzał na mnie i uśmiechnął się radośnie.

– Sprawia całkiem niezłe pierwsze wrażenie, co? – powiedział.

– To prawda – przytaknęłam.

Griffin skręcił w prawo i zjechał z głównej ulicy. Później skręcił ponownie i jechał tak długo, aż dotarliśmy na peryferie miasta. Wzdłuż drogi stały malownicze domy, wyglądające tak, jakby ktoś w magiczny sposób przeniósł je z pocztówek i poustawiał w równych rzędach. Były doskonałe. Jasne i lśniące niczym kamienie szlachetne. Wyglądały pięknie na tle białego, puszystego śniegu. Jechaliśmy dalej, a domy zaczęły pojawiać się w coraz większych odległościach od siebie. Mijaliśmy liczne farmy, aż w końcu skręciliśmy w ostatnią uliczkę. Dotarliśmy do kresu podróży. Griffin zaparkował samochód pod wielkim, osamotnionym domem. Był to jego dom. Mój wymarzony dom. I nie mam tu na myśli jego wyglądu. Nie chodzi o to, że był to najpiękniejszy dom, jaki zbudował człowiek. Dom, o którym marzyłam całe życie i śniłam po nocach. To ostatnie stwierdzenie było prawdziwe, ponieważ rzeczywiście widziałam taki dom w swoich snach. Dosłownie. Śnił mi się w nocy i na jawie. Te same niebieskie okiennice. Te same grube słupy podtrzymujące strop i drewniana weranda, na której stały bujane fotele. Do tego dwa okna spoglądały na nas z piętra niczym para oczu. Biały komin z cegły malowniczo zwieńczał cały budynek. Ten widok wywołał uśmiech na mojej twarzy.

Oczywiście nie pojawiliśmy się tutaj bez ślubu. Ten odbył się w małej kaplicy niedaleko granicy z Las Vegas. Zorganizowaliśmy go w trakcie naszej podróży wzdłuż kraju. Miałam na sobie letnią sukienkę w kolorze kości słoniowej. Ceremonii towarzyszyła para siedemdziesięcioletnich świadków. Wymieniliśmy dwie złote, proste obrączki, a Griffin przeczytał mi jeden z wierszy Louise Glück. I to wszystko. Tak wyglądał nasz ślub.

Siedzieliśmy teraz w samochodzie pod domem Griffina. Za nami stała chyba najmniejsza przyczepa samochodowa na świecie. Przywieźliśmy na niej te pozostałości mojego dawnego życia, które postanowiłam ze sobą zabrać. Było tego niewiele. Kilka krzeseł w paski, moja szafka na dokumenty i ulubione zdjęcia Mili. Dla mnie był to wyjątkowy moment. Wpatrywałam się w dom z całkowitą pewnością, że już kiedyś go widziałam. Był to początek mojego nowego życia, nowej podróży i małżeństwa.

Obróciłam obrączkę na serdecznym palcu swojej dłoni.

– Więc to tutaj będziemy teraz mieszkać? – powiedziałam, wpatrując się w dom stojący przede mną.

– Właśnie tutaj – odpowiedział Griffin. – Jesteś gotowa, by wejść do środka? Dom wygląda całkiem nieźle.

Griffin wysiadł z samochodu, nie czekając na moją odpowiedź. Obszedł go dookoła i zbliżył się, żeby otworzyć mi drzwi. Pomógł mi wysiąść i wziął mnie na ręce. Ostrożnie pokonał odległość między samochodem a drzwiami frontowymi. Zatrzymał się na chwilę, żeby je otworzyć, po czym ceremonialnie przeniósł mnie przez próg.

Śmiałam się podczas tej procedury głównie dlatego, że czułam się trochę niezręcznie. Było to dość krępujące doświadczenie. Nie byłam mistrzynią w przeżywaniu romantycznych uniesień. Podążanie za tradycją nigdy nie było moją mocną stroną. Takie rzeczy wydawały mi się kiczowate. Dopiero później uświadomiłam sobie, że były one dla mnie nie tyle tandetne, ile obce.

Ale Griffin poruszał się w tych rejonach z niezwykłą pewnością siebie. Zupełnie jakby robił to już setny raz z rzędu. Energicznym krokiem podszedł do drzwi, nacisnął klamkę, cały czas trzymając mnie na rękach, i przekroczył próg. Stanął na zielonej wycieraczce z napisem „Witaj w domu".

– Jesteśmy na miejscu – powiedział, całując mnie.

Nagle usłyszałam czyjś głos.

– Cześć…

Mocny, męski głos dobiegł z głębi domu. Griffin na ten dźwięk mnie upuścił. Upadłam na wycieraczkę. W sam środek napisu „Witaj w domu". Wylądowałam centralnie na słowie „witaj".

Spojrzałam w górę zupełnie oszołomiona. Nie miałam bladego pojęcia, co się dzieje. Griffin najwyraźniej też nie. Wyglądał na kompletnie zdezorientowanego i wkurzonego. Patrzyłam na niego przez dłuższą chwilę, a później przeniosłam wzrok na faceta, w którego się wpatrywał. Stał na końcu korytarza, jedząc chipsy prosto z szeleszczącego opakowania. Miał kilkudniowy zarost i ciemne, potargane włosy. Nawet to pozorne zaniedbanie nie było w stanie ukryć jednego niezaprzeczalnego faktu. Był nieziemsko przystojny. Miał zielone oczy, przeszywające spojrzenie i zniewalający uśmiech, będący kopią uśmiechu Griffina. Stał w towarzystwie dwóch chłopców. Jeden miał własną paczkę chipsów, a drugi trzymał w ręku plastikową, żółtą konewkę. Mieli po pięć, może sześć lat i byli bliźniakami.

Byli praktycznie nie do odróżnienia. Para uroczych, identycznych, rudych bliźniąt.

– Cholera, wystraszyłeś mnie na śmierć! – Griffin w końcu się odezwał. – Co ty tutaj robisz?

– Na litość boską, Griffin, mógłbyś się nie wyrażać? Masz przed sobą parę podatnych na wpływy dzieciaków.

Griffin schylił się, by pomóc mi wstać z podłogi.

– W porządku? – zapytał. – Nie uderzyłaś się?

– Nie – odpowiedziałam, kiedy Griffin pomagał mi się podnieść.

Byłam tak zaskoczona tym, co się właśnie wydarzyło, że nie zauważyłabym nawet, gdybym złamała rękę. Spojrzałam jeszcze raz na niego, a później na parę chłopców. Uśmiechali się szeroko. Cała ta sytuacja wydawała im się wyjątkowo zabawna. Muszę przyznać, że byli naprawdę śliczni. Te identyczne rude włosy i wielkie zielone oczy dodawały im tylko uroku. Wyglądali prawie tak samo jak mężczyzna, który był chyba ich ojcem. Mieli podobny kształt twarzy, takie same oczy. Ale fenomenalne rude włosy musieli odziedziczyć po kimś zupełnie innym.

– Chłopcy, nie uściskacie wujka Griffina? – powiedział mężczyzna, zachęcająco klepiąc obu chłopców w plecy.

Wujek Griffin.

Okazało się, że nieznajomy mężczyzna ma na imię Jesse i jest bratem Griffina. Młodszym bratem. Griffin nie miał ze sobą żadnego rodzinnego zdjęcia w Los Angeles, ale opowiadał mi o młodszym bracie i jego dwóch synach. Nie pamiętam tylko, żeby wspominał, że są to bliźniaki. Sammy i Dexter. Pamiętałam, że tak chyba mieli na imię. Wiedziałam, że mieszkali w Bostonie, który nie był zbytnio oddalony od zachodniej części Massachusetts. Ale co jeszcze wiedziałam? Na pewno to, że Jesse skończył studia i pracował nad doktoratem w Instytucie Technologii w Massachusetts. A jego żona? Nie pamiętałam, jak miała na imię, tylko tyle, że prowadziła kwiaciarnię w Cambridge. To chyba wszystko, co wiedziałam na temat jego brata, jego żony i ich dwóch synów. Teraz dowiedziałam się jeszcze jednego. W szmaragdowych oczach Jesse'a zauważyłam lekki przebłysk szaleństwa.

– Właśnie odbywa się mały konkurs na najcichszego osobnika z udziałem tych dwóch urwisów – powiedział Jesse, delikatnie popychając chłopców w kierunku Griffina. – No, dalej chłopcy. Bez zbędnego gadania.

Chłopcy podbiegli do Griffina, rzucając mu się na szyję. Ten objął ich obu jednocześnie, przyciskając do siebie drobne ciałka. Nie odrywał przy tym wzroku od brata.

Właśnie wtedy zauważyłam stos rzeczy stojących za Griffinem i chłopcami. Tuż koło schodów znajdowało się kilka wielkich waliz, sterta ciuchów, sprzęt sportowy i zabawki chłopców. Wszystkie te rzeczy były już częściowo rozpakowane. Większość z nich porozrzucana była po całych schodach. Rozglądając się dookoła, zauważyłam, w jakim stanie był dom. Przynajmniej z mojej perspektywy. Muszę przyznać, że nie wyglądało to zachęcająco. Jakby małe tornado wtargnęło do środka, niszcząc wszystko, co napotkało na swojej drodze. Obrazy spadały ze ścian, a dywan był potargany. Dodatkowym urozmaiceniem był osobliwy zapach soku z winogron dolatujący z jakiegoś odległego zakątka domu. Nie byłam przekonana, czy chciałam do tego zakątka kiedykolwiek dotrzeć.

Griffin musiał zauważyć, na co patrzę, ponieważ skierował spojrzenie dokładnie w to samo miejsce. Przez chwilę wpatrywał się w stertę walizek i porozrzucanych rzeczy. Następnie spojrzał ponownie na brata.

– Jak długo tu jesteście? – zapytał.

– Nie tak długo – Jesse odpowiedział obojętnie, wzruszając ramionami.

– Możesz sprecyzować?

– Jakieś cztery tygodnie. No może pięć.

– Może pięć tygodni? – powiedziałam z naciskiem na ostatnie słowo.

Było to jedyne zdanie, które mogłam z siebie wydusić. W tym momencie Jesse spojrzał na mnie po raz pierwszy, jak gdyby dopiero teraz odnotował moją obecność. Zupełnie jakby w ogóle nie zauważył tego, że kilka sekund wcześniej jego brat upuścił mnie na sam środek wycieraczki.

– Cześć – powiedział.

– Cześć – powtórzyłam.

Następnie bezwiednie pomachałam do niego, wciąż zaskoczona, że w ogóle byłam w stanie otworzyć usta, by cokolwiek powiedzieć.

– Dlaczego nie powiedziałeś mi, że tu jesteś? – zapytał Griffin z wyraźną złością w głosie.

Jesse odwrócił się do brata plecami. Ponownie wzruszył ramionami, okazując kompletny brak zainteresowania sytuacją.

– Nie chciałem cię martwić – odpowiedział po chwili namysłu. – Zresztą, nie wydawało mi się to konieczne.

Griffin postawił bliźniaków na podłogę, a oni bez słowa wbiegli po schodach na górę. Śmiali się radośnie, omijając slalomem wszystkie porozrzucane na stopniach rzeczy. Uważali, żeby się o nie przy okazji nie potknąć. Patrzyłam, jak znikają na piętrze, a następnie spojrzałam z powrotem na Jesse'a. Usłyszałam trzaśnięcie drzwi od sypialni i był to jedyny odgłos świadczący o obecności chłopców, ponieważ w dalszym ciągu się do siebie nie odzywali.

– Nagroda dla zwycięzcy konkursu na najcichszego osobnika musi być niezwykle atrakcyjna. Chłopcy wydają się bardzo zaangażowani w rywalizację – powiedziałam.

– Nagrodą jest sto dolców – odparł Jesse.

– Niezła sumka – skomentowałam.

Zauważyłam, że Jesse się uśmiechnął.

– Dzięki temu chłopcy bardziej się angażują.

– Gdzie jest Cheryl? – zapytał Griffin, nie odrywając badawczego spojrzenia od swojego brata.

– Kazała mi spadać – odpowiedział.

– Kazała ci spadać? – Griffin powtórzył słowa brata, jakby dla pewności, że dobrze je usłyszał.

Jesse potakująco skinął głową, a jego głos stał się jakby łagodniejszy.

– Sammy nie odkłada swojej konewki ani na sekundę. Dzieciak nie rozstaje się z nią nawet podczas snu. To chyba jakaś oznaka szoku pourazowego, prawda? Pewnie to nasza wina. Dex chyba znosi to trochę lepiej. Ale wczoraj dosyć ostro przyłożył Sammy'emu, próbując odebrać mu tę konewkę. Więc chyba nie mogę uznać tego za objaw dobrego radzenia sobie ze stresem.

Griffin ani na chwilę nie odrywał wzroku od swojego brata.

– Dlaczego Cheryl miałaby cię wyrzucić?

– Powiedziała, że musi sobie wszystko przemyśleć – odpowiedział. – Zdarza się.

– Zdarza się? Niby kiedy?

– No wiesz… – W głosie Jesse'a słychać było niepewność. – Kiedy się dowiesz, że twój mąż będzie miał dziecko z inną kobietą.

Spojrzałam na niego wzrokiem pełnym niedowierzania. Czy ja się przypadkiem nie przesłyszałam? Jesse potakująco skinął głowa, jak gdyby słyszał pytanie, które zadałam sobie w myślach. Później spojrzał bratu prosto w oczy.

– To dość skomplikowane – powiedział.

Patrzyłam na Jesse'a przez dłuższą chwilę. Zupełnie tak, jakby mój wzrok miał spowodować, że za moment cofnie swoje słowa i powie coś zupełnie innego. Być może wpatrywałam się w niego tak długo, ponieważ bałam się spojrzeć w przeciwnym kierunku. Na jego brata. Bałam się tego, co mogłam zobaczyć w oczach Griffina. Nie chciałam wiedzieć, o czym myślał po usłyszeniu tej nieoczekiwanej wiadomości z ust młodszego brata.

Ale Griffin nie powiedział ani słowa. Pomyślałam, że w zaistniałych okolicznościach konieczność przerwania tej niezręcznej ciszy będzie musiała spaść na Jesse'a. Nie myliłam się. Kolejne słowa padły właśnie z jego ust i były skierowane do mnie.

– Musisz wybaczyć mojemu bratu to niegrzeczne zachowanie – powiedział. – Jestem Jesse, brat Griffina. A ty?

Jesse wyciągnął w moim kierunku dłoń na przywitanie. Byłam pewna, że jest lepka od chipsów, które przed chwilą jadł, ale i tak odwzajemniłam uścisk.

– Jestem Annie, żona Griffina – odpowiedziałam.

ROZDZIAŁ 10

– Możesz mi wierzyć lub nie, ale on jest prawdziwym geniuszem – powiedział Griffin o swoim bracie. – Prawdziwym, dyplomowanym geniuszem. Ma iloraz inteligencji wysoko powyżej przeciętnej. Kiedy byliśmy jeszcze w szkole, przeskoczył dwie klasy do góry. A kiedy miał siedemnaście lat, dostał pełne stypendium w Instytucie Technologii w Massachusetts. Chociaż właściwie może właśnie to wyrządziło mu więcej szkody niż pożytku…

Leżeliśmy już w łóżku. Była to nasza pierwsza noc we wspólnej sypialni. Gapiłam się na sufit, a obok mnie stała zapalona lampka nocna. Leżałam w totalnym bezruchu. Jedyną aktywnością, którą dało się u mnie stwierdzić w tym momencie, było mruganie powiekami. Może nieco zbyt szybkie. Starałam się ignorować to przeraźliwe uczucie bezsilności, które zaczęło mnie dopadać. Usiłowałam też nie zwracać uwagi na wielką dziurę w ścianie, tuż obok drzwi do naszej sypialni. Stanowiła ona pozostałość po małym wypadku, który zdarzył się krótko po przyjeździe Jesse'a wraz z bliźniakami. Teraz przykrywało ją wielkie, białe prześcieradło przyczepione do ściany.

Zamiast pogrążać się w rozpaczy, usiłowałam zgłębić wzory zdobiące sufit nad moją głową. Były ledwo widoczne w delikatnym świetle lampki nocnej, ale mimo wszystko dało się zauważyć ich finezję. Były niezwykle precyzyjne, skomplikowane i piękne. Składały się na nie różne liczby, słowa i pojedyncze litery, a także całe systemy znaków, których nie rozumiałam.

Griffin właśnie przyszedł do sypialni po długiej rozmowie z bratem. Nie brałam w niej udziału, ale słyszałam, że Jesse opowiadał o tamtej kobiecie. Podobno znał ją jeszcze z uczelni. Mówił też coś o tym, co planował dalej z tym wszystkim zrobić.

Teraz Griffin zaczął coś szeptać. Z jednej strony wiedziałam, dlaczego mówi ściszonym głosem, ale jednocześnie nie miałam co do tego całkowitej pewności. Jesse i chłopcy byli zajęci oglądaniem jakiegoś filmu w sypialni znajdującej się na końcu korytarza. Byli to chyba *Poszukiwacze zaginionej arki*. Tak mi się przynajmniej wydawało, sądząc po fragmentach dialogów dobiegających ze zbyt głośno włączonego telewizora. Śmiali się i krzyczeli do ekranu. Konkurs na najcichszego osobnika najwyraźniej się skończył.

– Żałuję tylko, że nie zrobił na tobie lepszego wrażenia – powiedział Griffin lekko zrezygnowanym głosem.

– Nie było tak źle – odparłam, usiłując go pocieszyć. – Naprawdę.

Następnie odchrząknęłam. Nie tyle z potrzeby, co z braku pomysłu na to, co mogłabym jeszcze powiedzieć. Złe pierwsze wrażenie nie było chyba najtrafniejszym określeniem w tej sytuacji. Czyjaś zbyt głośno mówiąca matka może zrobić złe wrażenie. Albo przyjaciel z dzieciństwa, który wypił za dużo alkoholu i wygaduje głupoty. Ale natknięcie się na swojego żonatego brata mieszkającego po kryjomu w twoim własnym domu z dwójką synów, ponieważ zrobił dziecko kobiecie, która nie była jego żoną… Coś takiego zdecydowanie kwalifikowało się do czegoś więcej niż tylko złe wrażenie.

Jednak mimo wszystko z całych sił starałam się wymyślić jakieś słowa wsparcia. Coś, co sprawiłoby, że nie tylko Griffin, ale również ja, moglibyśmy spojrzeć na tę całą sytuację z zupełnie innej, lepszej perspektywy. Ale prawda była taka, że w głębi duszy wydałam już wyrok na niewiernego brata mojego męża. I nie był to jedyny problem. Po raz pierwszy od czasu, kiedy się poznaliśmy, znalazłam się w sytuacji, kiedy nie wiedziałam, jak mam mu o czymś powiedzieć.

Griffin położył się na boku twarzą do mnie. Oparł głowę na łokciu.

– Oni nie mają teraz gdzie się podziać – powiedział. – To znaczy… mogliby zamieszkać u naszej matki w Nowym Jorku, ale Jesse nie powiedział jej jeszcze, co się dokładnie wydarzyło. Bał się jej reakcji. I szczerze mówiąc, wcale mu się nie dziwię.

– Rozumiem – powiedziałam.

Moje słowa były szczere. Naprawdę to rozumiałam. Przynajmniej bazując na tym, co Griffin opowiadał mi o swojej matce, która była szanowaną panią profesor na Uniwersytecie Nowojorskim. Miała wspaniały zawód i stanowiła podporę rodziny. Wypełniała swój dom ogromną miłością. Ale była nie tylko niezwykle kochającą osobą. Była też niesamowicie emocjonalna. Zwłaszcza jeśli chodziło o jej synów. A w tej sytuacji nadmierne emocje nikomu nie wyszłyby na dobre.

– On potrzebuje po prostu trochę czasu, by sobie to wszystko poukładać. W dodatku bliźniaki chodzą teraz do przedszkola niedaleko domu. – Griffin usiłował za wszelką cenę znaleźć usprawiedliwienie dla swojej decyzji. – Nie wiem, czy byłbym w stanie powiedzieć mu teraz, żeby się wyprowadził.

– Oczywiście, że nie – zgodziłam się, odzyskując nieco zdrowego rozsądku. – Nigdy bym cię o to nie poprosiła. Nie chcę, żebyś kiedykolwiek myślał, że musisz kazać mu się wyprowadzić ze względu na mnie. Jesse jest twoim bratem i właśnie teraz najbardziej cię potrzebuje.

– Ale ty jesteś moją żoną i też mnie potrzebujesz – powiedział, obejmując mnie mocno silnym ramieniem.

– Dam sobie radę – odpowiedziałam. – Obiecuję.

– Po prostu to wszystko wydarzyło się w niewłaściwym momencie. Wiesz, co mam na myśli. Dopiero przyjechaliśmy. Chcemy się zadomowić, a ty próbujesz się przyzwyczaić do nowego miejsca. To po prostu nie jest najlepszy moment na takie dramaty.

Przysunęłam się do niego.

– Nie wydaje mi się, by w ogóle istniał dobry moment na coś takiego. Sytuacja, kiedy wprowadza się do ciebie twój brat, ponieważ zrobił dziecko jakiejś kobiecie, nie daje ci chyba zbyt dużo możliwości na przygotowania.

Griffin zaśmiał się i pocałował mnie delikatnie w czoło.

– Trafna uwaga – powiedział.

– Jakoś to przetrwamy – powiedziałam. – Będziemy musieli po prostu pamiętać o zamykaniu drzwi na czas seksu.

– I upewniać się, że prześcieradło jest dobrze zamocowane.

Uśmiechnęłam się, a Griffin zajął się prześcieradłem.

ROZDZIAŁ 11

Następnego ranka obudziłam się lekko zdezorientowana. Czułam się trochę tak, jakbym ucięła sobie popołudniową drzemkę i obudziła się wieczorem, nie mając światła dziennego za przewodnika. Zaczynają się wtedy pojawiać w głowie dziwne pytania w stylu: Dlaczego właściwie spałam? Jaki mamy dziś dzień? Czy aby na pewno jestem we własnym domu?

Jedną z przyczyn mojej dezorientacji był fakt, że sypialnię Griffina nadal wypełniał mrok. Zupełnie jakbym obudziła się w samym środku nocy. Wszystko przez te grube i ciemne brązowe zasłony, które stanowiły niezniszczalną barierę powstrzymującą wszelkie formy światła przed dostaniem się do środka. Pewnie taki system sprawdzał się w przypadku szefa kuchni, który często chodził spać o dziwnych, nienormowanych porach. Jednak dla mnie, jak się właśnie okazało, warunki te pozostawiały wiele do życzenia. Nie lubiłam nie widzieć, jaka jest pora dnia i czy w ogóle udało mi się przespać noc i dotrwać do poranka. Zastanawiałam się też, dlaczego nie było przy mnie Griffina.

Przewróciłam się na brzuch i sięgnęłam ręką w kierunku okna, usiłując odsunąć te pancerne zasłony i wyjrzeć na zewnątrz. Chciałam zobaczyć, co się dzieje na świecie. Ostre zimowe słońce wdarło się do pokoju bez ostrzeżenia. Było tak mocne, że poczułam się, jakbym znowu była w Kalifornii. Położyłam dłoń na parapecie, czekając, aż słońce zacznie ogrzewać jej wewnętrzną część, ale zamiast tego poczułam przeszywający chłód. Mały termometr wiszący za oknem, który zauważyłam kilka sekund za późno, pokazywał oszałamiające sześć stopni.

Wygrzebałam się z łóżka. Założyłam ciepłe spodnie od dresu i dodatkową parę skarpet. Zeszłam do kuchni, gdzie natknęłam się na Jesse'a i bliźniaków. Siedzieli przy stole i kończyli śniadanie. Jesse ubrany był w rozpinaną koszulę i jeansy. W całkowitym skupieniu oddawał się wiązaniu krawata, podczas gdy bliźniacy całą uwagę poświęcali jedzeniu gofrów. Powinnam raczej powiedzieć, że Dexter skupiał się na wpychaniu języka w dziurę, którą udało mu się zrobić w samym środku gofra, oraz na opluwaniu swojej twarzyczki resztkami jedzenia, podczas gdy Sammy wciskał właśnie swoją porcję do konewki. Syrop klonowy albo to, co z niego zostało, uformował dwie kałuże tuż pod stopami chłopców.

– Dzień dobry – powiedziałam, chcąc zakomunikować swoją obecność.

Jesse spojrzał na mnie i uśmiechnął się.

– Cześć, bratowo – powiedział.

– Cześć – przywitałam się ponownie, nie ruszając się z miejsca. Miałam wrażenie, że wyglądam dziwacznie. Czułam, że moje stopy nadal są lodowate mimo dwóch warstw grubych skarpet. Więc kiedy wydawało mi się, że stoję w jednym miejscu, tak naprawdę przeskakiwałam z nogi na nogę, usiłując nieco się rozgrzać.

– Mam nadzieję, że lubisz kawę? – zapytał Jesse.

– Jestem w stanie znieść jedynie pierwsze cztery kubki kawy, które wypijam każdego dnia – odpowiedziałam. – Przy piątym zaczynam robić się nerwowa.

– W takim razie nie mogłaś trafić lepiej – ucieszył się. – Chodź, usiądź z nami. Mamy tu cholernie dobrą kawę.

Końcówką krawata, którą nadal trzymał w dłoni, wskazał na srebrny termos stojący na środku stołu. Miał on stanowić niezbity dowód na to, że to, co przed chwilą powiedział, było prawdą.

Podeszłam więc do stołu i zajęłam puste krzesło obok Jesse'a. W tym momencie wypuścił krawat z dłoni i sięgnął po termos, by otworzyć go i nalać mi trochę kawy do kubka.

Uniosła się para, a ja zaczęłam delektować się wspaniałym aromatem. Mocno zacisnęłam gorący kubek w dłoniach i wzięłam duży łyk.

– Mmmm – wydałam z siebie dźwięk zadowolenia. – Naprawdę nie żartowałeś, mówiąc, że macie tu cholernie dobrą kawę. Jest świetna. Powiedziałabym nawet, że jest nieziemsko pyszna.

– Miło mi to słyszeć. Istnieją mniej więcej trzy rzeczy, które potrafię robić naprawdę dobrze, a kawa jest jedną z nich. – Jesse ponownie spojrzał na swój krawat.

Związał go w niedbały supeł, po czym znowu rozwiązał. – Przywiozłem ze sobą specjalny dzbanek do parzenia kawy. Ma chyba ze sto lat, ale to właśnie w nim tkwi cały sekret.

Uśmiechnęłam się, usiłując ostudzić kawę dmuchnięciem. Wzięłam kolejny łyk.

– A co ze srebrnym termosem? – zapytałam. – Też stanowi część procesu parzenia kawy doskonałej?

– Niezupełnie. Ale przydaje się podczas przewożenia kawy do Bostonu – odpowiedział. – Mam dziś popołudniu spotkanie w mieście.

Przerwałam picie w połowie łyku.

– Ale wydawało mi się... – Chciałam coś powiedzieć, kiedy Jesse podniósł dłoń, powstrzymując mnie przed dokończeniem zdania.

– Daj spokój. Biorąc pod uwagę zaistniałą dość niekomfortową sytuację, poczęstowanie cię dobrą kawą jest najlepszą rzeczą, jaką mogę zrobić – powiedział. – Niestety, obawiam się, że obecnie jest to też jedyna rzecz, jaką mogę ci zaoferować.

Uśmiechnął się do mnie przyjaźnie, trzymając w ręce wciąż niezawiązany krawat.

– Pomóc ci z tym? – zapytałam, spoglądając na krawat.

Pokręcił przecząco głową.

– Dam sobie radę – zapewnił. – Prawdopodobnie wtedy, kiedy już będzie na to za późno, ale jakoś sobie poradzę.

Jesse ponownie spojrzał na krawat, podejmując kolejną próbę zawiązania go w przyzwoity splot, podczas gdy ja kończyłam kawę.

– Chętnie natomiast posłuchałbym historii o tym, jak poznałaś mojego starszego brata i jak to się stało, że się w sobie zakochaliście – powiedział. – Wciąż nie mogę uwierzyć, że nic na ten temat nie wiedziałem. W innych okolicznościach byłbym poważnie wkurzony.

Roześmiałam się.

– To się stało tak szybko – powiedziałam, nie wiedząc, od czego zacząć.

– „Jedyne prawa materii to takie, które musi stworzyć ludzki umysł, a jedyne prawa umysłu to te stworzone w nim dzięki materii".

Spojrzałam na niego, kompletnie zdezorientowana.

– To słowa Jamesa Clerka Maxwella, faceta odpowiedzialnego za stworzenie klasycznej teorii elektromagnetyzmu – wyjaśnił. – Lubię myśleć, że to po prostu inne ujęcie stwierdzenia, że wszystkie dobre rzeczy przytrafiają się nam jednocześnie.

Uśmiechnęłam się.

– Podoba mi się takie podejście – powiedziałam. – Nawet bardzo. Czy to właśnie w tej dziedzinie nauki się specjalizujesz?

– W pewnym sensie – odpowiedział. – Powiedzmy, że pracuję nad nową wersją. Współpracuję z pewną wybitną specjalistą. Nazywa się Jude Flemming. Słyszałaś o niej? Domyślam się, że nie, no chyba że hobbistycznie zajmujesz się fizyką optyczną.

– Ostatnio nieco zaniedbałam tę dziedzinę.

– Doktor Flemming jest niesamowita. To bardzo inspirująca postać. Jest dopiero po czterdziestce, a już zarządza własnym działem. Nie mówiąc o tym, że cały czas zmienia nasze rozumienie fizyki optycznej – powiedział.

– Mówiąc „nasze", masz na myśli tych, którzy w ogóle wiedzą, co to jest fizyka optyczna – poprawiłam go.

– Właśnie. – Jesse roześmiał się, po czym wskazał na blat kuchenny. – Tak przy okazji, Griffin zostawił ci tam miłosny liścik. Nie chciał cię budzić, a musiał wcześnie rano pojechać do restauracji, żeby spotkać się z kontrahentem. Zostawił ci wskazówki, jak tam trafić, w razie gdybyś zdecydowała się do niego dołączyć.

– Świetnie. Chociaż wydawało mi się, że mówił, że wybiera się tam dopiero koło jedenastej – powiedziałam, spoglądając na kartkę, którą dla mnie zostawił. – Która właściwie jest godzina?

– Jest za piętnaście pierwsza.

– Która!? – zapytałam z totalnym niedowierzaniem.

Przez całe moje, bądź co bądź, całkiem długie już życie, nie zdarzyło mi się spać tak długo. Nigdy i nigdzie. Zazwyczaj zaczynałam pracę o szóstej rano. Tak miało być również tego dnia. Chciałam rozpocząć jak najwcześniej, żeby nie spóźnić się z odesłaniem artykułu do Petera.

– To przez te brązowe zasłony – powiedział. – Mogą cię nieźle oszukać, jeśli nie będziesz uważać.

– Chyba naprawdę nie żartowałeś co do godziny.

– My też zaczęliśmy dzień dużo później, niż planowaliśmy, i teraz jestem kompletnie spóźniony na to spotkanie – powiedział. – Musiałbym jechać z prędkością światła, żeby zdążyć. Kogo ja oszukuję, nawet wtedy nie dałbym rady.

– Z kim masz to spotkanie? – zapytałam.

– Z opiekunem specjalizacji – odpowiedział.

– Z Jude Flemming?

– Właśnie – potwierdził. – Chciałem zapytać ją o możliwość przedłużenia terminu oddania mojej pracy naukowej. Proszenie jej o cokolwiek wywołuje u mnie poważny skok adrenaliny.

– Jestem w stanie to sobie wyobrazić – powiedziałam, dolewając sobie kawy. – Długo już zwlekasz z oddaniem pracy?

– No wiesz… jakieś dziewięć lat. – Przerwałam nalewanie kawy, kiedy to powiedział. – Miałem swoje powody.

– Nie wątpię.

Wstał od stołu. Jego krawat nadal był zawiązany niedbale, ale domyślałam się, że i tak był to szczyt jego umiejętności. Najwyraźniej jego geniusz zarezerwowany był wyłącznie na kwestie związane z fizyką optyczną i nie objawiał się w żadnych innych dziedzinach. Zaczął szybko zbierać swoje rzeczy, szykując się do wyjścia. Pośpiesznie złapał klucze, w połowie pusty już termos z kawą i podniszczoną aktówkę leżącą na kuchennym blacie.

– Myślisz, że dałabyś radę odprowadzić chłopców?

Spojrzałam na niego zmieszana.

– Kogo?

– Sammy'ego i Dexa – wyjaśnił. – Mogłabyś zaprowadzić ich do szkoły? To niedaleko. Byłbym ci bardzo wdzięczny. Trenują piłkę nożną w małej lidze juniorów, więc będą mieli zajęcie na całe popołudnie, dopóki nie wrócę ze spotkania, ale czy mogłabyś ich tam zaprowadzić?

– Ja? – zapytałam, odwracając się w stronę bliźniaków, którzy ciągle byli zajęci pałaszowaniem gofrów, ale nie na tyle, by zignorować moje spojrzenie. – Ale przecież oni mnie w ogóle nie znają. Nie będzie to trochę dziwnie wyglądało?

– Dobra, chłopaki. To jest wasza ciocia Annie – powiedział do bliźniaków, wskazując na mnie palcem. – Przywitajcie się z nią ładnie.

Chłopcy niemalże jednocześnie odwrócili się w moją stronę. Żaden z nich nie odezwał się ani słowem. Żaden nawet do mnie nie pomachał.

– Cześć, chłopcy! – Uśmiechnęłam się do Sammy'ego, który w zaciśniętej dłoni trzymał konewkę. – Co tam masz?

Nadal nic. Moja desperacka próba nawiązania jakiegokolwiek kontaktu z dwójką małych chłopców zakończyła się niepowodzeniem.

– Który z was bardziej chce, żeby ciocia Annie odprowadziła go dzisiaj do szkoły, musi powiedzieć jej swoje imię głośniej – powiedział Jesse. – Zwycięzca dostaje sto dolarów.

Obydwaj chłopcy podnieśli wysoko ręce, przekrzykując się nawzajem. „Ja! Ja!".

Wtedy Dex zaczął machać rękami i krzyknął: „Jestem Dex! Jestem Dex!". Sammy od razu wziął przykład z brata, podniósł swoją żółtą konewkę i używając jej jak mikrofonu, też zaczął wykrzykiwać swoje imię: „Jestem Sammy! Jestem Sammy!".

Jesse uśmiechnął się do mnie z satysfakcją, a ja zauważyłam, że krawat pod jego szyją w jakiś magiczny sposób został zawiązany. I to w dodatku całkiem profesjonalnie.

– No i proszę. Jeden problem mamy z głowy.

ROZDZIAŁ 12

Musieliśmy stanowić niezłe widowisko w drodze do szkoły. Wiatr i spadający z nieba gruby śnieżny puch były nie lada wyzwaniem dla całej naszej trójki. Usiłowałam przedrzeć się przez zaspy śnieżne, ubrana w cienki polar, który nie do końca pasował do panujących warunków atmosferycznych. Chłopcy maszerowali obok, trzymając mnie za ręce. Sammy z jednej strony, Dex z drugiej. Opatulenie byli w gigantyczne zimowe kurtki, zza których ledwo można było dostrzec ich drobniutkie ciałka. Towarzyszyła nam oczywiście żółta konewka Sammy'ego, którą schował głęboko pod kurtką. Szliśmy tak, trzymając się za ręce, krzycząc na mijające nas samochody, na znaki drogowe, a nawet w niebo. Musieliśmy wyglądać jak uciekinierzy z muzeum osobliwości.

Nawet mimo perspektywy dostania stu dolców, które Jesse zostawił na stole, chłopcy wydawali się zaniepokojeni faktem, że ich tata wyszedł, zostawiając ich w rękach obcej cioci Annie. Postanowiłam więc, że spróbuję ich jakoś rozweselić. Zaproponowałam grę w szpiega podczas drogi do szkoły. Zabawa polegała na tym, że chłopcy rozglądali się dookoła i wypatrywali wszystkich nowych obiektów, a za każdym razem, kiedy wyśledzili coś godnego uwagi, mieli powiedzieć o tym na głos.

Nie byłam pewna, czy to odpowiednia gra dla chłopców w ich wieku. Wiedziałam natomiast, że Jordan często bawi się tak z Sashą, która zawsze wydawała się z tego zadowolona. Zresztą całkowity brak jakichkolwiek innych pomysłów w tamtym momencie był wystarczającym argumentem, by zaryzykować. Chłopcy wydawali się zadowoleni. Dojście pod same drzwi szkoły zajęło nam jakieś dwadzieścia minut. Po drodze bliźniacy zwracali uwagę na wszystkie napotkane rzeczy. Wyśledzili tory kolejowe, nieczynną lodziarnię, zepsuty rower, kilka bałwanów, zamknięte stoisko z owocami, przed którym stał wielki szyld z napisem: „Do zobaczenia w maju", żyrafę, a właściwie rzeźbę przedstawiającą żyrafę, stojącą na czyimś podwórku, oraz kilka różnej wielkości psów. Ludzie towarzyszący psom nie wzbudzali zbytniego zainteresowania chłopców.

Kiedy już zbliżaliśmy się do szkoły, zauważyli również sklep wielobranżowy, w którym na swoje nieszczęście zdecydowałam się zrobić zakupy. Na stojaku z gazetami, stojącym się w samym środku sklepu, zobaczyłam kilkanaście tytułów znanych czasopism, wliczając w to nowy numer „The New York Times", do którego dołączona była mała ulotka informująca o premierze filmu *Niepokonani*. Reklama składała się ze zdjęcia przedstawiającego mroczny plac zabaw oraz lekko zamazaną parę siedzącą na huśtawkach. Fotografia była tak niewyraźna, że z łatwością można było przeoczyć parę przysuwającą się do siebie w oczekiwaniu na pocałunek. Jednej rzeczy nie dało się jednak nie zauważyć. Na samym dole reklamy, wielkimi czarnymi literami wydrukowane było nazwisko reżysera: „NICK CAMPBELL".

Zamarłam, a serce stanęło mi w gardle na widok jego nazwiska. Zupełnie bez ostrzeżenia wyłoniło się tuż przede mną, nie pozwalając się zignorować.

Po tym, jak Dex zakomunikował, że wyśledził sklep wielobranżowy, ja miałam ochotę dodać, że wyśledziłam ducha.

Całe szczęście, że udało mi się dojść do siebie, zanim dotarliśmy do placu znajdującego się przed szkołą, ponieważ mimo że szkoła nie była zbyt duża, to tłum, który się przed nią zebrał, był dość znaczny. Grupka dzieciaków kończyła właśnie popołudniową przerwę. Kawałek dalej amatorska drużyna składająca się z małych zawodników zaczynała pasjonujący mecz koszykówki. Inne dzieciaki grały w kulki. Wszyscy byli ubrani w ciepłe zimowe kurtki, wełniane czapki i kolorowe szaliki. Zauważyłam stojącą przy drzwiach nauczycielkę. Trzymała notatnik w dłoniach szczelnie ukrytych w grubych, jednopalcowych rękawiczkach. Musiała nas zauważyć, ponieważ wskazała nam wejście do klasy znajdującej się na samym końcu placu.

Kiedy zbliżaliśmy się do drzwi, usłyszałam dobiegającą z klasy muzykę. To, co zobaczyłam w środku, miło mnie zaskoczyło. Klasa była bardzo zadbana. Pomalowana została na żywe, jasne kolory, a ściany ozdobione były rozmaitymi rysunkami, obrazami oraz innymi dziełami sztuki. Wszystkie znajdujące się w niej dzieciaki, około dwudziestu młodych osobników, w pełnym skupieniu oddawały się tanecznej zabawie przy akompaniamencie utworów Bacha.

Delikatnie zapukałam w drzwi, starając się nie zwracać na siebie zbyt dużej uwagi, kiedy jedna z dwóch opiekunek tańczących pośród gromadki dzieci odwróciła się w moim kierunku i przywitała nas szerokim uśmiechem. Szybkim krokiem podeszła do drzwi, a długi, wysoko zaczesany koński ogon podskakiwał w rytm jej kroków.

– Dzień dobry! – powiedziała przyjaznym głosem – Właśnie zastanawialiśmy się, kiedy się pojawicie! Wejdźcie i dołączcie do naszej zabawy.

Opiekunka wzięła chłopców za ręce i zaanonsowała ich grupie tańczących dzieciaków. Kiedy dołączyli do zabawy, wróciła do mnie.

– Mam na imię Claire. Jestem nauczycielką Dexa i Sammy'ego – przedstawiła mi się, a następnie wskazała na drugą kobietę znajdującą się w sali, która ubrana była w za dużą bluzę od dresu i pasujące do niej spodnie. – To jest Carolyn. Jest tutaj praktykantką. Kończy właśnie nauczanie wczesnoszkolne na uniwersytecie. Prowadzi u nas zajęcia dwa razy w tygodniu. Czasami trzy. Nie muszę chyba dodawać, że są to dni, których zawsze wyczekuję.

Uśmiechnęłam się.

– Wyobrażam sobie – powiedziałam. – Jestem Annie. Przyprowadziłam chłopców. Zdaje się, że jestem ich ciocią.

Słowa, które wypowiedziałam, zabrzmiały dość dziwnie, ale jednocześnie stanowiły najlepsze odzwierciedlenie całej sytuacji. Przynajmniej tak mi się wydawało.

Tylko Claire niewłaściwie je zinterpretowała. Skrzyżowała ręce na piersi i uśmiechnęła się szeroko.

– Nie wiedziałam, że Cheryl ma siostrę! – powiedziała zaskoczona. – Cudownie, że mogę cię poznać. Wiem, że ona i Jesse mają ostatnio sporo problemów i nie do końca się ze sobą dogadują, ale co jakiś czas do nas zagląda. Sprawdza, co z chłopcami. Niezwykle silna z niej babka.

Potrząsnęłam przecząco głową, chcąc sprostować informację.

– Nie. Właściwie to nie jesteśmy spokrewnione… – zaczęłam, ale zanim zdążyłam dokończyć, z końca sali dobiegło głośne uderzenie. Odwróciłyśmy się w stronę gromady dzieci, żeby zobaczyć, jak Sammy i Dex, wciąż ubrani w grube zimowe kurtki, stoją po dwóch stronach leżącego na podłodze magnetofonu. Dodam, że urządzenie leżało teraz do góry nogami.

– O rany – powiedziała nauczycielka. – To chyba sygnał, że powinnam wkroczyć do akcji. Było mi bardzo miło cię poznać, Annie. Mam nadzieje, że będziemy miały okazję jeszcze się spotkać.

– Nawzajem, Claire. Bardzo bym chciała.

Claire zaczęła się oddalać, kiedy nagle odwróciła się w moim kierunku. Wyglądała tak, jakby coś właśnie wpadło jej do głowy.

– Właściwie, to co byś powiedziała na koniec przyszłego tygodnia? Nie za wcześnie?

– Słucham? – zapytałam, nie do końca rozumiejąc, o co jej chodzi.

– Wybieramy się na wycieczkę do muzeum naukowego dla dzieci. Do tego w Hartford. – Claire potrząsnęła głową, jak gdyby już wyobrażała sobie chaos panujący podczas tej wyprawy. – W każdym razie, mamy mały deficyt mam skłonnych wybrać się z nami i pomóc w opiece nad tymi małymi terrorystami. Na pewno przydałaby nam się dodatkowa para rąk do pomocy albo przynajmniej oczu. Wliczają się w to również ręce i oczy cioć. Miałabyś ochotę wybrać się z nami? Będziesz wtedy jeszcze w mieście?

– Bardzo możliwe, ale tak naprawdę mój grafik nigdy nie jest pewny. Jestem dziennikarką. Piszę artykuły o podróżach i na pewno w najbliższym czasie będę musiała ruszyć w drogę. Jednak nie jestem pewna, czy akurat wtedy... – odpowiedziałam z lekkim wahaniem w głosie.

– Wspaniale! – Claire krzyknęła entuzjastycznie. – W takim razie jesteśmy umówione. Strasznie się cieszę. Dzięki! A jeśli masz teraz chwilę wolnego czasu, powinnaś pójść zobaczyć główny korytarz. Urządziliśmy tam małą wystawę prac plastycznych uczniów. Tematem prac było najwspanialsze Boże Narodzenie. Jedna z naszych nauczycielek, pani Henry, dała z siebie wszystko. Twoje bliźniaki też brały w tym udział. Chłopcy namalowali purpurową choinkę. Jest naprawdę świetna!

Zaśmiałam się na samą myśl o choince w wykonaniu tej wyjątkowej i niepowtarzalnej dwójki.

– Nie mam co do tego najmniejszych wątpliwości – powiedziałam.

– Idź i zobacz na własne oczy – poleciła, a następnie wskazała palcem na mój polar. – A jeśli planujesz zostać tu na dłużej, powinnaś pomyśleć o cieplejszej kurtce. W przeciwnym razie porządnie zmarzniesz i się rozchorujesz, czego ci nie życzę, zwłaszcza przed wiosną.

– Dzięki za radę.

– Nie ma sprawy.

Drzwi do klasy zamknęły się, a ja zostałam sama na korytarzu. Czułam się jak po walce. Zanim odeszłam, zajrzałam jeszcze przez szybę w drzwiach. Zobaczyłam, jak Claire podnosi magnetofon z podłogi i ponownie go włącza, zachęcając dzieciaki do kontynuowania zabawy tanecznej. Następnie poszłam w kierunku głównego korytarza, o którym mi wspominała. Zrobiłam to częściowo dlatego, że chciałam zobaczyć purpurową choinkę będącą dziełem bliźniaków, a częściowo dlatego, że nie miałam ochoty wychodzić na to potworne zimno. Zwłaszcza że ubrana byłam tylko w cienki polar.

Bez względu na powód, dla którego zdecydowałam się obejrzeć wystawę, cieszę się, że to zrobiłam. Jak tylko dotarłam do głównego korytarza, zrozumiałam, co Claire miała na myśli, mówiąc, że powinnam zobaczyć to na własne oczy. Wystawa prezentowała się fenomenalnie. Wszystkie rysunki, malowidła, kolaże i plakaty były misternie przymocowane do wielkich okien stanowiących główną atrakcję ogromnego korytarza. Byłam naprawdę zachwycona. Wolnym krokiem spacerowałam wzdłuż korytarza, bacznie przyglądając się pracom uczniów. Podziwiałam bałwany, renifery i postacie siedzące przy stole podczas Bożego Narodzenia. Pośród prac drugoklasistów znalazł się też piękny malunek przedstawiający kilka gruszek. Nie byłam pewna, jaki związek mają gruszki ze świętami, ale nie zmienia to faktu, że dzieło było przepiękne.

Byłam tak bardzo pochłonięta wpatrywaniem się w te gruszki, że przez dłuższą chwilę nie zorientowałam się nawet, że nie jestem sama. Zauważyłam kobietę, która szła w moim kierunku z drugiego końca korytarza, ciągnąc za sobą metalowy wózek. Była niewysoka i szczupła, ubrana w grubą sukienkę z golfem, a na ramiona zarzuciła piękny, jasnopomarańczowy szal. Jej długie blond włosy lekko opadały na drobne plecy. Wyciągnęła ręce wysoko ponad głowę, usiłując zdjąć jeden z plakatów. Nawet stojąc na palcach, miała kłopot z dosięgnięciem wiszącego tam rysunku. Stała w dość chwiejnej pozycji, dlatego postawiłam podejść do niej i zaoferować pomoc. Wspólnymi siłami udało nam się ściągnąć obrazek, nie niszcząc go.

– Oh! Dziękuję ci bardzo! – powiedziała, uśmiechając się do mnie przyjaźnie. Zwinęła plakat w precyzyjny rulon i położyła go na wózku. – Jeden mamy z głowy. Zostało jeszcze jakieś sto.

Zaśmiałam się.

– Wygląda na to, że pojawiłam się w idealnym momencie – powiedziałam.

Przytaknęła, przechylając głowę na bok. Z tej perspektywy jej uroda była jeszcze bardziej zjawiskowa. Miała niezwykle delikatne rysy twarzy, lekko zarysowane kości policzkowe i przepiękne, niezwykle długie rzęsy.

– Szukasz jakiegoś konkretnego rysunku? – zapytała.

– Tak. Purpurowej choinki.

Jej uśmiech stał się jeszcze szerszy. Wskazała palcem nieco dalej w głąb korytarza, w miejsce, gdzie wisiało kilkanaście rysunków przedstawiających choinki. Tworzyły swoisty las niezwykle oryginalnych drzewek, pod którym wisiał karton z napisem „Przedszkolaki".

– Domyślam się, że znasz jednego z uczniów Claire? – powiedziała.

– Właściwie to dwóch.

– Staram się, jak mogę, by ich twórczość była bardziej urozmaicona, ale tym razem przyszli na moje zajęcia dzień po obejrzeniu *Wielkiej przygody Barneya*. Tak się składa, że głównym bohaterem tego filmu jest purpurowy dinozaur. Cóż mogłam na to poradzić? Przynajmniej wiem, skąd czerpali inspirację.

Zaśmiałam się.

– W takim razie ty musisz być sławną panią Henry, o której opowiadała mi Claire.

– To właśnie ja – potwierdziła, wyciągając dłoń na powitanie. – A ty?

– Annie – odpowiedziałam. – Annie Adams. Właśnie się tu przeprowadziłam.

– W takim razie witaj! – Jej głos zabrzmiał bardzo przyjaźnie. – W zasadzie to domyśliłam się, że nie jesteś stąd. Jest kilka rzeczy, które cię zdradziły. Oczywiście poza faktem, że mieszkam tu całe życie i jeszcze nigdy cię nie spotkałam.

– Co mnie zdradziło?

Wskazała na moje tenisówki i polar.

– Możesz się nieźle rozchorować, chodząc tak ubrana.

– Zaczynam to rozumieć – powiedziałam. – Mój mąż stąd pochodzi. Jesteśmy świeżo po ślubie i zdecydowaliśmy się tutaj zamieszkać. Właściwie on się tutaj urodził i wychował. Niestety, nie miałam wcześniej okazji, żeby tu przyjechać. W zasadzie te okolice są mi zupełnie obce. No, prawie obce. W zeszłym roku odwiedziłam Berkshires, ale nie spędziłam tam zbyt dużo czasu. I chyba nie jestem jeszcze do końca świadoma, jak właściwie tu jest.

– Zimno.

– I ładnie – dodałam z nadzieją w głosie.

– Ale w przeważającej części roku zimno.

Po chwili sięgnęła po kolejny rysunek i zaczęła go ściągać. Był ozdobiony błękitną wstążką, będącą nagrodą dla zwycięzcy konkursu. Na wstążce złotymi nićmi wyhaftowany był napis: „Pierwsze miejsce". Zorientowałam się, że pod wszystkimi rysunkami przyczepione były takie same błękitne wstążki. Również wyhaftowane na nich napisy były identyczne.

Chyba zauważyła zaskoczenie na mojej twarzy, ponieważ wyjaśniła mi, z czego to wynika, nie czekając nawet, aż zadam pytanie.

– Wiem, że zwycięzca powinien być tylko jeden, ale nie jestem wielką fanką rywalizacji – powiedziała. – Zdecydowałam, że będzie remis. Remis pomiędzy dwustoma uczestnikami.

– To chyba całkiem niezłe wyjście z sytuacji.

– Też tak myślałam. Takie rozwiązanie wydawało mi się idealne aż do momentu, kiedy wszystkie dzieciaki zaczęły pytać mnie, kto zajął bardziej pierwsze miejsce – powiedziała, dając mi do zrozumienia, że z taką gromadą małych spryciarzy żadne rozwiązanie nie jest w stu procentach dobre. – To dopiero było wyzwanie.

Kiedy położyła kolejny rysunek na wózku, ja spojrzałam na długą ścianę pokrytą niezliczoną liczbą prac.

– Wiesz co? W zasadzie wcale mi nie śpieszy i jeśli nie masz nic przeciwko, chętnie ci pomogę.

– Naprawdę? Jesteś pewna, że nie masz nic lepszego do roboty? – zapytała, posyłając mi szeroki, radosny uśmiech. – W zasadzie to miałam poprosić woźnego, żeby pomógł mi się z tym uporać, ale przypomniałam sobie, że nie mamy woźnego.

Zaśmiałam się, wyciągając rękę, by ściągnąć rysunek wiszący przede mną. Przedstawiał dwie postacie wymachujące pałeczkami z nóżek indyka. Odkleiłam delikatnie taśmę klejącą znajdującą się na rogach kartki, uważając, żeby jej nie potargać.

– Chętnie ci pomogę – powtórzyłam.

W tym momencie zdjęła swój piękny szal i podała mi go.

– Przynajmniej załóż ten szalik. Od samego patrzenia na ciebie w tym ubraniu robi mi się zimno – powiedziała. – Chyba będę musiała udzielić ci kilku rad na temat tego, gdzie najlepiej jest się ogrzać w tym spowitym zimnem mieście.

Owinęłam szal wokół szyi i poczułam natychmiastowy przypływ ciepła. Od razu zrobiło mi się lepiej.

– Nie wystarczy po prostu cieplejsze ubranie? – zapytałam.

– Gdyby tylko to było takie proste – westchnęła.

Uśmiechnęłam się, spoglądając na kolejne skupisko rysunków, ponieważ zorientowałam się, że wchodzimy w świat purpurowych choinek. Nagle wyłonił się przede mną rysunek, który interesował mnie najbardziej.

Na kartce papieru namalowane były dwa drzewka, a na dole widniał podpis dwóch wyśmienitych artystów: „SaMMMMMy" i „DeXXXXX". Imiona chłopców napisane były dokładnie w ten sposób. Niestety, obiektywnie mówiąc, nie były to najpiękniejsze choinki na świecie, nawet jeśliby przymknąć oko na dość nietrafiony kolor. Z łatwością można było pomylić je z preclami albo z czymkolwiek innym. Właściwie ze wszystkim.

Mimo to dumnie przesunęłam palcami najpierw po konturach drzewek, a następnie po literach składających się na imiona chłopców.

– To właśnie oni – powiedziałam.

– Oni, czyli kto?

– Sammy i Dexter Putneyowie, jestem ich ciocią – odpowiedziałam, nie odrywając wzroku od rysunku.

– Sammy i Dexter? – powtórzyła, upewniając się, że się nie przesłyszała.

A później zbladła. Na moich oczach w ciągu ułamka sekundy stała się biała jak kartka papieru. Po raz pierwszy zrozumiałam, co tak naprawdę oznacza stwierdzenie „zobaczyć ducha". Właśnie patrzyłam na jednego.

Wpatrywała się we mnie przez dłuższą chwilę w kompletnej ciszy.

– Musisz być spokrewniona z żoną Jesse'a, tak? Jesteś z rodziny Cheryl? O ile dobrze pamiętam, ona ma przyrodnią siostrę. A może jesteś po prostu przyjaciółką rodziny? Taką przyjaciółką, którą dzieci nazywają ciocią?

Zaczęła mówić bardzo cicho. Naprawdę cicho. W sposób, który świadczył o tym, że w głębi duszy znała już odpowiedź na swoje pytanie. Niestety, nie była to odpowiedź, którą chciałaby usłyszeć.

– Niezupełnie. Tak naprawdę to jestem żoną brata Jesse'a – powiedziałam. – Niedawno wyszłam za Griffina.

– Jak bardzo niedawno?

– Poznaliśmy się w Los Angeles, kiedy pracował w restauracji znajdującej się w pobliżu mojego domu. A właściwie mojego dawnego domu.

Uśmiechnęłam się do niej, ale ona nie odwzajemniła mojego uśmiechu. Postanowiłam więc kontynuować opowieść, z nadzieją że to się zmieni.

– To wszystko wydarzyło się strasznie szybko – kontynuowałam. – Pewnie nie powinnam nawet mówić, jak szybko, bo jeszcze źle sobie o mnie pomyślisz. Nigdy wcześniej nie robiłam takich rzeczy. Mam na myśli to, że nigdy nie postępowałam tak spontanicznie i impulsywnie. – Poczułam, że zaczynam się rumienić. – I nigdy nie rozumiałam ludzi, którzy mówili rzeczy w stylu: „Kiedy się to czuje, to się czuje". Ja nigdy nie byłam niczego pewna. Nawet tego, czy skarpetki są do pary...

Nie przestawała się we mnie wpatrywać, a ja zaczęłam się czuć niezręcznie. Wyglądała zupełnie tak, jakby miała przed sobą jakąś kompletną wariatkę, która mówi od rzeczy. Było to nawet całkiem bliskie prawdy. Właśnie zaczynałam bredzić.

– No może raz byłam pewna co do skarpetek. Jeszcze w szkole. Przed zajęciami wychowania fizycznego...

Nadal nic. Nie odezwała się ani jednym słowem. Ja za to nie przestawałam gadać. Zdążyłam opowiedzieć jej o wiele więcej, niż chciałaby usłyszeć. Więcej, niż ktokolwiek chciałby albo powinien usłyszeć. Miałam tego świadomość, ale mimo wszystko nie mogłam się powstrzymać. Starałam się powiedzieć coś, cokolwiek, co mogłoby sprawić, że przestanie być taka blada.

Właśnie wtedy zauważyłam to na wewnętrznej stronie jej nadgarstka. Wzór będący kontynuacją tatuażu Griffina. Drugą część jego kotwicy. Jej część.

– O Jezusie! To ty jesteś Gia?

– Tak. – Skinęła głową.

– Griffin mi o tobie opowiadał. Najwyraźniej przemilczał nazwisko – powiedziałam. – Ale wspominał mi o tatuażu. Fajny wzór i w ogóle podoba mi się ten pomysł. To urocze, że zrobiliście go sobie wspólnie.

Nadal się uśmiechałam. I to było w tym wszystkim najgorsze. Uśmiechałam się, kiedy to mówiłam. Nie zdawałam sobie jeszcze sprawy, że to był błąd i pod żadnym pozorem nie powinnam była tego robić, ponieważ w tym momencie Gia, moja niedoszła nowa przyjaciółka, odwróciła się i poszła.

Wtedy wszystko stało się jasne.

ROZDZIAŁ 13

Pisanie kolumny nauczyło mnie czegoś jeszcze. Czegoś, czego nie należy ignorować. Jest to radość, którą odczuwają ludzie, kiedy pozwalają sobie zniknąć na jakiś czas. Radość z bycia niewidzialnym. Kiedy podróżujesz, możesz stać się kimkolwiek zechcesz. Nikt cię nie zna. Nikt nie wie, kim tak naprawdę jesteś. Dzięki temu nie będzie mógł oceniać cię na podstawie wyobrażeń, które ma o twojej przeszłości. Kiedy podróżujesz, wszystko staje się możliwe, ponieważ wchodzisz do zupełnie innego, nieznanego świata. Zupełnie tak, jak w nowej pracy, z nowym partnerem albo jak z pierwszym pocałunkiem. Przez jedną krótką, ale niezwykle cudowną chwilę czujesz się jak nowo narodzony człowiek, który doświadcza wszystkiego od początku. A później pojawia się nieuniknione. Uświadamiasz sobie, że wciąż jesteś sobą.

Szłam przez miasto spowite mgłą. W kieszeni polaru miałam kartkę ze wskazówkami, jak dotrzeć do restauracji Griffina. Mimo to kilka razy skręciłam w złą uliczkę, nim udało mi się w końcu dotrzeć na miejsce. Budynek był niewielki i kształtem przypominał stodołę. Był nieco oddalony od głównej ulicy i łatwo można było go przeoczyć, jeśli nie wiedziało się, czego szukać. Zdobił go niesamowity czerwony komin. Restauracja stała w najcichszej części Chesterfield Road, lekko ukryta, otoczona przez metalowe rusztowanie używane przy remoncie fasady. Przy głównym wejściu stał duży, czerwony szyld. Jego kolor idealnie komponował się z czerwienią komina. Wciąż nie widniała na nim nazwa restauracji.

Weszłam do środka. W tle słychać było muzykę dobiegającą ze stojącego na podłodze radia. Grali właśnie piosenkę Rolling Stonesów *Exile on Main Street*. Wnętrze przypominało bardziej plac budowy niż restaurację. Niedokończone podłogi, oznaczenia na ścianach, przewody elektryczne zwisające z sufitu. Dodatkową atrakcję stanowiła wielka, prostokątna wyrwa w ścianie. Było to, jak się domyślałam, miejsce, gdzie stanąć miał bar. Tuż obok leżał okazały, metalowy żyrandol, który miał zapewne zawisnąć nad kontuarem. Griffin dotykał go palcami podczas rozmowy z kilkoma robotnikami.

Kiedy mnie zauważył, uśmiechnął się szeroko i zaczął iść w moim kierunku.

– Jesteś wreszcie – powiedział.

– Jestem.

Pociągnął mnie za sobą w głąb sali, gdzie nikt nas nie widział, i złożył na moich ustach mocny, długi pocałunek.

– Pewnie pomyślisz sobie, że zwariowałem, ale strasznie za tobą tęskniłem. – Odsunął się o krok, żeby na mnie spojrzeć. Później zaczął gładzić dłońmi moje policzki.

– Dlaczego jesteś taka zmarznięta? Nie możesz się tak ubierać. Dostaniesz zapalenia płuc.

– Chciałabym, żeby wszyscy przestali mi to wypominać. Chciałabym też, żeby to się wreszcie skończyło.

Spojrzał na mnie kompletnie zdezorientowany.

– Żeby co się skończyło?

– Okres tej cholernej asymilacji!

Griffin zaczął się śmiać, ale jego śmiech szybko zmienił się w przerażający kaszel. Czułam się kompletnie bezradna. Nie miałam pojęcia, jak zareagować, kiedy Griffin upadł na kolana, przyciskając dłonie do klatki piersiowej. Przez dłuższą chwilę usiłował złapać powietrze. W końcu udało mu się wyciągnąć inhalator z kieszeni spodni. Przyłożył go do ust i zrobił głęboki wdech. Kaszel zaczął się uspokajać, a jego oddech się wyrównał.

– Nic ci nie jest? – zapytałam przestraszona.

– Wszystko w porządku – uspokoił mnie. – Z reguły wygląda to dużo gorzej, niż jest w rzeczywistości.

Udało mu się podnieść z podłogi, ale stał pochylony, z rękoma opartymi o kolana.

– To przez ten pył – powiedział. – Przedostaje się do płuc. Nic nie mogę na to poradzić.

– Może nie powinieneś przebywać tutaj tyle czasu? – zapytałam.

– To prawda – zgodził się.

Stał już całkowicie wyprostowany, kiedy to mówił. Uśmiech znów pojawił się na jego twarzy, a ja zorientowałam się, jak szybko bije moje serce.

– Nie martw się – powiedział. – Naprawdę nie jest tak źle, jak mogłoby się wydawać.

– Już to mówiłeś.

– Więc to chyba prawda.

Wziął mnie za rękę i ścisnął ją mocno, jak gdyby chciał przez to powiedzieć, że wszystko jest w porządku i nie powinnam się martwić.

Zrobiłam to samo z jego dłonią, dając mu do zrozumienia, że mu ufam.

Później dumnie wskazał na sufit i całą otaczająca nas przestrzeń.

– I jak ci się podoba? – zapytał. – Wiem, że to dopiero początek, a samo miejsce wymaga jeszcze sporo pracy, ale chciałbym znać twoje zdanie. Co sądzisz o naszej bezimiennej inwestycji?

Patrzyłam na Griffina jeszcze przez ułamek sekundy, po czym rozejrzałam się dookoła. Usiłowałam wyobrazić sobie, jak będzie wyglądała restauracja po zakończeniu wszystkich prac. Muszę przyznać, że całość wyglądała bardzo obiecująco, a samo miejsce miało w sobie ogromny potencjał. Spośród pozornego nieładu wyłaniał się już zarys wspaniałego wnętrza, które miało się tu pojawić. Podobały mi się grube krokwie i belki podtrzymujące strop, a także rustykalne stoły. Do tego gdzieniegdzie porozstawiane były niewielki lampy, a w samym sercu restauracji stał wielki murowany kominek.

– Myślę, że będzie tu pięknie – powiedziałam. – Naprawdę pięknie.

Na twarzy Griffina pojawił się szeroki uśmiech.

– To przez Stonesów – zdradził. – Ściany przesiąkają ich muzyką, nadając miejscu niepowtarzalny klimat.

– Może powinieneś nazwać tak restaurację – zaproponowałam. – The Stones.

– To chyba nie jest dobry pomysł.

– A może Restauracja Annie? Albo po prostu U Annie? Myślę, że obie te nazwy nieźle by pasowały.

Uśmiechnęłam się, żeby dać mu do zrozumienia, że nie mówiłam tego poważnie. Przynajmniej nie do końca. W odpowiedzi mocno mnie objął.

– Na pewno rozważę taką opcję – powiedział. Później przechylił się i pocałował mnie w policzek, dotykając ustami mojej skóry przez dłuższą chwilę. – A jak minął twój dzień? Zacząłem się już o ciebie martwić. Dzwoniłem do domu kilka razy, ale nie odbierałaś.

– Odprowadziłam chłopców do szkoły.

W chwili, kiedy wypowiedziałam te słowa, poczułam jakby napięcie ze strony Griffina. Na sekundę odsunął usta od mojego policzka, tylko po to, żeby po chwili znów mocno przyciskać je do mojej skóry.

– To miło z twojej strony.

– Nic wielkiego – powiedziałam. – Jesse musiał jechać do Bostonu, żeby zobaczyć się ze swoją promotorką.

– To jednak dużo. Miałaś przecież pracować nad artykułem. Chyba niedługo musisz go odesłać?

Nawet on nie pozwalał mi zapomnieć o naglących terminach. Jakby nie wystarczyło to, że Peter ciągle przypominał mi o tym, dzwoniąc i pisząc e-maile w wyjątkowo krótkich odstępach czasu. Ciążył nade mną nie tylko zbliżający się termin oddania artykułu, ale i decyzji, gdzie chciałabym pojechać w następną podróż. Niestety, odpowiedź na to pytanie była tak odległa, jak wizja ukończenia przeze mnie artykułu.

Uśmiechnęłam się tylko i wzruszyłam ramionami.

– W sumie całkiem nieźle się bawiłam – powiedziałam. – Poznałam kawałek miasta. Mogłam spędzić trochę czasu z chłopcami i zobaczyć ich szkołę. Było nawet fajnie. No i jeszcze jedno... poznałam Gię.

Tym razem napięcie, które zobaczyłam na twarzy Griffina, nie było wyłącznie wytworem mojej wyobraźni.

– Poznałaś Gię? – zapytał wyraźnie zdezorientowany.

– Przypadkiem – wyjaśniłam. – Rozmawiałyśmy przez chwilę i wydała mi się bardzo sympatyczna. Właściwie to pomyślałam sobie, że mogłybyśmy się nawet zaprzyjaźnić. Wiem, brzmi to trochę infantylnie. Jakbym była w podstawówce i poznała właśnie nową koleżankę, z którą mogłabym się bawić. Ale naprawdę poczułam z nią więź. Zupełnie jakbyśmy znały się od dawna. Po prostu polubiłam ją. Musi być fajną osobą.

– No tak...

– A nie jest?

– Nie – odpowiedział. – To znaczy... jest wyjątkowa.

Podniosłam głowę, żeby spojrzeć mu w oczy, i zaczęłam opowiadać dalej.

– Więc zastanawiam się teraz, co takiego zrobiłam, że poczuła się urażona. Wiem tylko, że bez słowa odwróciła się na pięcie i odeszła, kiedy powiedziałam jej, że wzięliśmy ślub. Dlaczego miałaby się tym aż tak przejąć? W końcu spotykaliście się ze sobą w liceum.

– Cholera. – Griffin zamknął oczy i lekko potrząsnął głową.

– O co chodzi? Przecież to niemożliwe, żeby jeszcze coś do ciebie czuła po tak długim czasie. To znaczy… ja zawsze będę cię kochać, ale to co innego…

Griffin otworzył oczy i spojrzał na mnie z poważnym wyrazem twarzy. Nie uśmiechnął się, słysząc mój nieudolny żart. W ogóle się nie uśmiechał.

– Posłuchaj, Annie – zaczął spokojnie. – Nigdy nie twierdziłem, że spotykałem się z Gią tylko w liceum. Nigdy ci tego nie powiedziałem.

– Jak to? Właśnie że tak.

Zaczęłam analizować w głowie wszystkie wspomnienia, które mogłyby dotyczyć naszych rozmów na ten temat. Miałam nadzieję, że trafię na informację, której tak kurczowo się trzymałam. W końcu przypomniałam sobie rozmowę, w której po raz pierwszy wspominał mi o Gii. Siedzieliśmy obok siebie w hotelowym barze, kiedy zauważyłam jego tatuaż i przejechałam palcami po jego konturach. Griffin opowiedział mi o nocy, kiedy go sobie zrobił.

– Mówiłeś przecież, że zrobiłeś sobie ten tatuaż, kiedy miałeś osiemnaście lat?

– To prawda – Griffin potwierdził moje słowa.

Nagle zaczęły docierać do mnie fakty, które wcześniej najwidoczniej przeoczyłam.

– Byliście ze sobą dłużej, prawda? – zapytałam.

– Tak.

– Jak długo?

Griffin obrócił się za siebie, spoglądając w stronę pracowników. Kilkoro z nich patrzyło w naszym kierunku, dając mu znak, że czekają na niego.

– Może powinniśmy wyjść na zewnątrz. Będziemy mogli spokojnie o tym porozmawiać.

– Griffin, chcę wiedzieć jak długo – powiedziałam jeszcze raz.

– Trzynaście lat – odpowiedział, patrząc mi prosto w oczy.

– Trzynaście l a t? – powtórzyłam jego słowa z niedowierzaniem.

Kompletnie mnie zatkało. Całe życie nienawidziłam tego sformułowania. Nadal go nienawidzę. Jak ktoś w ogóle może być zatkany? Mimo wszystko za każdym razem, kiedy pisałam kolejny artykuł, mój kochany wydawca Peter dzielił się ze mną swoimi spostrzeżeniami na temat tego, kiedy, w jakich okolicznościach i ile razy powinnam używać tego zwrotu. Powinnam była napisać, że zatkało mnie na widok hotelu Burdż al-Arab w Dubaju, Big Bena w Londynie albo katedry w Mediolanie. Oczywiście nigdy mnie nie zatkało, przynajmniej nigdy nie napisałam tego w żadnej kolumnie. Ale kiedy stałam tak naprzeciwko mojego świeżo poślubionego męża, który właśnie zakomunikował mi, że był z inną kobietą przez ponad dekadę, nie byłam pewna, czy jakiekolwiek inne słowo byłoby bardziej odpowiednie.

– Posłuchaj, Annie, to wszystko jest dość skomplikowane – powiedział. – Naprawdę nie chciałem cię tym obarczać. Głównie z powodów, o których mówiłem ci jeszcze w Kalifornii. Nie wydaje mi się, by opowiadanie sobie takich szczegółów mogło być pomocne, zwłaszcza na samym początku nowego związku.

– Uważasz, że ten drobny szczegół dotyczący waszego związku był nieistotny? Nie sądzisz, że powinnam jednak o nim wiedzieć? – spytałam. – Zresztą, co ty możesz wiedzieć o nowych związkach? Miałeś tylko jedną dziewczynę od czasu, kiedy opuściłeś łono matki!

Zignorował mój komentarz, co w tamtym momencie było chyba najlepszą rzeczą, jaką mógł zrobić.

– Nie mogę uwierzyć, że byłeś z kimś tak długo – powiedziałam, nie kryjąc złości. – Nie mogę uwierzyć, że byłeś tak długo z i n n ą.

Poczułam, jak ogarnia mnie zazdrość. I nagle uderzyła mnie pewna myśl, niczym objawienie. Jeśli przynajmniej częściową miarą prawdziwej miłości jest czas spędzony z osobą, którą się kocha, to ile czasu powinno upłynąć, zanim udałoby nam się poznać siebie nawzajem w taki stopniu, w jakim znaliśmy ludzi, z którymi tworzyliśmy wcześniejsze związki?

– Przecież i tak najważniejsze jest to, że rozstaliśmy się, zanim poznałem ciebie – powiedział.

Chciałam dodać, że najważniejsze w tym wszystkim jest to, że nie miałam o niczym pojęcia.

– Kiedy dokładnie? – zapytałam. – Pół roku wcześniej?

– Dziewięć miesięcy wcześniej – odpowiedział.

– Skoro tak…

– Miałem zamiar ci o tym powiedzieć, ale chciałem najpierw porozmawiać z Gią. Pomyślałem, że sprawdzę wcześniej, jak ona sobie z tym wszystkim radzi. Myślałem, że mój wyjazd sprawi, że Gia nabierze dystansu do naszego rozstania, że będzie jej łatwiej. Wydawało mi się, że dzięki temu zrozumie, że każde z nas musi pójść własną drogą, bez względu na to, jak trudne się to może wydawać. Wierzyłem, że tak będzie lepiej dla nas obojga.

– Więc to ty zakończyłeś wasz związek?

– Tak.

– Dlaczego?

– Między mną a Gią wszystko skończyło się, jeszcze zanim się rozstaliśmy. – Griffin wyglądał, jakby zabolały go te słowa. – Nie mogłem tego dalej ciągnąć. Nie wiem, czy to, co mówię, ma jakiś sens. Dla niej z pewnością nie miało.

Skinęłam głową, ponieważ dokładnie wiedziałam, co chce przez to powiedzieć. Na tym właśnie polega całe okrucieństwo rozstania, prawda? Osoba, która odchodzi, jest przekonana, że nie można zrobić już nic więcej, by uratować związek. Natomiast osoba, która zostaje, myśli, że nawet nie zaczęło się wyczerpywać wszystkich możliwości.

– Jak chcesz, możemy o tym porozmawiać później. Mogę opowiedzieć ci wszystko jeszcze raz dzisiaj wieczorem, jeśli sprawi to, że poczujesz się lepiej. Ale musisz mi uwierzyć. Musisz uwierzyć, że między mną a Gią od dawna nic już nie było.

Wierzyłam. Dzięki temu zaufaniu moja zazdrość zaczęła się zmniejszać. Jego słowa dodały mi otuchy i uspokoiły mnie na chwilę. Dopiero później zaczęłam je analizować.

– Moment. Ale ona wiedziała, prawda? Powiedziałeś jej o nas? O tym, że wzięliśmy ślub? – Griffin nic nie odpowiedział, kiedy zadałam mu to pytanie. – Nie powiedziałeś jej?

Zaprzeczył ruchem głowy.

– Nie odbierała moich telefonów. Próbowałem dodzwonić się do niej kilka razy jeszcze w Kalifornii. Miałem zamiar od razu powiedzieć jej o wszystkim. Później chciałem do niej napisać, ale wysyłanie maila z taką informacją wydawało mi się niewłaściwe. Pomyślałem, że lepiej będzie, jeśli dowie się ode mnie osobiście.

– Więc mówisz mi, że to ja poinformowałam twoją byłą dziewczynę, z którą spędziłeś trzynaście lat swojego życia, o tym, że ożeniłeś się z inną kobietą szybciej niż rok po waszym rozstaniu? – Pokręciłam z niedowierzaniem głową, wbijając wzrok w podłogę. Nagle zauważyłam szal, który nadal miałam zawinięty wokół szyi. – Jakby tego było mało, ukradłam jej szalik!

– Annie, daj spokój…

Wyszłam na ulicę, a Griffin poszedł za mną. Nie miałam pojęcia, dokąd idę. Może chciałam po prostu, żeby ta rozmowa zaczęła się od początku. Żeby przebiegła zupełnie inaczej. Wtedy odwróciłam się w kierunku Griffina i spojrzałam na niego. Wyglądał na strasznie zdenerwowanego i tylko to powstrzymało mnie przed pójściem dalej.

– Jestem okropnym człowiekiem – powiedziałam, patrząc na niego.

– Dlaczego tak myślisz?

Nie umiałam udzielić mu sensownej odpowiedzi na to pytanie. Nie wiedziałam, jak wyjaśnić mu, że właśnie coś takiego omal mnie nie zabiło. Prawie umarłam, kiedy dowiedziałam się, że być może Nick znalazł sobie inną w tak krótkim czasie. Prawie zabiło mnie rozmyślanie o tym, jaka ona jest i co takiego w sobie ma, że wolał ją ode mnie. A teraz ja, zupełnie nieświadomie, stałam się tą drugą dla innej kobiety. Stałam się tą drugą dla Gii, a na domiar złego, bez żadnego ostrzeżenia pojawiłam się w jej mieście. Nie zapominajmy też o tym, że ogrzewało mnie ciepło jej pięknego, pomarańczowego szalika. Właśnie wtedy dotarła do mnie ta myśl.

– Jakim cudem nie jest to ta najgorsza rzecz? – zapytałam, a Griffin spojrzał na mnie zdezorientowany. – To, że byłeś z nią trzynaście lat. Jakim cudem nie jest to ta najgorsza rzecz? Albo ta najlepsza?

– Prawie tak było.

ROZDZIAŁ 14

Kiedy wróciłam do domu, na dworze panował już mrok. Zostawiłam Griffina w restauracji, żeby mógł dokończyć swoje sprawy. Sama natomiast zabrałam samochód i pojechałam na poszukiwanie kurtki zimowej. Nie miałam siły zadręczać się myślami, które atakowały mój umysł z każdej strony. Wszystko to, co usłyszałam dzisiaj od Jesse'a, Griffina oraz od Gii, sprawiło, że poczułam się koszmarnie przytłoczona nadmiarem informacji. Kupno kurtki było zadaniem, któremu mogłam sprostać. Przynajmniej tak mi się wydawało. Ale kiedy jechałam zadziwiająco cichymi uliczkami Williamsburga, którymi spacerowała jedynie garstka mieszkańców, zaczęłam wątpić w to, że w okolicy znajduje się jakikolwiek sklep z ciuchami. W końcu udało mi się zlokalizować malutki sklepik z odzieżą używaną. Światła były już przygaszone i wyglądało na to, że zbliża się godzina zamknięcia.

Sprzedawczyni, a właściwie nastolatka za ladą, spojrzała na mnie jak na wariatkę, kiedy weszłam do środka.

Takie odniosłam wrażenie, ale nie było łatwo odgadnąć jej myśli, ponieważ niemalże cała jej twarz ukryta była pod wielkim bordowym kapeluszem. Do kapelusza dobrała sobie okulary w tym samym kolorze.

– Dzień dobry – przywitałam ją.

Skinęła tylko głową, nie siląc się na odpowiedź.

– Spokojnie tu dzisiaj, prawda? – zapytałam, usiłując nawiązać jakąkolwiek nić porozumienia.

– To normalne o tej godzinie.

– No tak… – powiedziałam. Dopiero po chwili uświadomiłam sobie, że tak naprawdę nie mam pojęcia, co miała na myśli. – Nie rozumiem. Co to znaczy?

– To reguła godziny piątej. – Obojętnie wzruszyła ramionami.

Przez chwilę pomyślałam sobie, że ona też wie, że jakaś nowa pojawiła się w mieście (nowa, znaczy ja) i postanowiła, że będzie idealnym materiałem do żartów. Ale kiedy zaczęłam się śmiać, starając się pokazać jej, że równa ze mnie babka, ona nawet nie mrugnęła.

– Co w tym śmiesznego? To tylko reguła godziny piątej. – Przewróciła oczami, jakby zdegustowana, że jej wyjaśnienie nie jest dla mnie wystarczająco jasne. – Między listopadem a marcem po siedemnastej rzadko widzi się kogokolwiek spacerującego po ulicy.

– To trochę tak jak spotykanie spacerujących ludzi w Los Angeles o każdej porze roku. – Roześmiałam się, ale nawet to nie wzbudziło ani grama emocji w mojej rozmówczyni.

– Czy szuka pani czegoś konkretnego? – zapytała obojętnym głosem.

– Tak. Chciałabym kupić kurtkę zimową.

Wskazała ręką na tylną część sklepu. Kiedy doszłam do wieszaków, okazało się, że znajdują się na nich tylko dwa modele. Jednym z nich był długi, wełniany, czarny płaszcz, ozdobiony czerwono-zielonymi kryształowymi kamieniami w kształcie serc. Warto dodać, że serca były obszyte cekinami i pokrywały w zasadzie całą powierzchnię płaszcza. Dostępny był w rozmiarze S. Drugi model był taki sam, tylko w rozmiarze XXL.

Kiedy później weszłam do domu w tym koszmarnym płaszczu w wersji XXL, Jesse siedział w kuchni przy stole. Nadal miał na sobie garnitur. Był właśnie na dobrej drodze do opróżnienia wszystkich puszek piwa znajdujących się w stojącej obok niego skrzynce. Póki co pochłaniał chińskie jedzenie z porozstawianych na całym stole opakowań na wynos.

– Płaszczyk pierwsza klasa! – powiedział, lustrując mnie rozbawionym spojrzeniem.

– To nie najlepszy moment, żeby robić sobie ze mnie żarty. – Weszłam do kuchni i usiadłam naprzeciwko Jesse'a.

– Kto sobie robi żarty? Płaszczyk wymiata. – Chwilę zajęło mi, zanim zorientowałam się, że mówi poważnie. – Nie ściemniam.

Jesse podniósł jeden z pojemników i przysunął go do mnie.

– Może masz ochotę na wytworną kolację?

– Dzięki, ale nie jestem głodna – odmówiłam, kręcąc głową.

– Na pewno?

– Właściwie to jednak jestem – zmieniłam zdanie. Zajrzałam do pojemniczka. Kolorowe, błyszczące kluseczki uśmiechały się do mnie z kartonowego opakowania. – Najwyraźniej zawsze jestem głodna. Nawet wtedy, gdy dopada mnie totalna depresja. Pewnie również dlatego wybór pomiędzy małym a dużym rozmiarem płaszcza okazał się nie mieć dla mnie większego znaczenia.

– Będę udawał, że rozumiem, co przed chwilą powiedziałaś. – Jesse spojrzał na mnie, nie bardzo wiedząc, co mam na myśli.

– Tak chyba będzie najlepiej – powiedziałam.

Później podał mi jeden z pojemników z jedzeniem. Dorzucił do tego małe pudełeczko z ostrym sosem musztardowym. Kiedy ja polewałam jedzenie sosem, Jesse zajmował się opróżnianiem pojemnika pełnego wołowiny z brokułami. Pochłaniał swoją porcję imponująco dużymi kęsami.

– Dlaczego niby miałabyś mieć depresję? – zapytał z ustami pełnymi jedzenia.

– Poznałam Gię – odpowiedziałam, odkładając na chwilę sos.

– Gię Henry? – Jego oczy stały się wielkie.

– Jest ich więcej?

Oczy Jesse'a stały się jeszcze większe. Najwyraźniej analizował ciąg zdarzeń, które mnie tu przywiodły: odprowadziłam dzieci do szkoły, w szkole spotkałam Gię, a przez Gię kupiłam płaszcz ozdabiany cekinami. Wszystko układało się w logiczną całość.

– Cholera – powiedział, przerywając swoją misterną analizę sytuacji. – W zasadzie trochę się do tego przyczyniłem, co?

Wzruszyłam tylko ramionami.

– To przecież Griffin spotykał się z nią przez trzynaście lat i uznał tę informację za nieistotną, nic mi o tym nie mówiąc. Ani o tym, że ona cały czas mieszka tuż za rogiem.

– Tu wszyscy mieszkają tuż za rogiem. Tak jest w Williamsburgu, Annie. Nikt stąd nie wyjeżdża, a przynajmniej nie za daleko. Jesteśmy tu wszyscy jak jedna wielka dysfunkcyjna rodzina.

– To nie zabrzmiało zbyt optymistycznie.

– Może pocieszy cię fakt, że tak naprawdę to ona mieszka jakieś trzy ulice dalej – powiedział, uśmiechając się lekko. – Specjalnie się tam przeniosła. Chciała złapać dystans. Żeby tam trafić, musiałabyś dojść do ulicy North Farms, a później do Mountain... – Jesse rysował w powietrzu niewidzialną mapę. – Później przez most aż do ulicy High!

Patrzyłam na niego, kiedy opowiadał mi, którędy należy iść, żeby dotrzeć do nowego domu Gii. W ustach miałam jeszcze kilka gorących, śliskich klusek, które przeżuwałam. Właściwie było to jedyne, co mogłam w tym momencie robić. Przeżuwać kluski.

– Mieszkała tutaj? W tym domu? – zapytałam.

– Tak – odpowiedział.

Nie wiem, dlaczego zaskoczyła mnie ta wiadomość. Byli ze sobą trzynaście lat. Gdzie indziej miałaby mieszkać, jak nie tu? Pod moim dachem. Dachem, który najpierw należał do niej.

Jesse podał mi puszkę piwa.

– Jakie to ma teraz znaczenie? – powiedział. – Byli ze sobą z przyzwyczajenia, z lojalności, nie z miłości.

Podniosłam puszkę, zbliżyłam ją do ust i wzięłam duży łyk. A później kolejny.

– Co to właściwie znaczy? – zapytałam.

– To znaczy, że ludzie mogą być ze sobą z wielu różnych powodów. Z czasem te powody się zmieniają – powiedział, ponownie zaglądając do pojemnika z jedzeniem. – Łatwo da się zauważyć, kiedy ludzi łączy prawdziwa miłość, a kiedy ich uczucie bardziej przypomina przyjaźń.

– Czyli to, co ich łączyło, było bliższe przyjaźni? – zapytałam.

– Nie zawsze tak było. Na samym początku szaleli na swoim punkcie.

Jesse roześmiał się na myśl o jakimś najwyraźniej przezabawnym zdarzeniu, przypominającym mu o tym, jak szaleńczo mój mąż zakochany był w swojej byłej dziewczynie. Musiałam spojrzeć na niego wyjątkowo morderczym wzrokiem, ponieważ przestał się śmiać, gdy tylko zauważył wyraz mojej twarzy. Jego źrenice stały się znacznie szersze. Wyglądał na podenerwowanego i usiłował zmienić kierunek, w którym zaczęła zmierzać nasza rozmowa.

– Chodzi mi o to, że na początku, kiedy byli jeszcze bardzo młodzi, rzeczywiście bardzo się kochali. Ale później coś się zmieniło – kontynuował. – Stworzyli dla siebie dom, rodzinę, ale zatracili to coś, co łączyło ich na początku. To uczucie, które sprawia, że jesteś pewna kogoś w stu procentach, gdzieś zniknęło.

– A komu udaje się utrzymać to uczucie przez cały czas? Czy istnieje jakaś para, której udało się zatrzymać tę początkową fascynację na zawsze?

Przez chwilę zastanawiał się nad moim pytaniem.

– Joanne Woodward i Paul Newman... Pewnie ktoś jeszcze by się znalazł.

Potrząsnęłam głową, nie mogąc powstrzymać śmiechu. Ale nawet jeśli jego słowa powinny były sprawić, żebym poczuła się lepiej (ponieważ na pewno nie powiedziałby mi tego wszystkiego o miłości i lojalności, gdyby nie był pewien, że mnie i Griffina łączy prawdziwa miłość), tak naprawdę spowodowały, że poczułam coś zupełnie innego. Poczułam, że muszę przyjąć pozycję obronną. Miałam wrażenie, że mam obowiązek bronić dziewczyny z długimi blond włosami, którą spotkałam kilka godzin wcześniej. Że mam obowiązek bronić samej siebie i tych, którzy poświęcili lata swojego życia, oddając ich najlepszą część komuś, kto ostatecznie zdecydował, że nie jest wystarczająco pewien, czy chce jeszcze o nich walczyć.

– To jest chyba trochę bardziej skomplikowane – powiedziałam.

– W porządku. – Jesse wzruszył ramionami.

– Wydaje mi się, a właściwie to chciałabym wierzyć w to, że prawdziwa miłość przychodzi dopiero później, kiedy ta początkowa fascynacja, o której wspominałeś, przybiera inną formę. Ewoluuje. Kiedy zaczynasz rozumieć, że łączy was coś o wiele bardziej trwałego – powiedziałam. – Coś, co warto pielęgnować. O co warto dbać.

Jesse przechylił głowę, patrząc na mnie zdezorientowany.

– A czym to się różni od tego, co przed chwilą powiedziałem?

– Ty mi powiedz. – Wzruszyłam ramionami. – Zaczynam uświadamiać sobie, że tak naprawdę to niewiele wiem o tym, jak działa miłość i jakimi rządzi się prawami.

– To pocieszające, że mówi to żona mojego brata.

Spróbowałam uśmiechnąć się do niego, żeby nieco rozluźnić atmosferę, ale cały czas myślałam o tym, co powiedziała mi Jordan. Jordan, której unikałam od jakiegoś czasu. Nie odpowiadałam na jej telefony. Wysyłałam jej krótkie, zdawkowe e-maile, ignorując jej wrogie wiadomości. Co ona właściwie powiedziała mi tamtego dnia? „Jeśli minie zbyt dużo czasu, mężczyźni mogą zapomnieć, co mają. Zapomnieć, jak bardzo pragną czegoś, co tak naprawdę mają już obok siebie..."

Czy przeskok z miłości do czegoś bliższego lojalności stanowi po prostu inną nazwę tego samego zjawiska? Tego wyzwania, które stawia przed nami związek, i niemożliwości sprostania mu? Czy była to po prostu wymówka, którą Jesse usprawiedliwiał to, co zrobił swojej żonie? A jak było w przypadku Nicka? Albo mojego męża?

I jak świadczyło to o mnie i mojej obecności w tym miejscu?

Ta jedna myśl sprawiła, że mocniej wtuliłam się w swój nowy płaszcz. Poczułam, jak wewnętrzna strona kryształowych serc drapie mnie w ręce.

– A właściwie to jak ci dzisiaj poszło? – zapytałam, bo chciałam zmienić temat na nieco bardziej neutralny.

– Nie najlepiej.

– Nie przedłużyła ci terminu? – dopytywałam o szczegóły.

– Nie. Ani o jeden dzień, ani nawet o pół dnia czy marne dziesięć minut – odpowiedział w trakcie wyciągania bułki z jednego z pojemników stojących na stole.

– Tak po prostu?

– Właśnie tak. Mam osiem tygodni na dokończenie pracy. I ani chwili dłużej. Osiem tygodni na przygotowanie się do spotkania z komisją, do którego nie byłbym się w stanie przygotować nawet przez trzydzieści tygodni. Niestety, nic nie da się z tym zrobić. Zresztą Jude nie żywi w tym momencie zbyt wiele współczucia dla mnie i moich problemów osobistych.

Zaskoczyło mnie jego wyznanie.

– To ona wie?

– Tak. – Jesse skinął głową.

Poczułam się nieco zdezorientowana. Zaczęłam nawet zastanawiać się, czy Jesse dobrze zrozumiał moje pytanie.

– To znaczy… chodziło mi o to, czy ona wie, przez co przechodzisz teraz w życiu prywatnym? Mam na myśli twoje kłopoty małżeńskie – wyjaśniłam. – Wie, że będziesz miał dziecko z inną kobietą? Z kobietą, która nie jest twoją żoną?

– Powinna – odpowiedział, po czym połknął bułkę jednym kęsem. – Zwłaszcza że to ona jest tą kobietą.

Nie wiedziałam, co powiedzieć. W mojej wyobraźni ta kobieta była młodą studentką albo jeszcze gorzej – nastolatką. Myślałam, że to jakaś dwudziestolatka, dzięki której Jesse znów poczuł się młodo. Dziewczyna, która go podziwiała i traktowała jak autorytet. Która pomyliła beztroskę z bezmyślnością, angażując się w związek z żonatym mężczyzną, na dodatek ojcem dwóch małych chłopców. Ale ta sytuacja zaczęła nabierać zupełnie nowych kształtów, stawiając ich związek na całkiem innym poziomie komplikacji, zwłaszcza że w grę wchodziła jeszcze fizyka optyczna.

Podniosłam dłoń w geście dającym do zrozumienia, że nie chcę tego dalej słuchać.

– Wiesz co? Przykro mi, że nie udało ci się uzyskać zgody na przedłużenie terminu, ale nie mam siły teraz o tym myśleć – powiedziałam.

– Taaa. – Skinął głową. – Ona powiedziała dokładnie to samo.

W tym momencie Jesse spojrzał na mnie, jakby właśnie sobie o czymś przypomniał.

– A tak w ogóle, to dzwonił twój wydawca. Jakiś koleś z Wielkiej Brytanii. Nie jestem pewien, czy dobrze zapamiętałem nazwisko. Chyba nazywał się Peter W. Shepherd? – powiedział, wymawiając nazwisko Petera z udawanym brytyjskim akcentem.

– Zgadza się.

– Brzmiał trochę sztywno.

– Jest trochę sztywny.

– Po tonie głosu sądzę, że nie był zbyt zadowolony – powiedział. – Mówił coś o tym, że chyba nie ma sensu dzwonienie do ciebie na komórkę, skoro mieszkasz teraz na kompletnym odludziu. Chciałem powiedzieć mu: „Koleś, mieszkamy w zachodniej części stanu Massachusetts, nie na obrzeżach jakiegoś tam Tennessee". Ale pewnie nie zauważyłby żadnej różnicy, więc zostawiłem ten komentarz dla siebie.

– To dobrze.

– Tak czy inaczej – kontynuował – nie jestem szczególnie zadowolony z roli posłańca w tym przypadku, ale na wypadek gdybyś nie była w nastroju na więcej niespodzianek w dniu dzisiejszym, to powiedział, żebyś oddzwoniła do niego jak najszybciej. To były jego słowa. Najwyraźniej ma dla ciebie jakieś złe wiadomości.

Otuliłam się płaszczem jeszcze mocniej. Nie czułam już uwierających krawędzi kryształowych serc. Nie czułam zupełnie nic.

– Zapewne – odpowiedziałam.

ROZDZIAŁ 15

Przez ten cały czas, kiedy współpracowałam z Peterem, na palcach jednej ręki mogłabym policzyć, ile razy byłam w jego biurze na Manhattanie. Natomiast nie jestem w stanie zliczyć rozmów telefonicznych, które odbyliśmy. Peter był zawsze wyważonym głosem rozsądku, niezależnym od nikogo. Sama myśl o jego przyjaznej twarzy dodawała mi otuchy w trudnych sytuacjach. Może właśnie dlatego czułam się teraz tak nieswojo. Teraz, kiedy siedziałam naprzeciwko niego, po drugiej stronie jego błyszczącego, nowoczesnego biurka. Na ścianie tuż nad jego głową wisiała czarno-biała fotografia przedstawiająca Steinbecka. Podobieństwo było uderzające. No, może z wyjątkiem kilku drobiazgów odróżniających tę dwójkę. Postać z fotografii wyglądała mniej przyjaźnie. Była bardziej zdystansowana. Miała też dużego pieprzyka na samym czubku nosa. Nie mogłam przestać się zastanawiać, jakim cudem nie zauważyłam tego wcześniej? I dlaczego właściwie zauważyłam to właśnie teraz?

Minęło dokładnie pięć dni od telefonu Petera. Pięć dni od chwili, kiedy Peter zakomunikował mi, że musimy się spotkać i porozmawiać osobiście. Siedziałam teraz w jego biurze ubrana w czarną sukienkę i sweter. Włosy miałam uczesane w kok. Wyglądałam, jakbym miała iść na pogrzeb. Czekałam, aż Peter w końcu powie mi to, co chciał powiedzieć. Cokolwiek miało to być.

– Moja droga Annie, znasz ten dowcip o lekarzu, który mówi pacjentce, że ma dla niej dwie wiadomości, dobrą i złą?

Najwyraźniej miał to być dramatyczny wstęp, zastosowany w celu podtrzymania grozy sytuacji. Peter kochał takie zabiegi.

– Nie wydaje mi się… – odpowiedziałam.

– Pozwól, że ci opowiem – powiedział Peter. – Lekarz wchodzi do gabinetu i mówi pacjentce, że ma dla niej dwie wiadomości, dobrą i złą. Pyta pacjentki, którą z tych wiadomości chciałaby usłyszeć najpierw, na co ona odpowiada, że wolałaby usłyszeć najpierw tę złą wiadomość. Lekarz ponurym głosem oznajmia jej, że jest poważnie chora i zostało jej tylko kilka miesięcy życia. W tym momencie załamana pacjentka spogląda na lekarza i z nadzieją pyta go, jaka w takim razie jest ta dobra wiadomość. Na co lekarz uśmiecha się radośnie i mówi: „Dzisiejszego ranka rozegrałem najlepszą partię golfa w życiu!".

– Rzeczywiście zabawne – powiedziałam, uśmiechając się bardziej z grzeczności niż ze względu na poziom rozbawienia, jaki wywołał u mnie żart.

– Prawda? – Peter zaśmiał się, kręcąc radośnie głową. Później przybrał już poważniejszy ton.

– Więc, którą wiadomość chciałabyś usłyszeć najpierw? Dobrą czy złą?

– Zgodnie z logiką twojego żartu powinnam wybrać chyba tę złą?

– Chyba masz rację – powiedział. – Zła wiadomość jest taka, że jestem zmuszony zrezygnować ze stanowiska w czasopiśmie, ponieważ są naciski, żeby zastąpił mnie nowy redaktor naczelny. Ma nim zostać Caleb Beckett Drugi, który oprócz wątpliwych, żeby nie powiedzieć ż a d n y c h kwalifikacji dziennikarskich, ma jedną niezaprzeczalną cechę: jest dupkiem nie z tej ziemi.

– Nie bardzo rozumiem – powiedziałam, przypominając sobie naszą rozmowę sprzed kilku miesięcy, kiedy dowiedziałam się o pierwszych zmianach w magazynie. – Czy nie mówiłeś, że nowy wydawca jest w porządku? Że jest to gentleman najlepszego sortu?

– W rzeczy samej. Mówiłem. I wcale nie kłamałem. Ale miałem na myśli Caleba Becketta Pierwszego. Teraz mówię o numerze dwa, który jest jego synem. I to właśnie ten syn został nowym naczelnym. Tak się składa, że nowy naczelny dostał wolną rękę w działaniach, które mają sprawić, że czasopismo stanie się dziełem jego życia. Może z wyjątkiem wynajęcia samochodu. – Przechyliłam głowę, usiłując zrozumieć słowa Petera. – Ten chłopak ma dwadzieścia cztery lata.

– Jasne. – Skinęłam głową porozumiewawczo.

– Niech będzie. Może rzeczywiście mógłby być twoim rówieśnikiem, ale sposób, w jaki chce prowadzić wydawnictwo, sprawia, że równie dobrze mógłby być dzieckiem. Durni Australijczycy!

– Czegoś tu chyba nie rozumiem…

– Caleb chce sprowadzić do redakcji przeklętych ludzi z telewizji. Mają zająć się prowadzeniem gazety. To jacyś jego dawni znajomi ze studiów. Z Yale. Oni nawet nie czytują gazet. Czytają tylko to, co znajdą w internecie. Albo to, co wyświetli się na ich drogich, nowoczesnych telefonach.

– To okropne. Peter, tak mi przykro. Jesteś najlepszym wydawcą. Nie zdają sobie nawet sprawy, jakie mają niesamowite szczęście, mogąc mieć cię w swojej drużynie – powiedziałam, nie mogąc uwierzyć w to, co przed chwilą usłyszałam. – I możesz mi wierzyć, że wcale nie jestem zachwycona wizją współpracy z kimś takim jak pan Drugi.

– I właśnie tu przechodzimy do tej złej wiadomości – podjął. – Wygląda na to, że nie będziesz musiała się tym już martwić.

– Co chcesz przez to powiedzieć?

– Twoja umowa kończy się w przyszłym miesiącu, a nowy wydawca zdecydował, że nie będzie jej przedłużać.

– Zamykają moją kolumnę? – spojrzałam na Petera z jeszcze większym niedowierzaniem.

– Właśnie tak, moja droga. Można by powiedzieć nawet, że ta podróż dobiegła końca.

Spojrzałam na Petera z dezaprobatą. Nie było mi wcale do śmiechu.

– Ten żart nie był chyba zbyt udany? – spytał.

Potrząsnęłam głową. Starałam się zrozumieć, co się właściwie dzieje.

– Ale powiedziałeś przecież, że są zadowoleni z mojej pracy. Że kolumna im się podoba. Mówili nawet, że jestem idealnym wabikiem na potencjalnych reklamodawców. Zagwarantowali przecież, że kolumna jest w stu procentach bezpieczna.

– Wygląda na to, że stuprocentowa pewność wcale nie jest dobrą gwarancją.

Przez dłuższą chwilę siedziałam z wzrokiem wlepionym w biurko Petera. Czy właśnie straciłam pracę? Po całym tym czasie spędzonym w wydawnictwie wydawało mi się to niemożliwe. Przecież nie mogli tak po prostu mi tego zrobić. Tak bez żadnego ostrzeżenia. Sto procent pewności powinno chyba coś oznaczać. W ogóle liczby powinny coś oznaczać, a większość z nich przemawiała na moją korzyść. Wszystkie lata spędzone na prowadzeniu kolumny, liczba napisanych artykułów i przybywających czytelników. Przecież nie mogło to nagle przestać mieć znaczenia. Wszystkie te liczby miały przecież rosnąć, a nie maleć.

Wtedy uderzyła mnie pewna myśl. Być może znaki ostrzegawcze pojawiały się przede mną, tylko ja ich nie dostrzegałam? Może nie przyglądałam się wystarczająco uważnie. Może byłam zbyt zajęta patrzeniem w zupełnie innym kierunku. Albo po prostu udawałam, że ich nie dostrzegam, żeby nie musieć się mierzyć z rzeczywistością, o której chciały mi powiedzieć.

– Planują wprowadzić naprawdę duże zmiany do działu podróżniczego – powiedział. – Chcą, żeby kolumna przyciągnęła więcej międzynarodowych odbiorców. Myślą o stworzeniu całej platformy podróżniczej, która będzie bardziej atrakcyjna dla klientów. Być może połączą to z telewizją. Albo będą dodawać do każdego numeru zestaw *happy meal*. W końcu tylko w ten sposób można w dzisiejszych czasach dotrzeć do szerszego grona czytelników. Rozumiesz, co chcę ci powiedzieć?

– A czy t y rozumiesz, Peter? – zapytałam.

– Może powinnaś zacząć dostrzegać dobre strony tej sytuacji – zaczął. – Ostatnio i tak nie byłaś zbyt zaangażowana w pisanie. Przynajmniej nie w takim stopniu jak dawniej. Może to dobry moment, żeby coś zmienić?

Peter kontynuował swój monolog, ale ja w pewnym momencie przestałam go słuchać. Po prostu siedziałam tam, usiłując przetrawić wiadomość, że to już koniec. Moja przygoda oficjalnie się skończyła. A była to jedyna rzecz w całym moim dorosłym życiu, na której mogłam polegać. Jedyna rzecz, która dawała mi poczucie wolności.

– A jaka jest ta dobra wiadomość? – zapytałam w końcu, podnosząc wzrok, by spojrzeć na Petera.

– Dobra wiadomość? – Peter wyraźnie rozchmurzył się na samą myśl o tym. – Dobra wiadomość jest taka, że na początku tygodnia udało mi się sprzedać moją powieść pewnej uroczej młodej damie reprezentującej wydawnictwo znajdujące się na końcu ulicy – powiedział. – Myślę, że w przyszłym roku o tej porze będziesz mogła udać się do jakiejś pobliskiej księgarni, żeby ustawić się po nią w kolejce.

– To wspaniale. – Uśmiechnęłam się w słabym przypływie radości. – Naprawdę się cieszę.

– Mój wydawca twierdzi jednak, że książka utrzymana jest bardziej w stylu Jacka Londona niż Steinbecka. Wyobrażasz to sobie? Ale wydaje mi się, że ostatecznie i tak nie mamy na to zbyt dużego wpływu.

– Chyba nie.

Zmusiłam się do uśmiechu. Spojrzałam na Petera, starając się powstrzymać łzy, które napływały mi do oczu.

– Nie smuć się, moja droga. – Peter wychylił się zza biurka i położył swoją dłoń na mojej. – Może nie ma tego złego, co by ostatecznie nie wyszło nam na dobre? W Los Angeles czeka na ciebie mnóstwo dziennikarskich możliwości. Znajduje się tam w końcu jeden z najlepszych magazynów podróżniczych na świecie. Jest tam „The Times".

– Mieszkam teraz w zachodniej części Massachusetts, pamiętasz? – powiedziałam, czując, jak serce podchodzi mi do gardła.

– Jesteś pewna, że na zawsze? – zapytał wyraźnie zaskoczony.

– Peter...

– Przecież to nie koniec świata. Mam paru dobrych przyjaciół w Williamstown, z którymi mógłbym o tobie porozmawiać. Mają tam kilka świetnych tytułów. Jestem przekonany, że niektóre magazyny skupiają się tam również na teatrze i sztuce.

– Mieszkam w Williamsburgu.

– No tak – zreflektował się – Może tam nie mają aż tylu czasopism.

Ta myśl zaczęła mnie dręczyć. Gdybym nadal mieszkała w Los Angeles, na początku czułabym się podobnie. Ale w Kalifornii miałam znajomości. Mogłam zatrudnić się w innej gazecie. Na pewno miałabym wiele możliwości pisania artykułów o podróżach, tyle tylko, że pod innym szyldem. W miejscu, gdzie mieszkałam obecnie, liczba tych możliwości była równa zeru.

– Mogę cię o coś zapytać? – Spojrzałam na Petera.

– O co tylko zechcesz, moja droga.

– Powiedziałeś, że ostatnio nie byłam skupiona na pracy. Czy to oznacza, że moje artykuły były gorsze?

– Ależ skąd. Były całkiem niezłe – powiedział. – Tylko nieco inne niż dotychczas.

– To znaczy?

– Były tylko częściowo lub całkowicie niepodobne w stylu, formie i jakości – powiedział. – Niepodobne. Rozbieżne.

– Odnosi się to do mnie? – Popatrzyłam na niego wymownie.

– Moja droga, jestem przekonany, że byłabyś w stanie napisać swoje tysiąc pięćset słów tekstu nawet gdyby ktoś obudził cię w samym środku nocy. Pewnie byłabyś też w stanie odwiedzić nowe miasto i znaleźć w nim ten jeden wyjątkowy element w ułamku sekundy, nawet z pistoletem przystawionym do skroni. Nikt tego nie kwestionuje. Ale nie o to chodzi.

– A o co?

– O to, czego tak naprawdę chcesz od życia. – powiedział. – Chcesz zajmować się tym w nieskończoność?

– Nie wiem – odpowiedziałam szczerze.

– To też wiem – przyznał, po czym na chwilę w pokoju zapanowała cisza. – Na wszystko przychodzi odpowiednia pora.

– Ale co to właściwie dla mnie oznacza? Co powinnam teraz zrobić?

Pewnie wyglądałam tak, jakbym spodziewała się, że Peter udzieli mi odpowiedzi na to pytanie. Ale prawda była taka, że oboje doskonale zdawaliśmy sobie sprawę z tego, że tylko ja mogłam sobie na nie odpowiedzieć.

Później przyszła mi do głowy pewna myśl. Przypomniałam sobie moment, kiedy Nick powiedział mi, że jestem niezastąpiona. Obraz tej sytuacji pojawił się w mojej głowie i był tak wyraźny, jakbym przeżywała ją na nowo. Pamiętam, że pomagałam mu przerobić ostatni fragment scenariusza, kiedy mi to powiedział. Później dodał coś o mojej wyobraźni i o tym, jak dobrze widzę pewne rzeczy. Wtedy pomyślałam sobie o tych zielonych pudłach wciśniętych głęboko pod łóżko. Przechowywałam w nich wszystkie moje zdjęcia. Tysiące zdjęć, które zrobiłam podczas lat spędzonych na odwiedzaniu rozmaitych miejsc, kiedy gromadziłam materiały do swoich artykułów.

Kilka razy pokazałam te zdjęcia Nickowi, ale wydawał się średnio zainteresowany moją amatorską twórczością. Czasem nawet mniej niż średnio. Ale w momencie, kiedy Nick powiedział mi ten wyjątkowy komplement, zebrałam w sobie całą odwagę, na którą nie zdobyłam się nigdy wcześniej, i postanowiłam zapytać go, co sądzi o tym, żebym spróbowała zrobić coś z tymi zdjęciami. Chciałam wiedzieć, co myśli o tym, żebym zmieniła moją ukochaną pasję w coś bardziej namacalnego. Tyle tylko, że zanim zdążyłam o to zapytać, Nick skupiony był już wyłącznie na swoim scenariuszu. Myślał już tylko o tym, co mógłby zrobić, by go poprawić i udoskonalić. Dlatego postanowiłam odpuścić. Nie zadałam mu wtedy tego pytania i nigdy nie poznałam na nie odpowiedzi.

Spojrzałam na Petera.

– Może rzeczywiście rezultat całej tej sytuacji nie będzie taki zły – powiedziałam z umiarkowanym optymizmem w głosie. – Może będą chcieli, żebym robiła dla nich coś innego? Tutaj w redakcji. To niewykluczone, prawda?

Peter ponownie wychylił się zza biurka. Ujął moją dłoń i ścisnął ją jeszcze mocniej.

– Oczywiście. Wszystko jest możliwe. Wydaje mi się jednak, że nie powinniśmy zbyt mocno na to liczyć – powiedział. – To trochę tak, jak w słowach Steinbecka, czyż nie? „Po latach walki dostrzegamy, że to nie my wybieramy się w podróż; to podróż zabiera nas"*.

Zamknęłam oczy, kiedy Peter puścił moją dłoń.

– Naprawdę sądzisz, że powinieneś jeszcze cytować Steinbecka? – zapytałam.

– Nie, moja droga. Wydaje mi się, że nie – przyznał.

---

* J. Steinbeck, *Podróże z Charleyem*, tłum. B. Zieliński, Poznań 1991.

ROZDZIAŁ 16

Dziennikarz zajmujący się pisaniem artykułów dla podróżników dowiaduje się tego na samym początku: nawet najbardziej denerwująca, rozczarowująca i przygnębiająca podróż prowadzi ostatecznie do jednego wspaniałego momentu. Jest to nieuniknione. W wyprawach, które nie zapowiadają się dobrze, ten wyjątkowy moment jest szczególnym objawieniem. Wypożyczony samochód psuje się w samym środku nocy. Hotel okazuje się koszmarną ruderą, w której całkiem przypadkowo panuje akurat inwazja moli. Dopada cię straszna grypa dokładnie w tej samej chwili, kiedy twój samolot podchodzi do lądowania w tropikalnym raju. A jednak jakimś cudownym zrządzeniem losu udaje ci się wyruszyć na rowerową wyprawę wzdłuż wybrzeża Irlandii w piękną księżycową noc. Idziesz na długi spacer po górach w czasie magicznego lata w Aspen. Budzisz się całkowicie zdrowy ostatniego ranka na Anguilli, w samą porę, by zobaczyć ten najcudowniejszy wschód słońca, jakiego nie miałeś okazji widzieć w całym swoim życiu. I ten chwilowy przypływ radości stanowi najpiękniejsze zwieńczenie trudów podróży. Ten jeden jedyny moment, nawet jeśli miałby trwać tylko ułamek sekundy, sprawia, że wszystkie napotkane po drodze kłopoty stają się tego warte. To zupełnie tak jak w dysfunkcyjnych związkach. Albo jak z najgorszym melonem. Słodycz jest o wiele bardziej odczuwalna, ponieważ dobry kęs trzeba było sobie wypracować. Ten jeden wyjątkowy moment sprawia, że zapominasz o całej reszcie. Sprawia, że koszmarne chwile wydają ci się tylko złudzeniem.

Kiedy wracałam z Nowego Jorku, przepełniony pociąg zatrzymywał się dwa razy. Raz w Stamford, w Connecticut, na mniej więcej czterdzieści pięć minut. A następnie w Mystic na jakąś godzinę. Kiedy w końcu dotarłam do Williamsburga, było już późno. Zbliżała się dziesiąta i gdy weszłam do pogrążonego w ciemności domu, wydawało mi się, że wszyscy już śpią. Albo prawie wszyscy. Oprócz Griffina. Byłam pewna, że siedzi jeszcze w restauracji. Ale nie mogłam mieć mu tego za złe. Pewnie będąc na jego miejscu, spędzałabym tam każdą wolną chwilę. Zwłaszcza że do otwarcia został już tylko niecały miesiąc. Jestem przekonana, że też chciałabym zrobić wszystko, co w moje mocy, by taka impreza przebiegła jak najlepiej. Czułam się jednak tak bardzo przytłoczona nadmiarem wrażeń związanych ze wszystkimi ostatnimi zmianami (począwszy od zmiany domu, przez zmianę całego życia, na obecnym braku zatrudnienia skończywszy), że prawie zdołałam przekonać samą siebie, iż jestem wdzięczna za panującą tu teraz ciszę i spokój.

Właśnie wtedy zauważyłam, że w salonie pali się światło, a Griffin stoi w progu, trzymając w prawej ręce żonkil. Spojrzałam za niego i zobaczyłam, że takie same żonkile wypełniają cały salon. Bukiety piętrzyły się pod oknem w wazonach. Pod sufitem fruwały żółte balony pasujące kolorem do kwiatów. W tej właśnie sekundzie poczułam, jak zaczyna przepełniać mnie radość i wdzięczność. Niemal bezwiednie na moich ustach pojawił się uśmiech.

– Co się tu dzieje? – zdziwiłam się.

– Co masz na myśli? – zapytał, wręczając mi kwiat. Sprawiał wrażenie, jakby kompletnie nie miał pojęcia, do czego odnosi się moje pytanie. – Właśnie tak planuję cię teraz witać za każdym razem, kiedy będziesz wracać do domu. Pokój wypełniony kwiatami i żółtymi balonami. Może nawet zorganizuję nam jakąś smaczną kolację przy świecach. Co powiesz na jajecznicę z homarem?

Spojrzałam na niego, nadal lekko zdezorientowana.

– A gdzie Jesse i chłopcy? – zapytałam.

– Wysłałem ich do Pizza Hut i na długi maraton filmowy w Hadley. Wrócą później. Mamy cały dom tylko dla siebie. Możemy cieszyć się sobą tak długo, jak tylko chcemy – powiedział.

Podbiegłam i rzuciłam mu się na szyję. Całkowicie zanurzyłam się w jego silnych ramionach. Nie odrywałam się przez dłuższą chwilę. Chciałam zastygnąć tak na zawsze, wtulona w niego, kiedy on gładził mnie po włosach. Czułam, jak jego siła przenosi się na mnie. Pochłaniałam ją.

– Przepraszam, że ostatnio tyle czasu spędzam w restauracji. Wybacz, że nie jestem przy tobie tak często, jak bym chciał.

– Nie musisz przepraszać. Nie chcę, żebyś czuł się winny z tego powodu… – powiedziałam. – Straciłam pracę.

– Tak myślałem.

Usiadłam na miękkiej kanapie i głośno westchnęłam, wolno przeczesując palcami włosy. Griffin usiadł obok mnie.

– Wiem, że być może tak będzie lepiej – zaczęłam. – Ostatnio sama się nawet zastanawiałam, czy nie byłoby lepiej, gdybym nie musiała zajmować się pisaniem kolumny. To przecież jasne, że nie mam ochoty nigdzie wyjeżdżać w najbliższym czasie. Pomyślałam sobie nawet, że gdybym nie musiała pracować, mogłabym się w końcu zastanowić nad tym, czy rzeczywiście jest to coś, co chciałabym robić przez resztę życia. Ale teraz, kiedy nie zależy to już ode mnie, kiedy to straciłam…

– … co teraz? – zapytał.

– Teraz wiem na pewno, że właśnie to chcę robić – powiedziałam, odwracając wzrok w jego kierunku.

Griffin zaśmiał się lekko, wyciągając rękę, żeby pogładzić mnie po plecach.

– Wszystko się ułoży. Obiecuję ci to – powiedział, chcąc mnie pocieszyć. – Wiem, że wizja zaczynania wszystkiego od początku w nowym miejscu nie ułatwia ci sprawy. Wiem też, że okolice Berkshires nie są mekką dla działalności dziennikarskiej.

– Powiedziałeś: mekką? – zapytałam, lekko przechylając głowę.

– Tak – odpowiedział. – Pomyślałem, że spodoba ci się to słowo.

– Miałeś rację. – Uśmiechnęłam się do niego.

– Chociaż jedna dobra rzecz w tym wszystkim.

Roześmiałam się jakby wbrew sobie. Potem znowu pokręciłam głową.

– Przez całą drogę powrotną siedziałam w pociągu i rozmyślałam. Zastanawiałam się, co mam robić dalej. Usiłowałam nakreślić w głowie jakiś plan działania, ale nie byłam w stanie nic wymyślić.

– A czego pragniesz? – zapytał.

– Nie wiem – przyznałam, kiedy nagle przypomniałam sobie, o czym myślałam, siedząc u Petera w biurze. Odtwarzałam moją rozmowę z Nickiem. Naszą przedostatnią rozmowę. A właściwie coś, co ją przypominało.

– Co? – zapytał, jakby zauważył, że coś właśnie przyszło mi do głowy. – O czym myślisz?

– To głupie – powiedziałam nieśmiało. – To właściwie... Sama nie wiem. Nie warto nawet o tym wspominać.

– Spróbuj.

– Jakiś czas temu zaczęłam fotografować. Przez te ostatnie lata, kiedy jeździłam po świecie, zbierając materiały do artykułów, zainteresowała mnie jedna rzecz. Zaczęłam zastanawiać się, jak ludzie potrafią stworzyć sobie dom w najprzeróżniejszych miejscach. Zaczęłam je więc fotografować... robiłam zdjęcia tych domów. – Wzruszyłam ramionami. – Rozmaitych domów. We wszystkich miastach, które odwiedziłam. Domów, które w jakiś dziwny sposób wydawały mi się wyjątkowe. Myślałam, że dzięki temu sama dowiem się, jak stworzyć swój własny, prawdziwy dom. Nie wiem, czy to, co mówię, ma w ogóle jakiś sens.

Griffin przez dłuższą chwilę nic nie mówił.

– Masz je tutaj? – zapytał, przerywając ciszę.

– Domy?

Uśmiechnął się, ignorując moją nieudolną próbę żartu.

– Tak, jasne, że domy. Albo ich z d j ę c i a? – odpowiedział.

– Są w zielonych pudełkach w sypialni.

– Mogę je zobaczyć?

– Teraz?

Podniósł się i podał mi dłoń, pomagając wstać z kanapy.

– Teraz brzmi nieźle.

Rozłożyliśmy je na całej podłodze. Wszystkie zdjęcia, które zrobiłam przez minione lata. Wszystkie negatywy i rolki filmów do aparatu, których jeszcze nie zdążyłam wywołać. Sześć lat mojej ukrytej miłości rozpościerało się przed nami na podłodze sypialni. Domy w Wietnamie i Vermoncie. Domy na stromych klifach w małych wioskach rybackich we Włoszech. Czarno-biała fotografia zrobiona podczas renowacji domu w Sewanee, w stanie Tennessee. Zdjęcie osamotnionego krzesła przed domem na Kubie. Rozłożyliśmy je wszystkie i usiedliśmy pomiędzy nimi na podłodze. Patrzyliśmy na to, co przedstawiały lub mogły przedstawiać.

Griffin potrzebował dużo czasu, naprawdę dużo, żeby w całkowitym skupieniu obejrzeć wszystkie piętrzące się przed nim zdjęcia. Później przejrzał je jeszcze raz, jakby dla pewności, że wychwycił na nich wszystko, co było do wychwycenia.

Kiedy zakończył swoją wnikliwą analizę mojej twórczości, uśmiechnął się. Może nie w pierwszym momencie, ale się uśmiechnął.

– Myślę, że są dobre – stwierdził w końcu, przełamując pełną napięcia ciszę. – Naprawdę bardzo, ale to bardzo dobre.

– Nie jesteś przypadkiem stronniczy w tej kwestii? – zapytałam, patrząc na niego wzrokiem pełnym wątpliwości i niedowierzania, ale Griffin tylko przecząco pokręcił głową i ponownie zajął się przeglądaniem zdjęć.

– Możesz mi wierzyć lub nie, ale moim zdaniem to są świetne zdjęcia. Bardzo wyraziste i jednocześnie zaskakujące. I wyjątkowe – dodał, patrząc tym razem na mnie. – Gdybym po raz pierwszy je oglądał, nie wiedząc, kim jesteś, miałbym ochotę cię poznać. A dla mnie to wystarczający dowód na to, że coś jest wyjątkowe.

– Naprawdę? – zapytałam, nie mogąc powstrzymać uśmiechu.

– Naprawdę.

– Możemy porozmawiać teraz o czymś innym? – poprosiłam zawstydzona, po czym schowałam twarz w dłoniach. – A tak w ogóle, to dziękuję – dodałam, zerkając na niego nieśmiało.

– Cała przyjemność po mojej stronie – powiedział, uśmiechając się do mnie.

Później delikatnie odsunął zdjęcia, żeby ich nie pognieść, i o wiele mniej delikatnie przyciągnął mnie do siebie. Po chwili mocno obejmowałam go nogami w pasie. Czułam, jak jego dłonie zaczynają gładzić mój kark i szyję.

– Wciąż potrzebny mi jakiś plan. Przez całe życie miałam plan. Nie mówię, że zawsze udawało mi się go zrealizować, ale przynajmniej był. Zawsze wiedziałam, dokąd zmierzam, rozumiesz?

– Może to był błąd?

– Co przez to rozumiesz?

– Myślę, że czasami robimy najwięcej planów w momencie, kiedy mamy najwięcej wątpliwości. Dzięki planowaniu chcemy poczuć się lepiej, poukładać sobie wszystko. Wydaje nam się, że przez to będziemy czuć się mniej zagubieni. – Griffin przerwał na chwilę, żeby zebrać myśli. – Masz to coś, co daje ci największą radość. Wiesz, że właśnie to chcesz robić w życiu. Na dodatek jesteś w tym naprawdę dobra. Czy to nie wystarczy na początek? Dlaczego nie pozwolisz, by to był cały twój plan? Przynajmniej na teraz.

– Nie mogę tak po prostu o tym zdecydować.

– A co jeśli właśnie to zrobiłaś? – Griffin przysunął się do mnie jeszcze bliżej. Nasze twarze oddalone były od siebie jedynie o milimetr. Pocałowałam go. Miękki i delikatny pocałunek połączył nasze usta. Po chwili pocałowałam go raz jeszcze.

– Naprawdę bardzo cię kocham – powiedziałam.

– Ja ciebie też.

Zaczął mnie rozbierać. Najpierw wolno i delikatnie, później coraz szybciej, bardziej chaotycznie i niecierpliwie. Czułam jego dłonie na szyi, na udach. Siedzieliśmy pośród moich zdjęć na podłodze sypialni. Łóżko wydawało się poza naszym zasięgiem. Zbyt daleko, by nawet próbować do niego dotrzeć.

W tym właśnie momencie dotarło to do mnie. W jednej chwili uświadomiłam sobie, że mimo tego koszmarnego dnia, mimo tych wszystkich koszmarnych dni, tu i teraz jestem cholernie szczęśliwa. Ta świadomość spadła na mnie nieoczekiwanie i zmieniła wszystko. Wiedziałam, że od tej chwili uczucie to zostanie we mnie na zawsze. To ogromne szczęście, które dawał mi Griffin, nie opuści mnie nigdy.

I kiedy pozwalałam, by mąż zrzucał ze mnie kolejne warstwy ubrania, nie mogłam przestać myśleć o tym, że chwila, którą dzieliliśmy, jest początkiem czegoś wyjątkowego i niezwykłego. Stała się punktem zwrotnym w historii naszego życia i związku. Był to dla nas zupełnie nowy początek.

Na pewno nie był to jednak najlepszy początek czegoś innego – mojej znajomości z teściową.

ROZDZIAŁ 17

– Cześć, Griffin.

Na dźwięk tych słów podnieśliśmy się z podłogi w ułamku sekundy. Matka Griffina stała nieruchomo w drzwiach sypialni, kiedy my próbowaliśmy doprowadzić się do ładu. Griffin zaczął zakładać jeansy, ja rozpaczliwie usiłowałam zasłonić się sukienką, którą trzymałam w ręku. Nie mogłam znaleźć paska, który leżał gdzieś na podłodze pomiędzy innymi kluczowymi częściami naszej garderoby, więc kurczowo ściskałam tę sukienkę, z cichą nadzieją że zasłania ona wszystko, czego nie powinna oglądać matka mojego męża. Myślałam, że ze wstydu zapadnę się pod ziemię, słysząc dźwięk rozporka zapinanego przez Griffina.

Jego matka natomiast w ogóle nie wyglądała na przejętą ani zawstydzoną. Zdawała się kompletnie nie zauważać niezręczności tej sytuacji. Stała nieruchomo w progu naszej sypialni. Była zaskakująco elegancka jak na tę porę dnia. Miała na sobie długą, czarną, obcisłą sukienkę. Mogłaby być lustrzanym odbiciem swoich synów. Wiedziałam już, komu Griffin zawdzięcza swoją cudowną skórę, a jego brat zjawiskowe oczy. Jej naturalne siwe włosy delikatnie opadały na drobne ramiona.

– Dobry wieczór pani – powiedziałam. – A może powinnam zwracać się do pani po imieniu? Emily?

Spojrzała na mnie, ale nie odezwała się ani słowem. Nie miało to jednak żadnego znaczenia. Najwyraźniej i tak to ja miałam kontynuować swój bezsensowny monolog, który miał odwrócić uwagę od tej niezręcznej sytuacji. Zupełnie tak, jak gdyby moje gadanie mogło sprawić, że ja szybciej byłabym z powrotem w sukience, a Griffin w spodniach.

– Cieszę się, że mogę panią w końcu poznać – powiedziałam. – Griffin tak dużo mi o pani opowiadał. Oczywiście w samych superlatywach. Nie jestem nawet w stanie wyrazić, jak bardzo się cieszę z tego spotkania. – Emily patrzyła na mnie, jakbym mówiła do niej po hiszpańsku. – To zabawne, ale mam psa, który wabi się Mila. Brzmi podobnie do Emily, prawda?

Nie mogłam uwierzyć we własne słowa. Czy naprawdę chciałam uratować sytuację, mówiąc matce mojego męża, że ma imię podobne do imienia mojego psa?

– Doprawdy? – powiedziała.

Skinęłam głową powoli i ostrożnie.

– Nie chodzi o to, że te imiona się rymują czy coś w tym stylu… chociaż… w zasadzie… to znaczy… wydaje mi się, że jak wypowie się te słowa wystarczająco szybko… albo wystarczająco wolno… – Poczułam, jak uginają się pode mną kolana. – Naprawdę kocham ją bardzo mocno.

Emily odwróciła się ode mnie i spojrzała na swojego syna.

– Przejechałam jakąś piłkę na podjeździe – powiedziała. – Musisz zainstalować tam oświetlenie, Griff. Może lampy na drzewach. Naprawdę muszę ci o tym mówić? To mógł być człowiek, a nie piłka.

– Mamo, co ty właściwie tutaj robisz? – Griffin wyciągnął z kieszeni zegarek, żeby sprawdzić, która godzina. – Jest już po północy.

Korzystając z okazji, że nikt nie zwraca na mnie uwagi, ukradkiem sięgnęłam po swój biustonosz, z nadzieją że uda mi się ukryć go pod łóżkiem. Najpierw wyciągnęłam rękę, by go złapać, ale kiedy Emily zaczęła ponownie spoglądać w moim kierunku, podniosłam się i kontynuowałam tę dziwaczną procedurę zewnętrzną stroną stopy.

– Dostałam telefon z informacją, że życie obu moich synów właśnie się rozpada. Pomyślałam, że najlepiej będzie, jeśli na własne oczy zobaczę, co się tutaj dzieje. I to natychmiast – powiedziała. – Wsiadłam w samochód zaraz po zakończeniu wykładów i oto jestem. Przyjechałam tak szybko, jak to tylko możliwe. Więc lepiej zacznij mówić.

– To skomplikowane…

– Spraw, żeby było mniej skomplikowane, jeśli możesz – powiedziała, zakładając ręce na piersi w oczekiwaniu na wyjaśnienia.

Ten pokaz próby sił był dla mnie bardzo dziwny. Byłam jeszcze w takim szoku na widok jego matki, która najwyraźniej była przekonana, że ma prawo jak gdyby nigdy nic otworzyć drzwi do sypialni swojego syna i bez uprzedzenia wtargnąć do środka, stawiając żądania, o północy, że nie od razu zdałam sobie sprawę z tego, co powiedziała. Mianowicie, że życie jej synów, obu synów (liczba mnoga), rozpadało się. Życie Jesse'a oraz Griffina wymagało jej natychmiastowej interwencji. Ale co w zasadzie miała na myśli, mówiąc o Griffinie? Odnosił same sukcesy zawodowe. Otwierał właśnie swoją pierwszą restaurację. Radził sobie świetnie. Jedyne, co zmieniło się w jego życiu, to to, że się ożenił. Ożenił się ze mną. Właśnie wtedy dokonałam tego niesamowitego odkrycia. Według Emily to właśnie ja stanowiłam największy problem.

– Jesse do ciebie zadzwonił? – Griffin zapytał, nie kryjąc zaskoczenia.

– Nie – odpowiedziała. – I możesz mi wierzyć, że jest to bardzo pocieszające. Zrobiła to Gia. I Cheryl. Razem.

Właśnie wtedy Emily Putney odwróciła się w moim kierunku. Najwyraźniej nadeszła pora, by rozprawić się ze mną.

– Ty zapewne jesteś Annie? – powiedziała i spojrzała na mnie takim wzrokiem.

Nie wiem nawet, jak opisać ten rodzaj spojrzenia. Popatrzyła na mnie w taki sposób, że miałam ochotę odpowiedzieć przecząco na jej pytanie. Poważnie zaczęłam rozważać taką możliwość. Miałam ochotę zaprzeczyć swojej tożsamości i nie przyznawać się do tego, że jestem żoną jej syna. Ale zanim zdążyłam to zrobić, usłyszałam czyjeś kroki na schodach. Głośne, energiczne kroki kogoś, kto pokonywał przynajmniej dwa stopnie na raz.

Cała nasza trójka odwróciła się w kierunku korytarza, by zobaczyć Jesse'a. Stanął przed nami, próbując złapać oddech. Trzymał chłopców na rękach. Ich dłonie, buzie, a nawet kolana usmarowane były mieszanką ketchupu, soku pomarańczowego i cukru pudru.

– Cześć, mamo! – Jesse szeroko uśmiechnął się na widok Emily. – Wydawało mi się, że widzę twój samochód na podjeździe! Zdajesz sobie chyba sprawę z tego, że piłka, która zakończyła swój żywot pod tylnym kołem twojego samochodu, należy do bliźniaków?

– Skarbie – zaczęła – czy naprawdę sądzisz, że spośród wszystkich pytań, które powinny paść w zaistniałych okolicznościach, właśnie to wymaga najpilniejszej odpowiedzi?

Wszyscy rozproszyli się w różnych częściach domu. Emily poszła ułożyć młodszych chłopców do snu, starsi natomiast zeszli na dół, czekając, by z nią porozmawiać. Ja tymczasem wzięłam prysznic i położyłam się do łóżka. Nie wysiliłam się nawet, by pozbierać zdjęcia z podłogi. Chciałam tylko schować się pod kołdrą i zasnąć. Chciałam, by ten dzień się wreszcie skończył. Ale nie mogłam. Leżałam tylko. Lampka w sypialni była zgaszona, a moje oczy zaczęły przyzwyczajać się do ciemności. Srebrzyste światło księżyca wpadało do pokoju przez szparę w zasłonach. Po chwili zaczęłam widzieć piękne zdobienia znajdujące się na suficie. Wpatrywałam się w te wszystkie litery i liczby tworzące jakieś dziwne równanie, którego nie mogłam zrozumieć. Właśnie tym usiłowałam zająć swój umysł. Chciałam rozgryźć równanie znajdujące się na suficie, tuż nad moją głową. Wtedy w sypialni pojawił się Griffin i wszedł do łóżka.

Myślałam, że będzie chciał mnie przeprosić za swoją matkę, za to, że bez żadnego ostrzeżenia wtargnęła do naszego domu na koniec i tak już ciężkiego dla mnie dnia. Ale zamiast tego leżał, nie odzywając się ani słowem. Zasłonił ramieniem oczy w oczekiwaniu na to, czy zacznę rozmowę.

– Moja matka doskonale wiedziała, że jesteśmy po ślubie – powiedział w końcu. – Zadzwoniłem do niej, kiedy wyjeżdżaliśmy z Las Vegas. Powinnaś o tym wiedzieć. Dzwoniłem też wcześniej, może jakieś cztery dni po tym, jak się poznaliśmy. Zadzwoniłem, żeby powiedzieć jej, że chcę się z tobą ożenić. Jeśli tylko się zgodzisz. To też powinnaś wiedzieć.

– Naprawdę? – Odwróciłam się do niego.

Skinął głową.

– To miłe.

– To wszystko przez to, że moja matka zna Gię od dawna. W tym problem, Annie. Były ze sobą mocno związane. Gia zawsze była dla niej dobra. Była cierpliwa wobec jej nadmiernego zaangażowania w nasz związek – powiedział. – Potrzebuje teraz trochę czasu, żeby oswoić się z nową sytuacją.

– Emily czy Gia?

– Bardzo śmieszne.

– Jest pewnie przekonana, że popełniłeś błąd, prawda? – powiedziałam. – Żeniąc się ze mną. Martwi się, że będziesz tego żałował?

– Myślę, że jest po prostu zdezorientowana. Bardziej zdezorientowana niż zmartwiona. To wszystko wydarzyło się tak szybko po tym, jak…

– … po tym, jak byłeś z Gią przez tyle czasu – dokończyłam za niego.

– Chyba tak.

Przez chwilę nic nie mówiłam. Częściowo dlatego, że zaczęłam rozumieć, co chciała powiedzieć Emily. I choć nie podobało mi się, że jej wątpliwości dotyczyły bezpośrednio mnie, to i tak potrafiłam ją zrozumieć. Szczerze mówiąc, od pewnego czasu sama chciałam się tego dowiedzieć, ale bałam się usłyszeć odpowiedź na dręczące mnie pytanie. Jak mogłam więc mieć jej za złe coś, nad czym sama się zastanawiałam? Właśnie wtedy postanowiłam zapytać o to Griffina. Przynajmniej spróbować.

– Dlaczego wydaje jej się, że byłeś w stanie związać się ze mną, a nie z nią? Jaka jest jej teoria?

– Nie możesz brać tego wszystkiego tak bardzo do siebie – powiedział, jakby było to odpowiedzią na moje pytanie. – Moja matka miewa czasem bardzo sztywne poglądy na temat tego, jak powinny wyglądać niektóre sprawy.

– Naprawdę? Nie zauważyłam.

Griffin zaczął się śmiać, a ja przypomniałam sobie dzień, w którym poznał moją matkę. Był dla niej bardzo miły i wyrozumiały. O nic jej nie obwiniał ani nie osądzał i było to bardzo szlachetne z jego strony. Część mnie chciała okazać taką samą szlachetność wobec jego matki. Chciałam być tak samo wyrozumiała wobec Emily mimo tego, w jaki sposób mnie potraktowała.

Ale nie byłam w stanie tego zrobić. W tym momencie przeważająca część mnie nie przejawiała najmniejszej chęci okazania nawet odrobiny wyrozumiałości i szlachetności. Matka Nicka mnie kochała. Traktowała mnie jak córkę, nawet zanim ja i on zaczęliśmy ze sobą być. A jak miały wyglądać moje relacji z prawdziwą teściową? Najwyraźniej mogłam liczyć tylko na to, że być może w odległej przyszłości zacznie mnie przynajmniej tolerować.

Nie chciałam kontynuować rozmowy, w której Griffin musiałby bronić swojej matki i jej obecnego nastawienia do mnie, a ja zaczęłabym niesprawiedliwie porównywać ją do wszystkich matek z mojej przeszłości, tych, które nie zachowywały się aż tak teatralnie, i tych, które były naturalnie uwarunkowane do kochania mnie od dnia, w którym mnie poznały. Zamiast tego postanowiłam pogrążyć się w czynności, która w tamtym momencie wychodziła mi najlepiej. Patrzyłam na sufit. Wpatrywałam się w te wszystkie cudowne wzory, mające magiczne właściwości uspokajające. Po raz kolejny usiłowałam rozgryźć ich znaczenie.

– Czy ja już kompletnie zwariowałam, czy te wzory układają się w jakiś schemat? To jakieś dziwne równanie? – zapytałam, wskazując ręką na sufit. W powietrzu rysowałam niewidzialne wzory, będące kopią znaków znajdujących się nad moją głową. – Wiesz, te wzory na suficie.

Griffin zamarł. Ale tylko na sekundę. Ta sekunda wystarczyła, bym zauważyła strach na jego twarzy. Strach przed tym, o czym wiedział, że nadejdzie i jest nieuniknione. Strach przed prawdą i tym, jak to wszystko wciąż się ze sobą łączyło. Jego przeszłość z naszą teraźniejszością.

– To przepis – powiedział.

– Przepis? – powtórzyłam jego słowa.

– Tak. Na pierwsze danie, jakie ugotowałem, kiedy zostałem kucharzem. Pracowałem wtedy w firmie cateringowej w pobliżu Bostonu.

– Przepis na co?

– Na confit wieprzowy z papryką, grillowaną ośmiornicę z bazylią, jagnięcinę i zupę z dyni. Do tego ciasto cytrynowe.

Spojrzałam ponownie na sufit z zupełnie innej perspektywy. Zaczęłam zauważać całe słowa i liczby, które przybrały postać składników i oznaczenia ilości. Między nimi dostrzegłam kształty mające odzwierciedlać czynność mieszania wszystkich składników w misce. Piękne i wyjątkowe.

Wtedy zauważyłam coś jeszcze. Coś, czego nie widziałam wcześniej. Nie wiem, jak mogłam to przeoczyć. Kształt litery „L" wyglądał znajomo. Przypominał mi kształty liter, które musiałam widzieć niedawno. I miejsce, w którym je widziałam.

– Gia to namalowała?

– Tak – potwierdził. – Gia to namalowała.

– Twoja mama pomagała? – zażartowałam, albo przynajmniej usiłowałam to zrobić.

Ale Griffin nic nie odpowiedział.

Wtedy odwróciłam się na bok i zasnęłam.

ROZDZIAŁ 18

Następnego ranka w skrzynce mailowej czekała na mnie wiadomość od Jesse'a. Ten z kolei otrzymał ją od Cheryl. Przypominała nam wszystkim o tym, że obiecałam jechać na wycieczkę do Hartford razem z bliźniakami. Wiadomość napisała Claire i wysłała ją do Cheryl z prośbą, by ta przesłała ją do swojej siostry, czyli do mnie. Na końcu zdania nadawczyni postanowiła umieścić uśmiechniętą buźkę. „Moja siostra?", napisała Cheryl do Jesse'a, dodając serię mniej neutralnych epitetów. Oczywiście darowała sobie też wszelkie radosne znaki graficzne.

Zjawienie się w szkole podstawowej nie później niż o dziewiątej piętnaście w pełnej gotowości do pilnowania gromady dzieciaków było ostatnią rzeczą, na jaką miałam ochotę. Choć może jednak nie. Ostatnią rzeczą, na jaką miałam ochotę, było podniesienie się z łóżka w celu pozbierania rozłożonych na podłodze zdjęć. Albo nie. Ostatnią rzeczą, na jaką miałam ochotę, było podniesienie się z łóżka po to, by skonfrontować się z moim mężem. Po to, by spotkać go i jeszcze pomagać mu w restauracji, tak jak obiecałam, a dopiero później zająć się zdjęciami leżącymi na podłodze. Jednak nie. Po głębszym zastanowieniu stwierdzam, że ostatnią rzeczą, na jaką miałam ochotę, było wstanie z łóżka, opuszczenie sypialni i spotkanie mojej teściowej w drodze do restauracji Griffina oraz późniejsze ogarnianie leżących na podłodze zdjęć.

W ostateczności pozwoliłam, by w drodze na uczelnię Jesse podrzucił mnie i chłopców pod szkołę. Chciał znaleźć dodatkowe materiały do swojej pracy badawczej albo po prostu uniknąć spotkania z matką.

Kiedy podjechaliśmy pod szkołę, autokar czekał już przed wejściem. Bliźniacy w mgnieniu oka wyskoczyli z samochodu, trzaskając za sobą drzwiami. Zobaczyłam Gię, stojącą pośród gromadki dzieci. Szykowała się do wejścia do autokaru. Oczy miała schowane za parą wielkich okularów w stylu lat sześćdziesiątych, które bez wątpienia wyglądałyby idealnie razem z jej pięknym pomarańczowym szalem.

– O rany! – powiedział Jesse, kiedy Gia spojrzała w naszym kierunku, dostrzegając nas oboje przez przednią szybę samochodu.

– I co teraz? – zapytałam.

– Pomachamy?

Uświadomiłam sobie, że będę musiała stawić czoła nieco większemu problemowi niż kwestia machania na powitanie byłej dziewczynie mojego męża.

– Ona też jedzie? Przecież to wyprawa do muzeum n a u k i – powiedziałam. – Nie powinna siedzieć w klasie i uczyć inne dzieci sztuki czy czegoś?

– Najwyraźniej nie dzisiaj.

Wydałam z siebie głośne westchnienie. Owinęłam się jeszcze mocniej moim koszmarnym płaszczem, po czym otworzyłam drzwi samochodu.

– Nie mamy chyba innego wyjścia. Idziemy – powiedziałam.

– Dokąd?

Gia cały czas patrzyła w naszym kierunku. Czułam, jak spogląda przez przednią szybę samochodu Jesse'a zza swoich gigantycznych okularów.

– Jak to dokąd? Przywitać się.

– Nie ma mowy. – Jesse znacząco pokręcił głową. – To byłoby dziwne.

– Dziwne?

– Właśnie.

– Chyba nie chcesz, żebym poszła tam sama? – zapytałam, nie mogąc uwierzyć, że Jesse chce zostawić mnie na pastwę losu.

– Nikt nie każe ci tam iść – powiedział, uruchamiając silnik. – Jeśli chcesz zdezerterować, bardzo chętnie cię gdzieś podrzucę. To znaczy w każde miejsce znajdujące się pomiędzy szkołą a moją uczelnią.

– Dzięki. Jakie to szlachetne z twojej strony – powiedziałam z ironią w głosie.

– Nie ma sprawy – odparł. – Taki już jestem. Szlachetny i dobry. Nic na to nie poradzę.

Nie było to łatwe, ale udało się nam ignorować się nawzajem przez całą drogę do Hartford. Ja siedziałam na samym początku autokaru, a Gia na końcu. Mało tego, dałyśmy radę nie wchodzić sobie w drogę, będąc w samym muzeum. Cały ranek spędziłam na śledzeniu moich małych podopiecznych. Obserwowałam każdy ruch bliźniaków oraz innych urwisów, które zostały mi przydzielone. Pilnowałam ich, kiedy biegały od jednego przejścia, gdzie czyhało na nie zbliżające się niebezpieczeństwo, do kolejnego. Udało nam się z Gią nie zamienić ze sobą ani jednego słowa podczas wspólnego rozdawania dzieciakom torebek z drugim śniadaniem w postaci smakowitych kanapek z masłem orzechowym. Gia potrafiła urozmaicić uczniom nawet tę z pozoru zwyczajną czynność, jaką było jedzenie drugiego śniadania. Wszystkie torebki śniadaniowe udekorowane były misternymi koronkowymi kwiatami.

Właśnie wtedy, kiedy wszystko wskazywało na to, że uda nam się zakończyć wyprawę bez konieczności rozmowy, zanim wyszliśmy z muzeum, by udać się z powrotem do autokaru i przygotować do drogi powrotnej do Williamsburga, musiałyśmy w tym samym momencie zaprowadzić kilka dziewczynek do toalety. I tak na samym końcu wycieczki, kiedy byłyśmy bliskie uwolnienia się od swojej obecności, stanęłyśmy ze sobą twarzą w twarz. A właściwie ramię w ramię. Tkwiłyśmy przed umywalkami, patrząc w to samo, lekko zabrudzone lustro.

– Hej… – przywitała się.

– Hej. Męczący dzień – odpowiedziałam, a Gia potakująco skinęła głową.

Zaczęłam szybko myć ręce. Usiłowałam też ponaglić dziewczynki, które weszły do łazienki razem ze mną. Ale coś nagle mnie tknęło. Postanowiłam zmienić taktykę. Zdecydowałam, że wykażę się czymś w rodzaju odwagi.

– Posłuchaj, Gia – zaczęłam, a ona spojrzała na moje odbicie w lustrze. – Chciałam cię tylko przeprosić. Nie wiem, czy ma to dla ciebie jakiekolwiek znaczenie albo czy sprawi, że poczujesz się lepiej, ale chcę, żebyś coś wiedziała. Nie miałam pojęcia o tobie. Nie znałam waszej historii. Twojej i Griffina. Przynajmniej nie w całości.

– Dlaczego miałoby to coś zmienić? Wystarczy, że Griffin wiedział. – Trafiła w sedno. Griffin doskonale o wszystkim wiedział.

– Tak czy inaczej, przepraszam – powiedziałam, bezradnie wzruszając ramionami. – Za to, że dowiedziałaś się ode mnie i to w taki sposób.

Gia patrzyła na moje lustrzane odbicie jeszcze przez ułamek sekundy, po czym uśmiechnęła się smutno.

– To miłe z twojej strony – powiedziała. – Ale tak naprawdę to nie masz mnie za co przepraszać. Nie powinnam była tak się zachować. Tak po prostu bez słowa zostawić cię na korytarzu i odejść. To było trochę melodramatyczne. Ale domyślasz się pewnie, że mnie zaskoczyłaś.

– Jasne. Teraz to rozumiem. – Przerwałam na chwilę. – Nie chciałam, byś o ślubie Griffina dowiedziała się ode mnie.

– A jednak nie jestem zaskoczona, że usłyszałam to od ciebie, a nie od niego – powiedziała. – Griffin nigdy zbyt dobrze nie radził sobie z poczuciem winy.

Gia spojrzała na mnie znajomym wzrokiem, a ja nagle poczułam, że znajduję się w przeciwnej drużynie niż Griffin. W drużynie Gii. Wcale nie chciałam się w niej znajdować. Nie chciałam, żeby ona pomyślała sobie, że chcę być właśnie w jej drużynie.

– Nie sądzę, żeby Griffin zrobił to celowo – powiedziałam. – Żeby chciał zachować się nie w porządku wobec kogokolwiek. Jestem pewna, że nie miał złych intencji.

– To na pewno prawda. Uważam, że nie ma w nim zbyt wielu złych rzeczy. Jednak zaczynam myśleć, że właśnie to stanowiło przyczynę niektórych problemów. Mam na myśli nasze problemy.

Spojrzałam na nią zdezorientowana. Nie byłam pewna, do czego zmierza.

– Myślę, że to dobrze, że wyjechał z miasta na jakiś czas – kontynuowała. – Jego wyjazd do Kalifornii sprawił, że mogłam odetchnąć, złapać dystans. Spotykam się teraz z kimś. Mam się dobrze. M y mamy się dobrze. Pogodziłam się z naszym rozstaniem. Poukładałam swoje życie w sposób, w jaki powinnam była zrobić to już dawno temu. Nie wiem, czy byłabym w stanie to zrobić, gdyby został w mieście.

– To dobrze – odetchnęłam z ulgą. – Naprawdę dobrze słyszeć, że…

– Pozwól mi skończyć – przerwała mi Gia.

– W porządku.

– Nie powinnam była dzwonić do Emily. To było okropne i niewłaściwe. Ale musisz o czymś wiedzieć. Dotyczy to Griffina. Naprawdę dobry z niego facet, ale nie najlepiej radzi sobie w prawdziwym, poważnym związku. Dobrze wychodzi mu zabawa w dom. Muszę to przyznać. Świetnie się razem bawiliśmy. Ale nawet po tak długim czasie była to tylko zabawa. Nic się nie zmieniało. On nigdy nie mógł po prostu być przy mnie. Wiesz, co mam na myśli? Nigdy nie byłam dla niego na pierwszym miejscu. Nie umiał sprawić, bym ja i nasze wspólne życie stały się dla niego najważniejsze. Jego rodzina zawsze była na pierwszym planie. I jego praca. Dla niego przesunięcie tych dwóch rzeczy na dalszy plan było zbyt wielkim poświeceniem. – Gia zakręciła kran. – Rozumiesz, co chcę ci powiedzieć?

– Nie – odpowiedziałam i przecząco pokręciłam głową dla podkreślenia tego słowa. Nie chciałam tego wiedzieć. Nie chciałam tego zrozumieć.

Istnieje świat, w którym słowa Gii oznaczałyby wyłącznie to, że jest zazdrosną byłą dziewczyną, starającą się zasiać ziarnko niepewności w nowym związku swojego dawnego chłopaka. Ale w świecie, w którym żyłam, w którym żyłyśmy obie, wiedziałam, że ona nie jest taką osobą. Byłam pewna, że nie powiedziała tego tylko po to, żeby zachować się podle. No, być może chciała się na mnie odrobinę zemścić, mówiąc, a właściwie ostrzegając mnie, że nadejdzie taki dzień, kiedy Griffin odejdzie również ode mnie. Ale miałam wrażenie, że Gia chce być ze mną całkowicie szczera. Wydawało mi się też, że jej wersja wydarzeń jest prawie taka sama jak ta, którą usłyszałam od Griffina. Opowiedziana została tylko z innej perspektywy. Świadomość ta sprawiła, że poczułam się jeszcze gorzej.

– Wygląda na to, że nie jesteście jeszcze na tym etapie… – powiedziała. – Ale będziecie, prawda? Jak my wszyscy.

Mówiąc to, Gia zmierzyła wzrokiem mój żałosny, pokryty kryształowymi aplikacjami płaszcz. Sądząc po współczuciu, które pojawiło się na jej twarzy, byłam pewna, że uznała, iż mam już wystarczająco dużo informacji, by odpowiedzieć sobie na to pytanie.

– Nie wydaje mi się, by mogło to być aż takie proste – powiedziałam.

– Ale właśnie takie jest. I to jest w tym najgorsze. Kiedy uświadamiasz sobie, że coś jest tak proste, jak to tylko możliwe. Sama coś o tym wiem. – Uśmiechnęła się, sięgając po papierowy ręcznik. Zaczęła wycierać nim ręce.

– Tak... – powiedziałam i również sięgnęłam do pojemnika na ręczniki.

– A tak przy okazji, byłabym wdzięczna, gdybyś oddała mój szal.

Gia wyrzuciła ręcznik do kosza na śmieci i wyszła z łazienki, zostawiając mnie samą z własnym odbiciem w lustrze.

ROZDZIAŁ 19

Kiedy wróciliśmy pod szkołę, na parkingu czekała już Emily Putney. Stała obok swojego samochodu, mimo że padał gęsty śnieg. Wyglądała bardzo szykownie w idealnym płaszczu i pięknych, podszytych futrem butach. Czekała na chłopców, by odwieźć ich do domu i przy okazji spędzić z nimi trochę czasu.

Siedząc z tyłu autokaru, tuż obok wyjścia ewakuacyjnego, widziałam dokładnie, jak Gia wyskakuje z pojazdu i podbiega do Emily, by przyjaźnie uściskać ją na powitanie. Jej podbródek mocno oparł się o drobne ramiona mojej teściowej. Kiedy Gia w końcu zwolniła uścisk i odsunęła się o krok, zaczęły rozmawiać, jakby nie widziały się od lat. Ich twarze nadal znajdowały się blisko siebie.

Próbowałam domyśleć się, co mogło być tematem ich rozmowy, ale nic nie przychodziło mi do głowy. Szczerze mówiąc, nie miało to dla mnie większego znaczenia. Jedno wiedziałam na pewno. O czymkolwiek rozmawiały, żadna z nich nie wygłaszała mowy pochwalnej na mój temat.

– Fantastycznie – mruknęłam pod nosem, wyglądając przez okno autokaru. Później spojrzałam na wyjście ewakuacyjne i zaczęłam się poważnie zastanawiać nad pociągnięciem czerwonego uchwytu, z nadzieją że będę mogła wydostać się stamtąd niezauważona.

Kiedy Gia i Emily wciąż były pochłonięte rozmową, ja wyślizgnęłam się z autokaru. Dosłownie. Wyślizgnęłam się, chowając się za dwiema małymi dziewczynkami. Nie napawało mnie to szczególną dumą. Zwłaszcza że dwie małe dziewczynki służyły mi za tarcze i że użyłam ich pudełek na śniadanie z podobizną Małej Syrenki, by zasłonić sobie twarz.

Wiem, że powinnam zachować się jak dorosły, cywilizowany człowiek i przynajmniej się przywitać. Powinnam chociaż spróbować nawiązać jakąś nić porozumienia ze swoją, bądź co bądź, teściową, matką mojego męża i być może babcią naszych przyszłych dzieci, ale nie miałam na tyle silnej woli. Byłam zbyt zmęczona. Zbyt przerażona tym, co mogłaby powiedzieć albo czego mogłaby nie powiedzieć Emily, tym, że zrobię coś, przez co Griffin poczuje się jeszcze bardziej obco niż teraz.

Zamiast tego postanowiłam zrobić wszystko, by się na nią nie natknąć. Wybrałam najdłuższą z możliwych dróg prowadzących do domu. Szłam bocznymi ulicami, nie zwracając uwagi na lodowaty wiatr. Nie czułam zimna. Szczerze mówiąc, niewiele wtedy czułam i było to sygnałem wielu rzeczy. Niestety, nie zwiastowało niczego dobrego.

Byłam trochę nieobecna. I bardziej niż trochę zaskoczona, kiedy dotarłam do domu i zorientowałam się, że ktoś siedzi na schodach przed wejściem. Ktoś ubrany w długą, śmieszną, białą kurtkę narciarską, a do tego w pasującą do całości białą czapkę z wielkim, okrągłym pomponem na samym czubku.

Podeszłam bliżej, w nadziei że to nie jakiś nieznany mi członek rodziny Putneyów czekający na mój powrót. Albo jakaś kolejna osoba z przeszłości Griffina, chcąca opowiedzieć mi inną wersję historii o tym, jaki niszczycielski wpływ na jego życie miało moje pojawienie się.

Ale ten bajeczny, biały zestaw zimowy nie należał do nikogo z rodziny Griffina. Na schodach siedziała Jordan. Moja przyjaciółka Jordan. W tym komicznym ubraniu wyglądała jak gigantyczna kula śnieżna. Stanęłam naprzeciwko niej.

– Jestem tu *incognito* – podziała. – Boję się, żeby nie rozpoznał mnie ktoś niepowołany.

To były pierwsze słowa, jakie do mnie skierowała. Żadnego „cześć". Żadnego „co słychać?". Zupełnie tak, jakby to, co powiedziała, miało jakikolwiek sens.

– Czy to naprawdę ty? – zapytałam z lekkim niedowierzaniem.

– Tak, to naprawdę ja. I muszę ci powiedzieć, że odmroziłam sobie tyłek, siedząc na tym cholernym zimnie. Nigdy w życiu tak nie zmarzłam. Na domiar złego wydaje mi się, że doszło między nami do pewnego nieporozumienia.

– Co masz na myśli?

– Powiedziałam, żebyś poszła z nim na randkę, a nie wyszła za niego za mąż.

– Naprawdę właśnie to zrobiłam? Bo sama się zastanawiałam.

Przez moment patrzyłyśmy na siebie w całkowitej ciszy.

– Poza tym wydawało mi się, że mieszkasz w Williamstown – powiedziała. – Cały dzień jeździłam po Massachusetts w poszukiwaniu tego miejsca.

– Najwyraźniej wszyscy popełniają ten błąd – stwierdziłam. – Słyszą Williamstown zamiast Williamsburg.

Jordan rozejrzała się dookoła i na chwilę wstrzymała w płucach mroźne powietrze. Cisza, która zapanowała wokół nas, sprawiła, że zimno było jeszcze bardziej odczuwalne.

– Domyślam się dlaczego – powiedziała.

Perspektywa tego, że za chwilę porządnie dostanie mi się od mojej najlepszej przyjaciółki, nie robiła na mnie większego wrażenia. Wiedziałam, że mi tego nie daruje. Tego, że zniknęłam bez słowa. Że ignorowałam jej telefony. Że wysyłałam zdawkowe e-maile w odpowiedzi na jej wiadomości. I w ogóle, że zachowałam się wobec niej w sposób, na jaki zdecydowanie sobie nie zasłużyła. Ale w tym momencie nie miało to dla mnie najmniejszego znaczenia. Usiadłam obok niej na schodach i oparłam swoją głowę o jej. Nie odezwała się do mnie ani słowem, a ja wiedziałam, że pozwoli nam siedzieć w całkowitym milczeniu tak długo, aż będę gotowa wszystko jej opowiedzieć.

Ale zanim zdążyłam się odezwać, zobaczyłam, jak Sammy i Dexter biegną wzdłuż drogi w naszym kierunku. Obydwaj trzymali po gigantycznej porcji lodów czekoladowych, które stanowiły dla nich nie lada wyzwanie. Miałam wrażenie, że lody roztopią się w ich dłoniach, zanim zdążą się nimi porządnie nacieszyć. Emily szła w sporej odległości za nimi.

Jordan w kompletnym osłupieniu spoglądała raz na mnie, raz na chłopców.

– Błagam, powiedz, że nie są twoi – powiedziała z przerażeniem w głosie.

ROZDZIAŁ 20

Weszłam na górę, by się trochę odświeżyć i założyć cieplejszą parę rękawiczek. Zdjęłam obrączkę i położyłam ją na stoliku nocnym. Moje palce były zbyt zmarznięte i spuchnięte, bym miała ochotę ją nosić. Zwłaszcza w miejscu, do którego planowałam zabrać Jordan.

Wsiadłyśmy do jej wypożyczonego samochodu i pojechałyśmy wzdłuż drogi do Berkshires. Nie zatrzymałyśmy się przy restauracji Griffina. Tylko pokazałam ją Jordan palcem. Pokazałam jej również The Mountague Bookmill, uroczą księgarnię w Deerfield, zupełnie tak, jakbym była jej stałą klientką. Zmierzałyśmy w stronę pięknego pasma górskiego w Ashley Falls, obok którego przejeżdżałam podczas jednej ze swoich zeszłorocznych podróży. Pisałam wtedy artykuł na temat pobliskiej miejscowości. A teraz czułam się zobligowana, by przynajmniej udawać, że odwiedzam to miejsce z pewną częstotliwością. Nie wiem dlaczego, ale po prostu było to dla mnie ważne, by móc pokazać Jordan jakąś cudowną cząstkę mojego nowego życia, nawet jeśli wymagałoby to od nas przedzierania się przez zaspy śnieżne przy ujemnej temperaturze.

Zadarłyśmy głowy, stojąc u podnóża tej wspaniałej góry. Wpatrywałyśmy się w kilkukilometrową trasę prowadzącą w chmury. Pokryta była grubą warstwą świeżego puchu. Wokół nas wiał bardzo silny wiatr.

– Żarty sobie robisz? – Jordan zapytała z niedowierzaniem.

– Nie pożałujesz – powiedziałam i była to jedyna rzecz, co do której nie miałam żadnych wątpliwości.

Zanim udało nam się wejść na szczyt, byłyśmy już nieźle zmęczone. Zmęczone i zmarznięte. Jednak nie na tyle, by nie zauważyć, jak piękne były krajobrazy, które otaczały nas w tym momencie. Było idealnie. Stałyśmy na samej górze, mając nad sobą jedynie krystaliczne, błękitne niebo. Patrząc w dół, widziałyśmy liczne drzewa i świeży, nietknięty śnieg. Za nami połyskiwała zamarznięta rzeka.

– No dobra. Muszę przyznać, że jest tu naprawdę pięknie – powiedziała, rozglądając się dookoła. – To chyba najładniejsze miejsce, jakie w życiu widziałam.

– Wiem. Nieczęsto ogląda się takie cudowne widoki. – Spojrzałam w dół stromego zbocza. – Jest bajecznie.

Usiadłyśmy na ławce, a ja podałam Jordan termos z gorącą wodą.

– Czy jeśli powiem, że się z tobą zgadzam i wybaczam ci używanie słów typu „bajecznie", będziemy mogły już wracać? – zapytała.

– Może – uśmiechnęłam się.

Jordan wzięła duży łyk wody, a później kolejny.

– Wiem, że myślisz, że przyjechałam tu, żeby cię osądzać – powiedziała.

– Nieprawda. Myślę, że już to zrobiłaś.

– W takim razie dlaczego jeszcze nie siedzimy w jakimś barze?

Zaśmiałam się. Zrobiłam to nieco teatralnie i zbyt głośno, żeby nie pomyślała, że jest to szczere. Jordan odwróciła się w moją stronę i spojrzała na mnie.

– Posłuchaj, Annie…

– Nie zaczynaj w ten sposób – powiedziałam z lekką irytacją. – Błagam cię, nie zaczynaj od tych słów. W historii całego mojego życia nikt jeszcze nie powiedział mi nic dobrego po rozpoczęciu zdania od „posłuchaj, Annie". I coś mi mówi, że tym razem nie będzie inaczej.

– Chciałam ci tylko powiedzieć, że doskonale cię rozumiem – kontynuowała. – Naprawdę. Zostałaś nieźle wyrolowana przez faceta i podjęłaś tę życiową decyzję, kierując się wyłącznie rozczarowaniem po rozpadzie długoletniego związku. Impulsywną i nieprzemyślaną decyzję. Decyzję, której nie podjęłabyś w normalnych okolicznościach. Nigdy.

– Niby jak twoje słowa mają sprawić, że poczuję się lepiej? – zapytałam, przechylając głowę w jej stronę.

– W końcu jesteś tylko człowiekiem. Chciałaś być tą pierwszą, która upora się z rozstaniem i pójdzie naprzód. Chciałaś zrobić to przed Nickiem, żeby udowodnić sobie, jemu i całemu światu, że nic ci nie jest. Więc odśwież swój profil na Facebooku i zmień status na „mężatka". Niech wszyscy się dowiedzą. Będą mogli kliknąć „Lubię to!" obok ikony tego cholernego, czerwonego serca pod nowym statusem. Wszyscy będą mieli namacalny dowód na to, że Annie Adams ma się świetnie. – Jordan przerwała na chwilę. – A później wracaj do domu.

– Wcale nie o to chodzi. – Pokręciłam głową. – Ja nawet nie mam konta na Facebooku.

– Nie masz konta na Facebooku? – zapytała z niedowierzaniem. – W takim razie z tobą naprawdę jest coś nie tak.

– Jordan, ja doskonale zdaję sobie sprawę z tego, jak to wszystko musi dla ciebie wyglądać – powiedziałam, poprawiając płaszcz. – Ale uwierz mi, kiedy mówię, że wszystko w porządku. Jestem szczęśliwa. Może rzeczywiście potrzebuję trochę czasu, żeby się przystosować do nowego otoczenia. Ale to część decyzji, którą świadomie podjęłam. Nie powiesz mi chyba, że wszystko przebiegało pomyślnie na samym początku twojej podróży z Simonem. Kiedy braliście ślub. Na pewno nie z tym wszystkim, co wiązało się z tą decyzją. Nie z Sashą i byłą żoną Simona na horyzoncie.

– Na pewno pomyślniej niż twoja podróż z Griffinem.

– Ale ja jestem szczęśliwa – powiedziałam, kręcąc głową.

– Ciągle to powtarzasz.

– Bo to prawda.

– Skoro jesteś szczęśliwa, to dlaczego wyglądasz na tak cholernie smutną i przygnębioną? – zapytała, patrząc mi prosto w oczy.

Jej słowa na chwilę wybiły mnie z rytmu i zanim zdążyłam się nad tym głębiej zastanowić, zaczęłam płakać. Siedziałam z moją najlepszą przyjaciółką na szczycie jakiejś cholernej góry i płakałam jak dziecko. Płakałam, ponieważ wyrzucili mnie z pracy. Ponieważ okazało się, że moja nowa rodzina, rodzina mojego nowego męża, jest kompletnie stuknięta. Ponieważ musiałam mieszkać w mieście, w którym wszyscy czuli się jak w domu. Wszyscy oprócz mnie. Płakałam, ponieważ w całym tym szaleństwie czułam, jak bardzo ja i Griffin oddalamy się od siebie. Jak ja oddalam się od siebie samej.

– Prawda jest taka, że zdawałam sobie sprawę, że wkrótce odbędzie się otwarcie restauracji. Wiedziałam, że to będzie na pierwszym planie. Ale przez to wszystko, co się teraz dzieje, czuję się trochę tak…

– Jakbyś tu nie pasowała? – Jordan dokończyła za mnie.

– Trochę tak, jakbym nie pasowała nigdzie. – Wzruszyłam ramionami.

Jordan spojrzała na mnie zaskoczona, a ja nie wiedziałam, jak mam jej to wyjaśnić, żeby moje słowa miały jakikolwiek sens. Nie wiedziałam nawet, jak powinnam wyjaśnić to samej sobie. Dopiero niedawno zaczęłam to sobie uświadamiać. Wszystkie zmiany w moim życiu sprawiły, że zaczęłam zdawać sobie sprawę z tego, że nigdy nie miałam szansy zatrzymać się na dłużej i porządnie zastanowić nad tym, co tak naprawdę dawało mi szczęście. Czy potrafiłabym to w ogóle rozpoznać, gdybym wreszcie to znalazła?

– Zanim uda mi się rozwikłać, co, u diabła, chcesz mi powiedzieć, pozwól, że ja powiem coś tobie. Chcę podzielić się z tobą pewną myślą, która ostatnio nie daje mi spokoju – powiedziała. – Jakim cudem dziewczyna, która potrzebuje dziesięciu wizyt w tym samym sklepie i konsultacji z czternastoma sprzedawcami, zanim zdecyduje się na kupno dzbanka, wychodzi za mąż za faceta, nie znając nawet jego drugiego imienia?

– Griffin nie ma drugiego imienia.

– Bo o nim nie wiesz – powiedziała.

Tym razem roześmiałam się szczerze. Zaczęłam wycierać łzy, chciałam się jakoś pozbierać.

– W zasadzie to wszystko twoja wina – powiedziałam. – W końcu to ty doradziłaś mi, żebym zrobiła coś, na co nigdy bym się nie zdecydowała w normalnych okolicznościach.

– Nie pamiętam, żebym kiedykolwiek coś takiego mówiła.

Spojrzałam na nią kompletnie zaskoczona. Rada, przez którą całe moje życie stanęło na głowie, a ona nie pamięta nawet, że mi jej udzieliła.

– Zdajesz sobie sprawę, że coś takiego może nadszarpnąć nieco twoją wiarygodność? – zapytałam.

– Pozwól, że zadam ci jedno pytanie. – Jordan najwyraźniej nie miała zamiaru zakończyć tematu mojego małżeństwa. – Czy ty go w ogóle kochasz?

– Tak, bardzo – odpowiedziałam bez chwili zawahania.

Po tym wszystkim, co się wydarzyło. Po tym, jak opowiedziałam jej o moich lękach i obawach, o rzeczach, do których bałam się przyznać nawet sama przed sobą, było jeszcze to. Może rzeczywiście zmieniłam całe życie pod wpływem jakiegoś szalonego impulsu. Prawdopodobnie dlatego, że moje poprzednie doświadczenia zakończyły się tak bolesną katastrofą, a ja miałam potrzebę udowodnienia sobie, że potrafię stworzyć z kimś prawdziwy dom, jeśli tylko tego zapragnę. Ale to nie wszystko. W całym tym szaleństwie był jeszcze jeden, niezaprzeczalny fakt. Ja naprawdę kochałam Griffina. Całym sercem. Cokolwiek by się zdarzyło. Cokolwiek by mnie tu przywiodło. To jedno wiedziałam na pewno. Świadomość ta sprawiła, że natychmiast poczułam się lepiej.

– Skoro to prawda albo skoro w y d a j e c i s i ę, że to prawda, nie spodoba ci się to, co teraz powiem – oświadczyła, mocniej naciągając swoją gigantyczną czapkę na głowę i zasłaniając nią oczy. – Będziesz musiała od niego odejść.

– Słucham? Czy do ciebie w ogóle dotarło coś z tego, co przed chwilą powiedziałam?

– A czy ty s ł y s z a ł a ś samą siebie? – zapytała. – To nie jest życie dla ciebie. Nie możesz tak po prostu utknąć na tym pustkowiu. Nie możesz ugrzęznąć w jakimś miejscu. Potrzebujesz wolności. Dużo wolności.

– Kto tak twierdzi?

– W s z y s c y!

– Dziękuję za to szczegółowe wyjaśnienie. Może ci wszyscy powinni spędzić w moim życiu trochę więcej czasu niż marne dziesięć minut, zanim zaczną dochodzić do takich mądrych wniosków – powiedziałam z nieskrywaną irytacją. – Może wolność to po prostu doskonałe odzwierciedlenie sytuacji, kiedy nie ma się już nic do stracenia.

– Czy ty właśnie zacytowałaś Janis Joplin? – zapytała, lekko odchylając głowę.

– Możliwe! – powiedziałam podniesionym głosem. Resztkami sił starałam się opanować narastający we mnie gniew.

W odpowiedzi Jordan zaczęła mówić ściszonym, spokojnym głosem. Zupełnie tak, jakby rozmawiała z kimś niepoczytalnym. Zupełnie, jakbym to ja była tą niepoczytalną osobą.

– Chcę tylko powiedzieć, że wszystko można jeszcze naprawić. Małżeństwo można anulować. Mogę to dla ciebie załatwić.

– Nie wierzę, że to mówisz. – Pokręciłam głową, czując, że zaraz eksploduję.

– Dlaczego jesteś taka agresywna? – zapytała. – Jeśli według ciebie nie mam ani trochę racji, nie ma powodu, byś zachowywała się w ten sposób.

– W twoich słowach nie ma ani odrobiny racji – powiedziałam, podkreślając słowa energicznym kręceniem głową. Nie zdawałam sobie sprawy, że moja zapalczywa determinacja, by udowodnić to Jordan, sprawiała, że ona jeszcze bardziej utwierdzała się w przekonaniu, że ma rację.

Wstałam z ławki, bo chciałam jak najszybciej zakończyć rozmowę. Wiedziałam, że cienka granica oddziela nas od chwili, kiedy obie powiemy o dwa słowa za dużo. Nie chciałam, żebyśmy posunęły się za daleko. Mogłybyśmy tego później bardzo żałować.

– Dokąd idziesz? – zapytała.

– Nie chcę już więcej o tym rozmawiać – powiedziałam. – Ja nigdy nie rozmawiałabym z tobą o twoim życiu w ten sposób.

– Ale ja nie jestem tobą. Ja jestem twardą jędzą. Przynajmniej przez większość czasu. Ale to nic nowego. Poza tym kocham cię najbardziej na świecie. Ale to też nic nowego. Nie udawaj, że nagle zaczęłaś w to wątpić. Tutaj mówimy o tobie i o tym, co dla ciebie najlepsze. I nie chodzi mi wcale o mojego brata.

– A więc znowu jest twoim bratem? – spytałam, spoglądając na nią.

– Tak czy inaczej, chodzi o to samo. Chcę dla ciebie tego samego, czego ty pragniesz dla samej siebie – odpowiedziała, patrząc mi prosto w oczy.

– Może ja chcę właśnie t e g o – odparłam, przestępując z nogi na nogę na tej nieskończonej, pokrytej śniegiem górze. – Nie przyszło ci do głowy, że może właśnie znalazłam to, czego zawsze szukałam?

– Od kiedy to jest coś, czego zawsze szukałaś? – zapytała. – Wybacz, ale nie zamierzam siedzieć bezczynnie i przyglądać się, jak tkwisz tutaj, „dopóki śmierć was nie rozłączy". W dodatku tylko dlatego, że kiedy Nick lekko zboczył z obranego kursu, ty zdecydowałaś, że najlepszym rozwiązaniem będzie, jeśli przeniesiesz się na to kompletne pustkowie z mistrzem patelni poznanym w barze.

Nie wiedziałam, jak na to wszystko zareagować. Ale zdecydowałam, że muszę chociażby spróbować stanąć w obronie tego, w co wierzyłam.

– Po pierwsze, to nie jest żadne pustkowie. W pobliżu znajduje się jeden z najlepszych uniwersytetów w stanie, jakbyś nie zauważyła.

– W pobliżu znajduje się również muzeum rolnictwa, jakbyś nie zauważyła.

Odwróciłam się od Jordan i zaczęłam iść, przedzierając się przez zbite zaspy śniegu. Zmierzałam w kierunku ścieżki, którą przyszłyśmy na szczyt. Chciałam jak najszybciej pokonać trasę, która nas tu przywiodła, i odejść jak najdalej stąd.

Czułam obecność Jordan tuż za sobą. Z trudem usiłowała nadążyć za mną, a później się zatrzymała, żeby powiedzieć mi coś jeszcze.

– Miedzy Nickiem a Pearl wszystko skończone! – krzyknęła za mną. – Mówię to na wypadek, jakby cię to jeszcze obchodziło. Wszystko skończyło się, zanim zdążyło się dobrze zacząć.

Zatrzymałam się, ale nie odwróciłam do Jordan. Stałam jak wryta. Czułam, jak pomału zatapiam się w śnieżnym puchu. Nie byłam w stanie się odwrócić. Nie byłam w stanie ruszyć się z miejsca.

Usłyszałam jej kroki za swoimi plecami. Powoli zaczęła iść w moim kierunku, aż zatrzymała się tuż za mną.

– Jest teraz w Londynie. Kończy jakiś projekt filmowy. Bierze jedno zlecenie za drugim. Pogrąża się w pracy, udając, że wcale nie jest taki nieszczęśliwy, jaki jest w rzeczywistości. To dość żałosne. Mówi, że nie może wrócić do domu. Nie bez ciebie.

Ciągle stałam w bezruchu. Jordan mówiła teraz ściszonym głosem.

– Posłuchaj – powiedziała. – On doskonale zdaje sobie sprawę z tego, że wszystko zniszczył. Ale powiedział mi, że nie przyjedzie tu prosić cię, żebyś do niego wróciła. Nie jeśli powiem mu, że jesteś szczęśliwa. Ale jeśli powiem, że jest inaczej…

– Nie rób tego, Jordan! – Odwróciłam się do niej szybkim ruchem. Spojrzałam na nią oczami pełnymi furii. Albo czegoś zbliżonego do furii. – Mówię poważnie. To ostatnia rzecz, której teraz potrzebuję.

– W takim razie powiedz mi, że nie ma to już dla ciebie żadnego znaczenia – rozkazała. – Sześć miesięcy temu Nick był miłością twojego życia, ale teraz już ci na nim nie zależy.

– Minęło więcej niż sześć miesięcy.

– Masz rację. Mój błąd. Minęło siedem miesięcy.

– Już mi na nim nie zależy – powiedziałam, nie odwracając się. Znowu zaczęłam iść wzdłuż ścieżki.

– Może wolałabyś powiedzieć to, patrząc mi w oczy? – rzuciła za mną. – Myślę, że byłoby to bardziej przekonujące.

– Chyba nie lubię cię za bardzo w tym momencie – powiedziałam, nie zatrzymując się. Szłam ścieżką prowadzącą w dół.

– To chyba dobrze! – krzyknęła, gdy się oddalałam. – Z tym będę mogła jakoś żyć.

ROZDZIAŁ 21

Jordan nie została na noc. Pojechała do Nowego Jorku. Planowała wrócić do Los Angeles najwcześniejszym porannym samolotem. Powiedziała, że zatrzyma się w jakimś hotelu w pobliżu lotniska, ale ja zastanawiałam się, czy nie jest to jakiś tajny kod oznaczający, że spędzi dzień lub dwa w Nowym Jorku lub Bostonie, lub w jakimkolwiek innym miejscu niebędącym Williamsburgiem, zanim zdecyduje się wrócić do domu w Kalifornii. Jakkolwiek by było, równie dobrze mogła zostać tutaj ze mną. W moim nowym domu, w mojej sypialni. Ponieważ cały czas czułam jej obecność, a słowa, które od niej usłyszałam, kołatały w mojej głowie niczym echo. Były tak głośne i wyraźne, jakby Jordan stała tuż za mną i ponownie je wypowiadała.

Był to jeden z powodów, dla których postanowiłam pojechać do restauracji i pomóc Griffinowi przy pracy. Pomyślałam, że będzie to najrozsądniejsza decyzja. Zajęłabym się przygotowaniami do otwarcia i nie musiałabym myśleć o minionych wydarzeniach. Poza tym chciałam spędzić z nim trochę czasu. Sama nie wiem, dlaczego nie pomyślałam, że najlepszą rzeczą, jaką mogłam wtedy dla siebie zrobić, było zostanie w domu. Biorąc pod uwagę fakt, że w głowie cały czas słyszałam wyłącznie niepochlebne słowa Jordan, trzymanie się z dala od Griffina byłoby chyba lepszym rozwiązaniem.

Rozwieszaliśmy właśnie oświetlenie na zewnątrz restauracji. Usiłowaliśmy przymocować lampki na dachu budynku i przed głównym wejściem. Wyglądały pięknie. Śliczne, małe lampki w kształcie kwiatów lotosu. Białe i błyszczące. Pięły się w górę niczym winorośl.

– Nie mogę uwierzyć, że otwarcie jest już w przyszłym tygodniu – powiedziałam, spoglądając na pnącze utworzone z tysięcy żaróweczek.

– Za dziesięć dni! – poprawił mnie.

– Masz rację. Za dziesięć dni.

Stałam na drabinie. Griffin znajdował się za mną. Trzymał latarkę, usiłując rozświetlić przestrzeń przed nami, dzięki czemu mogliśmy nieco lepiej widzieć efekty naszej pracy. Chciał wiedzieć, jak minęło moje spotkanie z Jordan. Pytał o to w taki sposób, że z trudem udawało mi się uniknąć prawdziwej odpowiedzi, chyba że umyślnie zmieniłabym temat.

– Zresztą to tylko nieoficjalne otwarcie – powiedział.

– To bez znaczenia. I tak się denerwuję. Poza tym, czy to przypadkiem nie ty mówiłeś mi, że jazda próbna jest najważniejsza? Że pierwsze wrażenie rzutuje na obraz całości?

– Chcesz, żebym zaczął panikować?

– Może poczułbyś się spokojniejszy, gdybyśmy w końcu wybrali nazwę dla tej restauracji. Myślałeś już o tym? – spytałam, śmiejąc się.

– Cały czas o tym myślę. I jestem już bliski podjęcia decyzji – powiedział. – Ale na wypadek, gdybyśmy nie zdążyli z nazwą przed otwarciem, dobra wiadomość jest taka, że wszyscy, którzy wybierają się na uroczystość, i tak wiedzą, jak tu trafić.

– To rzeczywiście pocieszające. – W świetle latarki zobaczyłam, jak Griffin uśmiecha się do mnie.

– Gdybym wiedział, że Jordan ma dzisiaj przyjechać, zrobiłbym sobie wolne. – Wrócił do tematu przyjazdu Jordan. – Żałuję, że nie miałem okazji spędzić z nią trochę czasu.

Odwróciłam się od niego, udając, że zajmuję się poprawianiem rozwieszonych lampek.

– To jeszcze nie koniec świata – pocieszyłam go.

– Mam nadzieję – zażartował. – Ale ona jest ważną częścią twojego życia. Chciałbym móc ją poznać.

Poczułam silne ukłucie w sercu wywołane jego słowami. To była drobna, ale szczera uprzejmość. Właśnie taki był Griffin. Potrafił zdobyć się na takie drobnostki w najbardziej nieoczekiwanych momentach.

Jeśli cokolwiek mogłoby sprawić, że poczułabym teraz większą bliskość z Griffinem, jego słowa, jego wyjątkowo życzliwe nastawienie do mojej przyjaciółki powinny zadziałać idealnie. A jednak nie zadziałały. W tym momencie powinnam wiedzieć dokładnie, co czuję do Griffina, że go znam, a to, co mówiła Jordan, było dalekie od prawdy. Ale tak się nie stało. Ponieważ, jakkolwiek irracjonalne mogłoby się to wydawać, jedyne, o czym wtedy myślałam, to to, dlaczego nasze życie wydaje mi się niewystarczająco dobre.

– Nie zapominaj, że to siostra Nicka – przypomniałam Griffinowi, skąd właściwie znamy się z Jordan.

– I co z tego?

– Ona trzyma bardziej jego stronę niż twoją.

Griffin rzucił mi przeszywające spojrzenie. Nie musiałam nawet na niego patrzeć, by czuć je na sobie.

– O co chodzi? – zapytałam.

– Sam nie wiem – powiedział. – Wydawało mi się, że mamy to już za sobą. Myślałem, że nie musimy martwić się tym, czy ktoś jest po naszej stronie, czy też nie.

Powinnam była powiedzieć, że się z nim zgadzam. Że tak właśnie jest. Że nie musimy przejmować się niczym ani nikim, ponieważ nic nie może zniszczyć tego, co mamy. Zamiast tego zdecydowałam się pójść zupełnie inną drogą i powiedziałam coś, co nie mogło prowadzić do żadnych konstruktywnych wniosków.

– Może powinieneś zapytać o to Gię – powiedziałam. – Albo swoją matkę.

– Annie...

– Nic nie rozumiesz – powiedziałam, obniżając światełka.

– Najwyraźniej nie – odparł. – Ale dobra wiadomość jest taka, że nie jestem kompletnym idiotą. Może nie zawsze jestem najbystrzejszym facetem na świecie, ale t o akurat rozumiem. Ja i t o rozumiemy się całkiem nieźle. Przynajmniej przez większość czasu.

Griffin usiłował rozluźnić atmosferę. Chciał, żeby nasza rozmowa nie przebiegała w tak poważnym tonie. Ja jednak miałam na ten temat zupełnie inne zdanie.

Chciałam, żebyśmy porozmawiali poważnie. Chciałam być na tyle poważna, by to, co się między nami nawarstwiło, w końcu pękło. Poczułam, jak moje dłonie zaczynają drżeć. Lampki prześlizgiwały mi się przez palce, kiedy schodziłam z drabiny. Griffin podszedł do mnie. Był niebezpiecznie blisko zrobienia czegoś, na co nie chciałam mu w tym momencie pozwolić. Czułam, że zaraz wyciągnie rękę, żeby mnie objąć. Nie chciałam do tego dopuścić. To przechyliłoby szalę na jego stronę. Wiedziałam, że w ten sposób powstrzymałby mnie przed zrobieniem czegoś, co moim zdaniem właśnie robiłam. Powstrzymałby mnie przed znalezieniem powodów, dla których byłabym w stanie to wszystko zniszczyć.

Pewnie wyczuł moje wahanie, ponieważ cofnął rękę i zamiast w moim kierunku, sięgnął do wiadra, żeby wyciągnąć więcej lampek.

– Nie mogłem przestać o tobie myśleć prawie przez cały dzień. Właściwie to myślałem o twoich zdjęciach – powiedział, zmieniając temat. – I wpadłem na pewien pomysł. Może jest trochę szalony, ale równie dobrze może się udać. Przeglądałaś je dzisiaj?

– Nie.

– Myślę, że powinniśmy omówić wszystko, kiedy będziemy mieć je przed sobą. Ale jeśli chodzi o to, to pomyślałem sobie, że…

– Wiesz co, Griffin? Może trochę za wcześnie, żeby planować cokolwiek na ten temat – przerwałam mu. – I może obydwoje powinniśmy zacząć godzić się z myślą, że pomysły związane z tymi zdjęciami do niczego nie doprowadzą.

– Niezłe nastawienie – powiedział.

Moją jedyną reakcją na jego słowa było obojętne wzruszenie ramionami. Gest, który miał mówić, że jest to jedyne nastawienie, na jakie stać mnie w tym momencie.

– Annie, masz ogromny talent i możliwość, by coś z nim zrobić. Możemy coś z tym zrobić r a z e m. Wspólnie uda nam się stworzyć coś wyjątkowego.

„Możemy coś z tym zrobić razem". Nagle uderzyło mnie wspomnienie słów, które usłyszałam od Gii: „Naprawdę dobry z niego facet, ale nie najlepiej sobie radzi w prawdziwym, poważnym związku".

– A co jeśli tworzenie tego zajmie nam zbyt dużo czasu? – zapytałam.

– Co masz na myśli? – Posłał mi dziwne spojrzenie. – Co znaczy zbyt dużo czasu?

– Chodzi mi tylko i wyłącznie o to, że realnie rzecz biorąc, możemy sobie planować, co tylko zechcesz, ale prawdopodobnie najlepszą rzeczą, jaką mogę w tym momencie zrobić, jest pogodzenie się z myślą, że moje zamiłowanie do robienia zdjęć zostanie tylko moim hobby – powiedziałam. – I najprawdopodobniej skończę w tym mieście na permanentnym bezrobociu, chyba że zacznę pisać artykuły o szydełkowaniu.

Moje słowa powstrzymały go przed odszukaniem w sobie ostatnich pokładów zrozumienia, jakie mógłby jeszcze dla mnie mieć.

– Co takiego powiedziała ci Jordan? – zapytał.

– Nic – odpowiedziałam, nie patrząc na niego. – Nic mi nie powiedziała.

– To dlaczego tak bardzo starasz się znaleźć powód do kłótni? Dlaczego właśnie to ma sprawić, że poczujesz się lepiej?

Kiedy to mówił, ja byłam już oddalona dobre kilka kroków od niego. Zdążyłam wrzucić lampki, które trzymałam przed chwilą, z powrotem do wiaderka. Małe, delikatne lampki, które nie były niczemu winne i nie miały zupełnie nic wspólnego z tym wszystkim, co się teraz działo.

– Nieprawda – powiedziałam, nie zatrzymując się. – Nic takiego nie robię.

– Więc co robisz?

– Idę do domu.

Wypowiadając te słowa, zdałam sobie sprawę, że być może moim największym problemem było to, że tak naprawdę nadal nie wiedziałam, gdzie on się znajduje.

ROZDZIAŁ 22

Przez te wszystkie lata, kiedy pracowałam nad kolumną, jedną z zawsze zaskakujących mnie rzeczy było to, jak wiele listów otrzymywałam regularnie od czytelników pytających mnie, jak mogą wycofać się z podróży, w której nie mieli już ochoty uczestniczyć. Jak mogą zrezygnować z wycieczki, kiedy z góry wiedzieli, że nie przyniesie im ona żadnych korzyści. Zawsze zastanawiało mnie, dlaczego myśleli, że będę znała odpowiedź na to pytanie. Po jakimś czasie zdałam sobie jednak sprawę, że tak naprawdę większość moich czytelników wcale nie chciała uzyskać na nie odpowiedzi. W rzeczywistości wcale nie chcieli rezygnować z planowanej wyprawy, na którą tak długo czekali i z którą wiązali tak wiele nadziei. Ale za każdym razem, kiedy uświadamiasz sobie, że nie ma już odwrotu, nawet jeśli sam o to zabiegałeś, ciągle chcesz mieć poczucie, że możesz się jeszcze wycofać. Nie chcieli bez reszty oddawać się w ręce przeznaczenia. Chcieli wiedzieć, że jest gdzieś wyjście ewakuacyjne, przez które będą mogli uciec, gdyby zaistniała taka potrzeba.

Kiedy wróciłam do domu, na kuchennym stole czekał na mnie list od Emily.

Droga Annie,

miałam nadzieję, że uda nam się porozmawiać przed moim wyjazdem, ale musiałam wracać na Manhattan ze względu na zajęcia, które prowadzę jutro rano.

Może uda nam się wkrótce spotkać?

Emily

Odłożyłam kartkę z powrotem na stół, zastanawiając się, o czym miała nadzieję porozmawiać ze mną Emily. Być może o wszystkich tych sprawach dotyczących jej syna, których nie rozumiałam? Albo o jego potrzebach i o tym, co według niej było dla niego najlepsze? Albo o wszystkich tych rzeczach, które powinniśmy byli przemyśleć, zanim zdecydowaliśmy się na wspólne życie?

Na kuchennym stole oprócz listu od Emily znajdowały się również resztki kolacji, którą przygotowała bliźniakom: grillowane skrzydełka z kurczaka, frytki ze słodkich ziemniaków z curry, a na deser jeżynowo-bananowy koktajl mleczny. Sięgnęłam po garść frytek i zabrałam je ze sobą na górę. Wolno powłóczyłam nogami w kierunku sypialni. Czułam się kompletnie wykończona dzisiejszymi kłótniami. Kłótnią z Jordan, której kompletnie się nie spodziewałam, i kłótnią z Griffinem, którą sama chciałam sprowokować.

Ulżyło mi, kiedy zauważyłam, że drzwi do sypialni bliźniaków są zamknięte, a światło zgaszone. Poczułam jeszcze większą ulgę, kiedy mijając łazienkę, usłyszałam szum odkręconej wody z prysznica i głośne nucenie Jesse'a, które dało się słyszeć nawet z końca korytarza. Miałam wystarczający dowód na to, że resztę wieczoru uda mi się spędzić w samotności, w ciszy i spokoju, bez konieczności obcowania z kimkolwiek.

Kiedy weszłam do sypialni, przekonałam się, w jak wielkim byłam błędzie. Niezbite dowody zwiastujące spokojne zakończenie koszmarnego dnia okazały się fałszywe. Myliłam się też co do resztek jedzenia w kuchni. Nie znajdowały się wyłącznie na stole. Były też tutaj. Pokrywały całą podłogę sypialni, która przybrała teraz kolor grillowanej czerwieni, ziemniaczanej pomarańczy i jasnojeżynowego koktajlu. Bardzo stylowo.

Ten wytworny zestaw kolorów znajdował się nie tylko na podłodze, ale i na wszystkich moich zdjęciach. Leżały tam umazane resztkami sosu i koktajlu, kompletnie zniszczone.

Nie wiem, jak długo stałam sparaliżowana w drzwiach sypialni, ale kiedy się odwróciłam, zobaczyłam Jesse'a. Stał obok mnie ubrany w jeansy i koszulkę z gigantycznym napisem ATOM, jakby namalowanym sprayem. Jego włosy jeszcze nie wyschły po kąpieli.

– Wiem, że nie wygląda to najlepiej... – zaczął. – I pewnie nie jest to też najlepszy moment, żeby powiedzieć ci, że istnieją pewne podejrzenia, że Sammy połknął twoją obrączkę.

– Pewne podejrzenia?

– Mój jedyny trop prowadzi właśnie do niego – kontynuował. – Ponieważ powiedział mi, że połknął również stół kuchenny.

Odwróciłam się, by spojrzeć na stolik nocny, i zobaczyłam miejsce, w którym tego ranka zostawiłam obrączkę. Ewidentnie jej tam teraz nie było. Podeszłam bliżej, z nadzieją że tylko spadła na podłogę. Rozejrzałam się dookoła rozpaczliwie, wypatrując błysku złota na dywanie. Zajrzałam pod łóżko i pod stolik. Nigdzie jej nie było.

Jeszcze raz rozejrzałam się po pokoju, by upewnić się, że to, co widzę, nie jest tylko wytworem mojej wyobraźni. Wbijałam wzrok w pobojowisko przede mną. Moje zdjęcia. Wszystkie negatywy. Niewywołane rolki filmów. Pudełka porozrzucane po podłodze. Wszystko było kompletnie zniszczone.

– Pomóc ci z tym? – zapytał Jesse, przełamując pełną napięcia ciszę.

– Możesz mi pomóc się stąd wydostać – odparłam, patrząc mu prosto w oczy.

Usiedliśmy na schodach przed domem. Ja na dolnym, a Jesse na górnym stopniu. Na schodku pomiędzy nami postawiliśmy butelkę bourbona. Zaczęliśmy wprowadzać w życie misterny plan, który zakładał upicie się do nieprzytomności. Patrzyliśmy na nocne niebo, pełne błyszczących gwiazd. Pozwalaliśmy, by alkohol rozgrzewał nas od środka w oczekiwaniu, aż Griffin wróci do domu. Po pewnym czasie byłam już tak pijana, że postanowiłam opowiedzieć Jesse'owi wszystko, co od bardzo dawna leżało mi na sercu. Opowiedziałam mu, jak zakończył się mój związek z Nickiem i jak straciłam pracę w redakcji. Opowiedziałam też o całym dzisiejszym zwariowanym dniu: o spotkaniu z Gią w łazience, o Jordan i o mistrzu patelni Griffinie. Nie pominęłam żadnych szczegółów. I najwyraźniej opowiadałam to w bardzo zabawny sposób, ponieważ Jesse nie przestawał się śmiać. Mało tego, jego śmiech był histeryczny.

Był tak rozbawiony dramatycznymi historiami, z których składało się moje życie, że na koniec kazał mi jeszcze raz opowiedzieć, jak Jordan nazwała jego brata mistrzem patelni.

– Cieszę się, że chociaż ty uważasz, że moje życie jest zabawne – powiedziałam.

– Muszę przyznać – stwierdził, wycierając łzy z policzków i usiłując zwalczyć ostatni atak śmiechu – że naprawdę jest.

Nie mogłam nawet udawać, że czuję się urażona jego reakcją, ponieważ sama nie przestawałam się śmiać.

– Czy ta twoja przyjaciółka Jordan zawsze zachowuje się jak skończona suka? – zapytał w końcu.

– Hej! To nie *fair*. Wcale tak nie jest – stanęłam w jej obronie.

– Myślę, że jednak jest.

– Ona po prostu się o mnie martwi – tłumaczyłam, usiłując bronić przyjaciółki. – Wydaje jej się, że ze złości i rozczarowania podejmuję irracjonalne decyzje i że tym razem posunęłam się za daleko.

– A co, jeśli ma rację? – zapytał Jesse, kiedy ja sięgałam po butelkę bourbona. Wzięłam pokaźny łyk, mimo że alkohol palił mi gardło.

– Nie rozumiem. W sumie nie powinnam być tym zaskoczona, ponieważ w chwili obecnej widzę cię potrójnie. Ale co właściwie chcesz przez to powiedzieć?

– Co, jeśli Jordan ma rację, mówiąc, że posuwasz się, jak ona to ujęła, za daleko? Dlaczego niby twoje działania miałyby mieć gorszy rezultat niż to wszystko, co spotkało cię do tej pory?

– Nie jestem pewna, jak, z drugiej strony, miałoby mi to wyjść na dobre – odpowiedziałam, podając mu butelkę.

– Po prostu wydaje mi się, że posuwając się za daleko, wylądowałaś dokładnie w tym miejscu, w którym miałaś się znaleźć. Tak czy inaczej. Nawet jeśli zostałabyś w swoim pięknym domu w Los Angeles i wiodła nie całkiem udane życie, pracowała tam, gdzie pracowałaś, mimo że zajęcie to już dawno przestało ci odpowiadać, a jedynie pozwalało uciec od rzeczywistości, rezultat byłby ten sam.

– To nie tak – zaprotestowałam.

– A mnie się wydaje, że właśnie tak – powiedział. – Pozostaje jeszcze jedno pytanie. Co zamierzasz z tym teraz zrobić? Jak chcesz tam dotrzeć?

– Dokąd dotrzeć?

– Do miejsca, które pozwoli ci w końcu dokonać wyboru. W którym będziesz mogła zdecydować, co tak naprawdę się dla ciebie liczy, co sprawi, że twoje życie nabierze dla ciebie znaczenia.

Zaczęłam mieć kłopoty z podążaniem za jego logiką. Mimo że byłam już kompletnie wstawiona, zaczęłam zastanawiać się, do kogo on tak naprawdę to wszystko mówi. Do mnie czy do siebie?

– Martwisz się, że ona ci tego nie wybaczy? – zapytałam. – Kiedy minie trochę czasu i opadną już wszystkie emocje. Martwisz się, że Cheryl nie będzie chciała spróbować jeszcze raz?

– To nie o Cheryl się martwię – powiedział, biorąc kolejny, duży, powolny łyk prosto z butelki. Obserwowałam go lekko zdezorientowana.

– Martwisz się o Jude Flemming? – spytałam.

– Tak, martwię się o Jude – powtórzył za mną. – W końcu to ona jest tutaj najbardziej poszkodowana.

– Co masz na myśli?

– Zaczęliśmy się spotykać, kiedy znajdowałem się w cholernie złym momencie swojego życia. To był ciężki okres dla wszystkich, nie tylko dla mnie – powiedział. – Ja i Cheryl właśnie postanowiliśmy rozstać się na jakiś czas i…

– Poczekaj. Rozstałeś się z Cheryl, zanim pojawiła się Jude?

– Tak.

– Czyli nie rozstałeś się z żoną przez Jude? – zapytałam, usiłując poukładać sobie to wszystko w głowie.

– Nie było w tym ani trochę jej winy. – Jesse pokręcił przecząco głową. – Wydawało jej się, że będzie lekarstwem na wszystkie moje problemy. I że ja będę lekarstwem na jej problemy. Wszystko byłoby dobrze, gdyby nie fakt, że tak naprawdę nigdy nie przestałem chcieć być ze swoją żoną. Nigdy nie przestałem jej kochać. Chciałem, żeby to było jasne, ale ona nie chciała tego zrozumieć.

– Ona, czyli kto?

– Sama zdecyduj.

Nie wiedziałam, co powiedzieć.

– A najgorsze w tym wszystkim jest to, że ja i Jude poszliśmy ze sobą do łóżka tylko jeden raz. Wyobrażasz sobie? Jeden raz, a ona zachodzi w ciążę. – Przerwał na chwilę, biorąc kolejny pokaźny łyk prosto z butelki. – Stosunki międzyludzkie bywają zdradliwe. Jesteśmy jak bohaterowie filmów uświadamiających dla młodzieży. Tyle tylko, że w wersji dla dorosłych.

– Ale... – Zaczęłam zastanawiać się nad tym wszystkim, co mówił Jesse. Byłam kompletnie skołowana, ponieważ nie tak wyobrażałam sobie tę historię. – W takim razie dlaczego właściwie rozstałeś się z żoną?

– Zapisałem ją na zajęcia z jogi. To miał być prezent urodzinowy. Prywatne lekcje. Miał je prowadzić koleś o imieniu Matthew. Po prostu Matthew. Bez nazwiska. Jak Madonna. Wyobrażasz to sobie? Ale podobno był najlepszym instruktorem w całym Bostonie. Pomyślałem, że wykupię jej te zajęcia, ponieważ nigdy wcześniej nie zwracałem zbyt dużej uwagi na to, czy podobają jej się moje prezenty. Postanowiłem więc, że tym razem się wysilę i poświęcę trochę czasu, by dowiedzieć się, co sprawi jej przyjemność. Wbrew swojej niezawodnej intuicji postanowiłem, że go zatrudnię.

– W porządku...

– Reasumując, ostatecznie udało mi się dać mojej żonie na urodziny coś, co naprawdę jej się spodobało.

– Cheryl i Matthew? – Otworzyłam szeroko oczy. Nie mogłam w to uwierzyć.

– Cheryl i Matthew. Jednak jeśli wierzyć jej słowom, to nie chodzi o bliskość fizyczną, ale o emocjonalną. Tak czy inaczej, jak można z czymś takim w ogóle konkurować? W końcu, skoro dawał jej aż tyle doznań emocjonalnych, czy nie oznacza to wyłącznie tego, że nie dostawała ich ode mnie?

– Przykro mi. – Były to jedyne słowa, jakie przyszły mi do głowy. Jesse przeczesał włosy palcami.

– Teraz chyba nawet ona sama nie wie, czego chce. Wróciła na jakiś czas tylko po to, żeby po chwili znów odejść – kontynuował. – Ostatnio znowu zaczęła mówić o powrocie, ale później poczuła, że jednak nie jest na to gotowa.

– Jak można się w ogóle na coś takiego przygotować? – zapytałam, a Jesse wzruszył tylko ramionami.

– Ja i Cheryl byliśmy ze sobą od drugiego roku studiów. Ona studiowała botanikę. Zapisałem się na jakieś cholernie nudne zajęcia o roślinach i glebie tylko po to, by móc być bliżej niej. – Pokręcił głową, jakby z niedowierzaniem, że był zdolny do czegoś takiego. – Wydaje mi się, że czasem ciężko wytrwać przy kimś, kiedy było się ze sobą tyle czasu.

Wzięłam od niego butelkę whisky. Przyłożyłam ją sobie do ust i przytrzymałam przez chwilę. Czułam się kompletnie pijana. Chciałam wyciągnąć rękę w jego kierunku i dotknąć jego ramienia, pocieszyć go, zapewnić, że wszystko się ułoży. Ale tak naprawdę nie wiedziałam przecież, czy tak właśnie będzie. Dlatego też zamiast robić cokolwiek, po prostu odstawiłam butelkę i podniosłam głowę. Spojrzałam w niebo, na znajdujące się wysoko nad naszymi głowami gwiazdy.

– Cholera, Jesse – powiedziałam po chwili, przerywając nocną ciszę. – Ty to potrafisz sprawić, że człowiek nabiera zdrowego dystansu do własnych problemów.

Jesse znowu zaczął się śmiać. Po chwili śmiałam się razem z nim.

– Cieszę się, że mogłem pomóc – powiedział. – Ale na twoim miejscu nie zachowywałbym się tak, jakbym nagle znalazł lekarstwo na wszystkie swoje problemy.

– Co masz na myśli?

– Ja przynajmniej wiem, dokąd zmierzam w życiu. Muszę tylko znaleźć sposób, żeby tam dotrzeć.

Zaczęłam wypytywać go, czego tak naprawdę teraz pragnie. Czy chce wrócić do Cheryl? Czy może zostanie z Jude? Ale zanim zdążyłam dowiedzieć się czegokolwiek, Jesse skierował naszą rozmowę na zupełnie inne tory. Oczywiście ja stałam się jej głównym tematem.

– Ty natomiast, moja droga Annie – zaczął, zabierając mi butelkę – ciągle nie chcesz zaakceptować swojego przeznaczenia.

– Myślisz, że coś takiego istnieje w moim przypadku?

– Myślę, że każdy ma swoje przeznaczenie.

– Masz zamiar mnie uświadomić? – Uśmiechnęłam się.

– Nie chcę psuć ci całej zabawy.

Chciałam mu powiedzieć, że wcale nie potrzebuję, by mnie uświadamiał na ten czy jakikolwiek inny temat, ponieważ dokładnie wiem, co chcę zrobić dalej ze swoim życiem. Że chcę zostać tutaj. Chcę być z Griffinem i stworzyć z nim dom właśnie w tym miejscu. Ale w mojej głowie, do granic możliwości przesiąkniętej alkoholem, Griffin w jakiś magiczny sposób przeistoczył się w Nicka. Uświadomiłam sobie więc, że wypowiadanie moich pragnień na głos nie byłoby najmądrzejszym posunięciem.

– A czy próbowałaś rozważyć możliwość, że nie znalazłaś się w tej sytuacji dlatego, że się zapomniałaś, ale dlatego, że w końcu zaczęłaś być ze sobą szczera? – zapytał, podnosząc butelkę bourbona. – Witaj w krainie posuwających się za daleko – dodał, przesuwając butelkę w moją stronę.

ROZDZIAŁ 23

Następnego ranka obudził mnie dzwoniący telefon. Dzwonił w sposób, który kazał mi wierzyć, że ktokolwiek był po drugiej stronie słuchawki, usiłował się ze mną skontaktować już od dłuższego czasu.

Moja głowa była ciężka jak kamień od wypitej whisky i niedoboru snu. Czułam, jak świat wiruje przed moimi oczami, kiedy powoli sięgałam po słuchawkę. Zaczęłam uświadamiać sobie, co się dzieje wokół mnie. Zauważyłam, że jestem sama w sypialni. Griffin najwyraźniej nie spał tutaj ze mną, ponieważ jego część łóżka wyglądała na nietkniętą. Jednak podłoga sypialni w jakiś magiczny sposób została wyczyszczona. Po zdjęciach nie pozostał nawet jeden ślad. Poprawka: nie było ani jednego śladu po moich zdewastowanych, pokrytych resztkami jedzenia zdjęciach. Nagle poczułam, że jedyną rzeczą, na której jestem w stanie się skupić, jest leżenie w kompletnym bezruchu na mojej połowie łóżka w celu uspokojenia gwałtownych ruchów pozostałości alkoholu w żołądku. Miałam nadzieję, że ta pozycja powstrzyma krążącą w moim układzie pokarmowym ciecz przed wydostaniem się na zewnątrz w sposób, którego wolałam uniknąć. Na moje szczęście telefon miłosiernie przestał dzwonić.

Po chwili zaczął ponownie. Ponieważ nie mogłam wymyślić innego sposobu zmuszenia go, by przestał, postanowiłam odebrać.

– Halo? – powiedziałam.

– Jesteś gotowa zacząć śpiewać z radości?

– Słucham?

– Myślę, że powinnaś zaśpiewać mi tę piosenkę Bette Midler. Tę o niedocenionym bohaterze. O tym, który się tobą opiekuje i trzyma cię pod swoimi skrzydłami. Albo, jeśli wolisz, możesz zaśpiewać piosenkę tej dziewczyny, która wygrała amerykańskiego „Idola". Tę o spędzaniu chwili w słońcu.

To był Peter, mój nadzwyczajny były wydawca. Będąc po drugiej stronie słuchawki, wybierał właśnie piosenkę, którą w jego mniemaniu, z jakiegoś bliżej nieznanego mi powodu, powinnam zaśpiewać.

Moja ręka mimowolnie powędrowała w kierunku twarzy. Chciałam natychmiast zasłonić oczy. Miałam nadzieję, że ciemność zatrzyma karuzelę, na której siedziała moja głowa.

– Peter – powiedziałam głosem pełnym cierpienia. – Pozwól, że do ciebie oddzwonię.

– Nie ma mowy, ponieważ uporczywie staram się dodzwonić do ciebie od dłuższego czasu i nie mam zamiaru dłużej czekać. Muszę koniecznie przekazać ci tę wspaniałą wiadomość. – W tym momencie zrobił długą pauzę w celu zbudowania napięcia. – Możesz wrócić do pracy.

– Co? – zapytałam, zdejmując rękę z oczu.

– Po twoim zwolnieniu w redakcji nastał prawdziwy Armagedon, a fala protestów zalała biuro. Być może przesadziłem trochę z tym Armagedonem, ale nie zmienia to faktu, że chcą, abyś wróciła. Co więcej, mnie też chcą z powrotem. A to wszystko dzięki małemu Armagedonowi i pewnym tajnym działaniom z mojej strony. Jesteśmy jak Drużyna A za czasów swojej dawnej świetności. Wracamy do gry!

– Nie mogę w to uwierzyć...

– Nie tylko ty! – powiedział. – Ale t e r a z, zanim pogrążysz się w całkowitej euforii, musisz wiedzieć, że to wcale nie oznacza powrotu twojej kolumny. Przynajmniej nie w poprzedniej formie. Caleb numer dwa chce stworzyć dział podróżniczy z prawdziwego zdarzenia. To ma być prawdziwe podróżnicze imperium. Chce, żeby nowy dział był bardziej konkurencyjny i interaktywny we wszystkich tego słowa znaczeniach. Szczegóły nie zostały jeszcze bliżej sprecyzowane. Ale, nie wdając się w detale, myślę, że spodoba ci się to, co zaraz usłyszysz. Dostaniesz podwyżkę. I to całkiem sporą.

– Serio?

– Moja droga, nawet mnie nie proś, żebym opowiedział ci, jak udało mi się to załatwić. Ale, jeśli ktoś cię o to zapyta, to pewien mały magazyn o nazwie „National Geographic" był tobą bardzo zainteresowany.

– Rozumiem...

– Mogę opowiedzieć ci wszystko ze szczegółami później, ale najważniejszą rzeczą, jaką musisz teraz wiedzieć, jest to, że załatwiłem ci trzyletni kontrakt, trzydziestotrzyprocentową podwyżkę ze skutkiem natychmiastowym i pełne świadczenia medyczne. W zamian oczekują od ciebie znacznie większego zaangażowania. Nie chcą, żebyś zajmowała się wyłącznie prowadzeniem kolumny. Chcą, żebyś pomagała współtworzyć cały dział podróżniczy, cokolwiek ma to oznaczać. Jak oni to ujęli: wszystko zostanie jeszcze dokładnie sprecyzowane. Jest tylko jeden mały haczyk. Biorąc pod uwagę panujący obecnie terror związany z pracami nad wprowadzeniem planu w życie, wymagają, żebyś przeniosła się do Londynu. W kwestii wyboru mieszkania masz oczywiście wolną rękę. To chyba jeden z plusów pracy dla giganta prasowego.

– Zaczekaj. Jak to: do Londynu?

– Moja droga, jeśli nie wiesz, co mam na myśli, mówiąc Londyn, być może niepotrzebnie aż tak walczyłem o to, żebyś odzyskała swoją dawną posadę w redakcji.

Zamilkłam. Nie miałam pojęcia, jak inaczej mogłabym zareagować.

– Ale ja mieszkam teraz w Massachusetts – powiedziałam w końcu.

– Wiem, że aktualnie mieszkasz w Massachusetts, ale Beckett Media bardzo poważnie myślą o swoim europejskim projekcie. Planowali nawet wysłać mnie do ciebie osobiście, żebym rzucił na ciebie jakiś czar, który sprawi, że wrócisz do pracy – powiedział. – Chcieli, żebyś pracowała tam albo w Berlinie. I powiedzmy sobie szczerze, nie wydaje mi się, byś była wystarczająco wyluzowana, by mieszkać w Berlinie.

– Wielkie dzięki – powiedziałam.

– Chcę ci tylko powiedzieć, że to przecież nie na zawsze – dodał. – Nie mogłabyś na czas trwania kontraktu dojeżdżać do domu?

– Z Londynu?

– Mogłabyś wpadać na weekendy. Przynajmniej niektóre.

– Peter!

– To niepowtarzalna okazja – powiedział głosem pełnym entuzjazmu. – Można by powiedzieć, że to szansa jedna na milion. Taka okazja trafia się tylko raz w życiu, jeśli w ogóle.

– A co z tym, że na wszystko przychodzi odpowiedni czas? – zapytałam, przywołując naszą ostatnią rozmowę w biurze Petera. – Co z twoim stwierdzeniem, że nie byłam ostatnio zbyt zaangażowana w pracę nad kolumną? Że najwyższa pora, by zająć się czymś innym i iść do przodu?

– Moja droga, powiedziałbym absolutnie wszystko, by cię wtedy pocieszyć! – przyznał z obezwładniającą szczerością. – Jakbyś jeszcze tego nie zauważyła, rozmawiamy tu przecież o Londynie. A ty kochasz Londyn! I pamiętaj, że zawsze możesz poprosić później o przeniesienie z powrotem do Stanów. Oczywiście, kiedy przekonają się już, że jesteś niezastąpiona. Daję im na to sześć miesięcy. Jestem pewny, że później będziesz mogła spokojnie wrócić na łono rodziny do tej zapomnianej przez świat wioski. Najwyżej dziewięć miesięcy.

– Peter…

– Miasteczka?

– Nie mogę tego zrobić. Przynajmniej nie teraz. – Pokręciłam przecząco głową. Zrobiłam tak, jakby Peter mógł zobaczyć moją reakcję. A później powiedziałam prawdę, o tym, że żołądek za chwilę pokona moją wątłą siłę woli.

– Peter, muszę już kończyć.

Godzinę później stałam przed restauracją Griffina, zbierając siły, by otworzyć drzwi i wejść do środka. Nie miałam pojęcia, od czego zacząć, jak przekazać mu wiadomość o pracy. Ale jednocześnie wiedziałam, że muszę się z nim zobaczyć. Przynajmniej po to, by chociaż w niewielkim stopniu zrekompensować mu wydarzenia ostatniej nocy. Chciałam wyjaśnić, co się ze mną ostatnio dzieje. Miałam nadzieję, że nasza rozmowa sprawi, że sama zacznę wszystko lepiej rozumieć.

Ale kiedy weszłam do środka, znowu poczułam się kompletnie zdezorientowana. To, co zobaczyłam, tylko pogłębiło wszystkie moje wątpliwości. Przy nowo wykończonym barze, na świeżo zamontowanym, wypolerowanym na wysoki połysk barowym krześle siedziała Gia. Pochylała się nad kontuarem i kubkiem świeżo zaparzonej kawy w stronę Griffina, który z kolei pochylał się ku niej. Oboje się z czegoś śmiali. Wyglądali na bardzo szczęśliwych.

Zatrzymałam się w progu, w momencie kiedy obydwoje odwrócili się w moją stronę na dźwięk otwieranych drzwi.

– Annie… – Griffin chciał coś powiedzieć, a Gia pomachała do mnie na powitanie.

Nie wiedząc, jak inaczej mogłabym się zachować, również jej pomachałam. Jednym, szybkim ruchem ręki.

A później wyszłam. Zbyt szybko i niezręcznie, by mogło to wyglądać naturalnie.

Griffin wyszedł chwilę później, wołając za mną, bym poczekała. Poważnie rozważałam możliwość zignorowania go. Nie chciałam się odwracać. Ale musiałam. Głównie dlatego, że poszłam w złym kierunku i nie miałam bladego pojęcia, dokąd idę.

– Możesz się zatrzymać? – poprosił, kładąc rękę na moim ramieniu. – Annie, daj spokój...

– Przepraszam. Nie chciałam wam przeszkadzać.

– W niczym jej nie przeszkodziłaś – powiedział, a ja na chwilę zamilkłam.

– Chyba wam – dodałam po sekundzie. – Chciałeś powiedzieć, że wam w niczym nie przeszkodziłam.

– A co powiedziałem?

– Powiedziałeś „jej".

Nie umiałam sobie wytłumaczyć, dlaczego jego wersja była dla mnie gorsza. Może dlatego, że nawet wtedy, kiedy sprawy między nami nie miały dotyczyć innych ludzi, zaczynałam myśleć, że nie jesteśmy w stanie się od nich uwolnić. Wszystko, co nas dotyczyło, było zależne właśnie od nich.

– Posłuchaj mnie przez jedną chwilę. Wiem, co sobie pomyślałaś, ale to nie tak. Pozwól, że ci to wyjaśnię. Gia pokłóciła się z chłopakiem i potrzebowała rady. Chciała ze mną tylko porozmawiać. Wygadać się. To wszystko. – Griffin starał się przekonać mnie, że wizyta Gii miała charakter czysto przyjacielski.

– Chciała porad od ciebie? – spytałam z niedowierzaniem. – W sprawach dotyczących jej chłopaka?

– On nie zachowuje się wobec niej najlepiej.

Chciałam dodać, że nie tylko on.

– Tak naprawdę nigdy go nie lubiłem – kontynuował. – Nawet przed tym wszystkim. Zawsze miałem złe przeczucia co do niego.

– Czy naprawdę uważasz, że jesteś właśnie tą osobą, której powinna się z tego zwierzać? – zapytałam, czując, że nasza sytuacja staje się coraz gorsza.

– Wiem, że zabrzmi to śmiesznie, ale wydaje mi się, że to dobrze. To dobrze, że w końcu ze sobą rozmawiamy. Myślę, że wyjdzie nam to na dobre. Staram się po prostu wszystko poukładać, sprawić, by przeszłość stała się w końcu przeszłością. Wiesz przecież, że tak jest.

Przecząco pokręciłam głową, ponieważ tego właśnie nie wiedziałam. Czułam się kompletnie zagubiona, a w mojej głowie panował chaos. Wszystko zaczęło mi się mieszać. Granica między naszą przeszłością a teraźniejszością przestała istnieć. Wszystko łączyło się w jedno. Gia i Nick, Griffin i ja, Jesse, Cheryl i Jude. Moja stara praca w redakcji, fotografia i moja nowa praca w redakcji. Przecież powinna istnieć jakaś wyraźna granica oddzielająca te dwa światy: przeszłość i teraźniejszość. Ale może ja i Griffin tak szybko podejmowaliśmy decyzje, że w jakiś magiczny sposób zatarliśmy tę granicę. Pozbyliśmy się jej właśnie wtedy, kiedy potrzebowaliśmy jej najbardziej. Potrzebowaliśmy jej po to, żeby utwierdzić się w przekonaniu, że wiemy, dokąd zmierzamy.

– Wrócisz do środka? Jest koszmarnie zimno – powiedział, obejmując się rękoma dla podkreślenia tych słów.

Ale ja byłam zbyt zdenerwowana. Zbyt wściekła. Przerażała mnie myśl, że tak naprawdę obydwoje znajdujemy się dokładnie w tej samej sytuacji. Być może wskoczyliśmy w to nowe życie, nie mając pojęcia, jak je ochronić.

Ale mimo to albo właśnie przez to, postanowiłam powiedzieć mu, co zrobiłam.

– Rano wysłałam e-mail w twoim imieniu – zaczęłam. – Wiadomość do wszystkich moich byłych współpracowników z redakcji. Do wszystkich krytyków kulinarnych, jakich znam, i do wszystkich dziennikarzy zajmujących się pisaniem o życiu i stylu. Oraz do tych piszących o sztuce. Zaprosiłam ich, żeby przyjechali na to otwarcie albo żeby odwiedzili restaurację w innym dowolnym czasie. Pomyślałam, że chciałbyś o tym wiedzieć.

– Dziękuję – powiedział, kiedy ja znowu zaczęłam iść, tym razem we właściwym kierunku.

– Annie, dokąd idziesz!? – zawołał za mną, ale ja nie byłam w stanie nic odpowiedzieć.

Być może Griffin podświadomie zrozumiał to, czego nie umiałam powiedzieć mu otwarcie, ponieważ zbliżył się do mnie.

– Annie, wybrałem ciebie. Już pierwszego dnia. Wiedziałem, że chcę być tylko z tobą od chwili, kiedy się poznaliśmy. – Griffin przerwał na chwilę. – Wiem, że ty też o tym wiesz, nawet jeśli teraz udajesz, że jest inaczej.

– Ciągle powtarzasz, że to wszystko należy do przeszłości. – Potrząsnęłam głową, dając mu do zrozumienia, że to wcale nie jest takie proste. – Ale nie można nazwać przeszłością czegoś, co nieustannie łączy się z teraźniejszością. Wtedy to coś zupełnie innego.

– To znaczy co?

– Powód, dla którego powinniśmy skończyć tę rozmowę – ucięłam.

Kiedy Griffin wrócił tej nocy do domu, udawałam, że śpię. Leżałam w całkowitym bezruchu, kiedy wszedł do sypialni. Później rozebrał się, wziął prysznic, wszedł do łóżka i przykrył się kołdrą. Położył dłonie na oczach. Nie odezwał się ani słowem.

W tym momencie wróciło do mnie wspomnienie naszej pierwszej spędzonej razem nocy. Przypomniałam sobie nasz pierwszy wspólny poranek. Próbowałam wtedy udawać, że śpię, zupełnie tak jak teraz. Tyle tylko, że on nie dał się oszukać i od razu mnie zdemaskował. Zrobił wtedy coś, czego tak bardzo potrzebowałam. Podszedł do mnie i zaoferował swoją bliskość.

Może tym razem przyszła kolej na mnie. Może była to okazja, bym mogła mu się odwdzięczyć za tamtą chwilę.

Dwadzieścia centymetrów. Taka odległość dzieliła nas w tym momencie. Dwa razy objechałam świat dookoła. Byłam trzy razy w Dubaju, cztery razy w Hongkongu. Odszukałam najmniejszą wioskę w Nowej Zelandii, mimo że wiązało się to ze spędzeniem trzech dni na łodzi.

Potrafiłam dotrzeć w najdalszy zakątek świata, bez żadnego wysiłku.

A jednak teraz nie umiałam znaleźć w sobie wystarczająco dużo siły, by pokonać marne dwadzieścia centymetrów oddzielających mnie od osoby, której potrzebowałam najbardziej.

ROZDZIAŁ 24

Kilka dni później zrobiłam coś, czego nigdy bym się po sobie nie spodziewała. Pojechałam do Amherst i odwiedziłam bibliotekę przy tamtejszym uniwersytecie stanowym, by zebrać materiały do pożegnalnego artykułu w mojej dawnej kolumnie. Miał on dotyczyć Las Vegas. To dziwne, że miasto, które znajdowało się tak blisko Los Angeles, nigdy wcześniej nie stało się celem żadnej z moich podróży. Miało do zaoferowania mnóstwo niesamowitych atrakcji, spośród których ja wybrałam kilka najbardziej godnych uwagi. Należały do nich wycieczka po kanionie Red Rock (w części „Oczy szeroko otwarte"), podziemna koreańska restauracja (w części „Sekretny składnik"), dziwaczna interesująca społeczność zamieszkująca tereny wokół jeziora (w części „Zbaczając z kursu") oraz prywatne podmiejskie kasyno, położone z dala od zgiełku tętniącego życiem centrum, które otwierane jest wyłącznie po północy i gdzie pracuje legendarny Edward, najstarszy krupier w całym Las Vegas, z siedemdziesięciojednoletnim doświadczeniem w rozdawaniu kart (w części „Odważ się").

W ostatniej części artykułu („Jedna rzecz, której nie znajdziesz w żadnym innym miejscu") opisałam swoją osobistą wyprawę. Była to pierwsza i ostatnia osobista rzecz, którą zdecydowałam się podzielić z moimi czytelnikami. Postanowiłam opisać pewną kaplicę. Maleńką kaplicę o pomarańczowych okiennicach, przed którą rosły drzewka cytrusowe. Znajdowała się na samej granicy miasta Las Vegas. Stanowiła idealne miejsce dla zorganizowania cichego, kameralnego ślubu z dala od szumu wielkiego miasta. Była to kaplica, w której kapelan obdarowywał nowożeńców ślicznym bukietem biało-zielonych kwiatów i wręczał im po lampce szampana o smaku malinowym. Kaplica, w której można było spędzić kilka chwil tylko we dwoje, przed samą ceremonią i tuż po niej.

Ale nie opisałam tego wszystkiego w moim artykule. Zamiast tego napisałam jedno, jedyne zdanie: „Ponieważ jest to miejsce, w którym wyszłam za mąż".

Kliknęłam „wyślij" i szybko wyszłam z biblioteki. Powinnam raczej powiedzieć, że chciałam z niej szybko wyjść, kiedy nagle coś zauważyłam. Na tablicy z ogłoszeniami, znajdującej się tuż przy wyjściu z biblioteki, zobaczyłam plakat informujący o zorganizowanej przez wspólnotę studencką nocy filmowej. Filmem, który miał być wyświetlany, były oczywiście *Rzymskie wakacje*.

Nie jestem w stanie wytłumaczyć, dlaczego właściwie zdecydowałam się tam pójść. Dlaczego poczułam obezwładniającą ochotę, by zatracić się w jego magicznej atmosferze. Może dlatego, że czułam taką straszną pustkę w środku. Pustkę, przeraźliwe zmęczenie i obojętność. A może zrobiłam to z zupełnie innego powodu. Dlatego że w tym momencie poczułam coś o wiele bardziej niebezpiecznego, zdradliwe połączenie dwóch całkowicie sprzecznych emocji. Poczułam, że mogę się zagubić i odnaleźć w jednym momencie. Dopiero później przekonałam się, że zbliżałam się do punktu, w którym obie opcje były tak samo możliwe.

Weszłam do sali projekcyjnej w połowie filmu. W momencie, kiedy na ekranie Joe Bradley i księżniczka Anna siedzieli na bajecznych Schodach Hiszpańskich, a on przekonywał ją, by wyszła poza ramy konwenansów i zrobiła to, o czym zawsze marzyła. Żeby chociaż raz dała się ponieść chwili i zaczęła cieszyć się życiem. Namawiał ją, by skorzystała z tej wyjątkowej okazji i zatraciła się w wąskich uliczkach Rzymu. Żeby zajrzała do malowniczej kawiarni tuż za rogiem, wybrała się na przejażdżkę motocyklem i poszła potańczyć. Żeby odszukała magiczny mur, który sprawia, że spełniają się modlitwy. Żeby chociaż ten jeden jedyny raz posłuchała głosu serca.

Udało mi się obejrzeć film do samego końca, aż do najbardziej romantycznego fragmentu, kiedy Audrey Hepburn siedzi w samochodzie Joe Bradleya i żegna się z nim. Ich wspaniała przygoda dobiega końca, a oni muszą wrócić do szarej rzeczywistości, w której ich miłość nie może się wydarzyć.

„Tutaj się rozstaniemy. Dojdę do tamtego rogu i skręcę. Chcę, żebyś odjechał. Nie patrz, w którą stronę idę. Odjedź i zostaw mnie tu. Tak jak ja zostawiam ciebie"*.

Zdążyłam akurat, by zobaczyć najcudowniejsze momenty filmu. I zostałam do samego końca, delektując się każdą sekundą.

A czterdzieści osiem godzin później zjawił się Nick, by zabrać mnie do domu.

---

* *Rzymskie wakacje*, tłum. Agnieszka Kopińska.

CZĘŚĆ III

DŁUGO I SZCZĘŚLIWIE... PODEJŚCIE DRUGIE

„Możesz tego dokonać, uwierz mi, to dozwolone.
Zacznij na nowo historię swojego życia".
Jane Hirshfield

ROZDZIAŁ 25

Zdecydowałam, że ostatecznie wszystko sprowadzało się właśnie do tego.

Był dzień otwarcia restauracji Griffina, kiedy uświadomiłam sobie, że muszę to pamiętać. Że muszę to w i e d z i e ć. Zanim jeszcze otworzę oczy po przebudzeniu. Muszę znać przynajmniej pięć szczegółów dotyczących tego pokoju. Była to dobra liczba. Można było uznać, że jest wystarczająco duża. Musiałam udowodnić sobie, że budząc się w czyimś domu, w domu, który należał do mojego męża, budząc się w sypialni, w której zobowiązałam się budzić do końca swoich dni, znam w niej przynajmniej te pięć rzeczy. Że potrafię wymienić je z pamięci. Że ta wiedza pochodzi z miejsca znajdującego się gdzieś wewnątrz mnie. Być może wtedy poczułabym, że jest to również mój dom. I być może pomogłoby mi to zdecydować, co zrobić dalej.

Po pierwsze, na ścianie naprzeciwko łóżka wisiało czarno-białe zdjęcie teatru Strand, znajdującego się w Keyport w New Jersey. Było to niezwykle piękne zdjęcie. Przedstawiało widok z profilu na ten wspaniały budynek. Fotografia zajmowała prawie całą ścianę. Zrobiła ją matka Griffina, a on sam ją wywołał i oprawił. Zrobiła ją, kiedy Griffin był jeszcze małym chłopcem, podczas lata, które całą rodziną spędzili na wybrzeżu New Jersey. Griffin opowiadał mi, że pamięta, kiedy je robiła, ponieważ był to jedyny moment podczas całego dnia zwiedzania, kiedy jego matka nie nalegała, żeby jej synowie znajdowali się w kadrze. Chciała mieć zdjęcie wyłącznie teatru. Widziałam niezwykle podobne zdjęcie teatru w witrynie galerii sztuki w Venice Beach. Tamto zdjęcie również zrobiło na mnie ogromne wrażenie, ale nie weszłam do środka, żeby dokładniej mu się przyjrzeć. Więc może wspomnienie o fotografii z galerii nie było aż tak wyraźne. Może wcale nie przedstawiało tego, co widziałam teraz w swoich wspomnieniach. Może nie to zwróciło moją uwagę. Może tak naprawdę nie było to pierwszą rzeczą, która połączyła mnie z Griffinem, jeszcze zanim się poznaliśmy.

Po drugie, wielkie, szklane drzwi znajdujące się po lewej stronie sypialni. Para przepięknych drzwi w stylu francuskim prowadzących wprost na wielki balkon. To była moja ulubiona część sypialni. Ulubiona część całego domu. Te wspaniałe drzwi i balkon. Ten dom i niesamowity kunszt, z jakim został zbudowany, tworzyły wspaniałą, niepowtarzalną aurę, której nie dało się nie poczuć. Griffin wystawił bujany fotel z wikliny na balkon, a ja uwielbiałam siadać w nim i obserwować otoczenie. Lubiłam patrzeć na podwórko, na las i na rzekę płynącą między drzewami. Przynajmniej te dwa razy, kiedy miałam okazję to zrobić.

Po trzecie, w rogu pokoju stało biurko. Było żelazne i pochyłe, zupełnie jak miejsce pracy artysty, tyle tylko, że z niewielką szufladą, którą otwierało się za pomocą złotej gałki, a przynajmniej tak mi się wydawało, ale kiedy chwyciłam ją po raz pierwszy, by zajrzeć do środka, gałka odpadła. Ukryłam ją w tej szufladzie. Tę małą, złotą gałkę. Zatarłam ślady mojego przestępstwa. Jeszcze nie powiedziałam o tym Griffinowi. Nawet tego nie byłam w stanie mu powiedzieć.

Po czwarte, ściany pomalowane były na jasny, błękitny kolor. Nie był to odcień oceanu ani granatu. Był o wiele delikatniejszy. Sypialnia Griffina pomalowana była na ten subtelny, błękitny kolor, który idealnie pasował do brązowych zasłon. Nie można było powstrzymać się od spojrzenia w górę, z nadzieją ujrzenia nieba. W kierunku niesamowitych malunków stworzonych przez Gię, które ciągle znajdowały się na suficie, tuż nad moją głową.

Otworzyłam oczy. Przy numerze cztery miałam już dość. Pomyślałam sobie jeszcze, że obok łóżka stoją dwa pasujące do siebie stoliki nocne wykonane z żelaza i lekko pochylone, zupełnie jak biurko. Ale myliłam się. Kiedy otworzyłam oczy, zdałam sobie sprawę, że jest tylko jeden stolik. Ten, który stał po mojej stronie łóżka. Stolik, który pochłonął moją obrączkę. Po drugiej stronie, po stronie Griffina, znajdowała się mała szafka, na której bezpiecznie spoczywała obrączka należąca do niego.

Więc utknęłam na numerze cztery. Mimo wszystko czwórka była lepsza od trójki. Nie była może piątką, ale i tak stanowiła lepszą alternatywę niż trójka. Dlaczego więc moje serce nagle zaczęło tak mocno bić? Tak mocno, że niemal zaczęło sprawiać mi ból? Dlaczego nagle poczułam, jak ogarnia mnie panika? Nieważne, jak bardzo starałam się odepchnąć od siebie to pytanie, ono nadal do mnie wracało, i to ze wzmożoną siłą: „Czy ja naprawdę tutaj pasuję?".

Prawda jest taka, że była również rzecz numer pięć, o której doskonale wiedziałam. Tyle tylko, że przedmiot numer pięć należał wyłącznie do mnie. Była nim stojąca w pobliżu drzwi walizka. Nadal spakowana walizka. Czekała w pełnej gotowości na chwilę, kiedy będę chciała jej użyć. W ułamku sekundy mogłam ją chwycić i uciec.

Ale właśnie wtedy, kiedy o tym pomyślałam, poczułam na sobie rękę Griffina. Była zaskakująco ciężka. Czy wszyscy mężczyźni mieli takie ciężkie ręce? Na pewno nie Nick. Nie przypominam sobie, bym kiedykolwiek wcześniej była obejmowana przez tak ciężką rękę. Tak silną i wytrwałą. Gotową na to, by przekazać mi odrobinę swojej siły, bym dzięki niej poczuła się bezpiecznie. Przez jego rękę przechodziła długa, wyraźna żyła. Biegła środkiem, ale nie w linii prostej. Była bardziej nierówna i poszarpana. Zupełnie jak linia na mapie lub na wykresie wskazująca ilość opadów albo temperatury w Dakocie Północnej w ciągu ostatnich pięciu lat. Kiedy odwróciłam jego rękę na bok, zobaczyłam na jego nadgarstku połowę tatuażu. Połowę kotwicy przypominającą mi o jego przeszłości, która teraz stała się i moją.

Najwyraźniej nie mogłam zapomnieć też o tym. Griffin wyciągnął rękę i mocno mnie nią objął. I sposób, w jaki się poczułam, to uczucie, które wywołał jego dotyk, sprawiły, że wszystko sobie przypomniałam.

ROZDZIAŁ 26

Griffin zdecydował, że ostatecznie wszystko sprowadzało się do muzyki.

O sukcesie lub porażce otwarcia restauracji miała zdecydować muzyka. Przynajmniej tak twierdził mój mąż. Zakomunikował, że to wielkie wydarzenie odbędzie się przy akompaniamencie wyśmienitej składanki utworów, z których skompilował dziewięć albumów. Wybrał przeróżne piosenki, które jego zdaniem miały przyczynić się do sukcesu. Na płytach znalazły się takie tytuły, jak: *Astral Weeks*, *Boxer*, *18 Tracks*, *The Aeroplane Across the Sea*, *Blue*, *End of Amnesia*, a nawet *I'm Your Man*. Muzyka, która miała idealnie komponować się ze smakiem przygotowanych przez niego potraw. Dźwięki, które miały wzmocnić doznania smakowe wszystkich przybyłych na otwarcie gości.

Spędziliśmy niezliczone długie godziny, usiłując skomponować idealną składankę (co w końcu mogłoby stanowić doskonałe tło dla smaku pysznych fig nadziewanych kozim serem? *Don't Think Twice*? *Cyprus Avenue*?). A kiedy nadszedł w końcu długo wyczekiwany dzień otwarcia restauracji, ja biegałam w kółko w swoich najwyższych szpilkach, z wciąż mokrymi, nieuczesanymi włosami, drukując ostatnie sztuki *menu* z listą ustalonych specjalnie na ten wieczór dań. Byłam tak pochłonięta przygotowaniami, że nie zwracałam najmniejszej uwagi na to, że wnętrze restauracji otaczały gołe ściany, a kominek będący sercem pomieszczenia jeszcze nie został uruchomiony. Kompletnie ignorowałam również dość znaczący fakt, że samo miejsce nie posiadało jeszcze nazwy.

Co do jednego Griffin miał jednak rację. Brak nazwy dla restauracji był najmniejszym problemem, ponieważ wszyscy mieszkańcy doskonale wiedzieli, gdzie mają się udać. W zasadzie wiedzieli to mieszkańcy wszystkich sześciu miasteczek znajdujących się w promieniu kilkunastu kilometrów, sądząc po sporym tłumie, który zdążył się zebrać przed restauracją trzydzieści pięć minut po piątej. Dokładnie pięć minut po naszym nieoficjalnym otwarciu drzwi wewnątrz nie było już ani jednego wolnego miejsca przy stoliku. Szczerze mówiąc, miejsca stojące też powoli zaczynały się kończyć, ponieważ wszyscy znajomi przybywający z rozmaitych miejsc (a także znajomi znajomych), którzy nie pomyśleli o zrobieniu rezerwacji na kolację o 17.30, 19.30 albo o 21.30, zgromadzili się w nerwowym oczekiwaniu koło baru. Jesse'a jeszcze nie było, mimo że obiecał stawić się punktualnie. Pozostawiona sama sobie barmanka nie mogła sprostać wyzwaniu podania drinków wszystkim gościom, którzy oblegali przestrzeń wokół baru, z nadzieją że niebawem zwolni się jakiś stolik albo w wielkich czerwonych drzwiach wejściowych pojawi się ktoś znajomy, kto akurat będzie miał rezerwację i poprosi, żeby się dosiedli.

Byłam najmniej pomocna w całej tej akcji, głównie dlatego, że była to moja pierwsza noc, kiedy musiałam zajmować się gośćmi restauracji (przypominam, że postanowiłam posłuchać cholernie złej rady i założyć swoje najwyższe szpilki). Zamiast robić wyłącznie to, co do mnie należało, czyli wskazywać gościom drogę do ich stolików, przy okazji proponując, by złożyli rezerwację i odwiedzili nas ponownie jeszcze w tym tygodniu lub w najbliższy weekend, zajmowałam się składaniem obietnic, których rzecz jasna nie byłam w stanie dotrzymać. Prosiłam, by poczekali jeszcze przez kolejne pół godziny, aż do momentu, kiedy znajdę sposób, by gdzieś ich ulokować.

Posunęłam się już tak daleko w dawaniu fałszywej nadziei, że ostatecznie wymknęłam się do kuchni, wciąż trzymając w dłoniach stos kart dań, aby schować się przed gniewnymi spojrzeniami coraz głodniejszych gości.

– Dlaczego oni po prostu nie pójdą sobie do domu? – zapytałam Griffina głosem pełnym bezsilności, zerkając na poirytowane twarze klientów przez szparę w uchylonych drzwiach kuchennych. – Czy nie zdają sobie sprawy, że jestem zbyt zajęta, by się nimi zajmować?

Gdyby Griffin nie był sobą, zapewne w tym momencie jego odpowiedź byłaby następująca: „Mówisz poważnie? Ja chyba powinienem zapytać cię o to samo".

Zamiast tego jednak zaśmiał się bez żadnego napięcia czy nerwów, zwyczajnym, zrelaksowanym śmiechem, kontynuując nakładanie gorącej sałatki z gruszkami i kaczką na ciepły talerz. Miał właśnie przejść na stanowisko z daniami głównymi, gdzie jego pomocnicy Nikki i Dominic zajmowali się przygotowywaniem wspaniałego strzępiela w sosie ziołowym, będącego specjalnością Griffina.

– Nie przejmuj się – powiedział spokojnym głosem. – Idź do spiżarni z winami, weź butelkę prosecco. Najlepiej Adami.

– Adami – powtórzyłam, zaczynając rozumieć jego sprytny plan. – Nalać kieliszek wszystkim gościom, którzy zdecydują się poczekać?

– Chciałem powiedzieć, żebyś nalała kieliszek sobie – powiedział, wzruszając ramionami. – Ale twój pomysł też mi odpowiada.

Mocno pocałowałam go w policzek i skierowałam się w stronę tylnych drzwi, prowadzących do spiżarni z winami, znajdującej się na zewnątrz.

– Jesteś geniuszem! – powiedziałam, odwracając się do niego, zanim zdążyłam zniknąć za drzwiami. – I nadzwyczajnym profesjonalistą!

– Tylko uważaj! – krzyknął za mną. – Jeszcze nie zainstalowaliśmy tam oświetlenia.

– Panuję nad sytuacją – powiedziałam. – Jeszcze tu wrócę!

– Będę na ciebie czekał.

Energicznym krokiem zbliżyłam się do drewnianej szopy, która pełniła funkcję spiżarni. Nie udało mi się jednak uchronić się przed zimnem. I mimo że najbardziej skupiona byłam na ogrzaniu się, chociażby za pomocą rąk, którymi się objęłam, to i tak nie mogłam powstrzymać się przed spojrzeniem w niebo rozpościerające się tuż nad moją głową. Widok był naprawdę cudowny. Niesamowite gwiazdy i zimowy księżyc sprawiły, że nocne niebo wydawało się jaśniejsze. Nigdy wcześniej nie widziałam tak niemożliwie jasnego nieba. Pomyślałam sobie, że to musi być dobry znak. Że to dobry omen dla restauracji. Byłam pewna, że ta noc będzie należała do udanych.

Szybkim ruchem zdjęłam kłódkę, otworzyłam drewniane drzwi i weszłam do spiżarni, którą spowijała ciemność. Jedynym źródłem światła w pomieszczeniu była ta księżycowa jasność wdzierająca się do środka przez uchylone drzwi. Przypomniałam sobie nazwę wina, o którym mówił mi Griffin, by upewnić się, że wiem, czego szukam pośród ciemnych butelek. Część z nich porozstawiana była na półkach, a reszta wciąż znajdowała się w drewnianych skrzynkach.

Po chwili zauważyłam je kątem oka na dolnej półce. Stały tam, chwaląc się swoimi pomarańczowymi etykietami, odznaczającymi się na tle jasnej zieleni szkła. Cały długi rząd Adami.

Schyliłam się, by podnieść dwie butelki. Dla pewności jeszcze raz spojrzałam na ich etykiety. Właśnie wtedy usłyszałam znajomy głos, który dobiegał zza moich pleców.

– Cześć, Annabelle…

To był Nick. Przywitał się ze mną, jak gdyby nigdy nic.

W jednej sekundzie odwróciłam się i zobaczyłam go. Byłam tak całkowicie przekonana, że nie mogłam usłyszeć tego, co przed chwilą usłyszałam, że upuściłam obie butelki na podłogę. Wypadły mi z rąk w chwili, gdy stanęłam z nim twarzą w twarz. Zielone szkło rozprysło się po całym pomieszczeniu, a błyszcząca ciecz wylała się na ciężkie zimowe buty Nicka i moje szpilki.

Odruchowo uklęknęłam i zaczęłam zbierać porozrzucane wszędzie ostre kawałki szkła, jednocześnie wycierając z podłogi rozlane wino. Zaczęłam sprzątać szkło, zamiast się przywitać, zamiast zapytać, co on tu, do cholery, robi!

Nick również uklęknął. Tuż przede mną. Nasze kolana prawie się dotykały.

– Ostrożnie – powiedział.

Zignorowałam go, co było bardzo sensowne, ponieważ rozcięcie sobie ręki kawałkiem szkła pokazałoby mu, kto tak naprawdę tutaj rządzi.

– Może powinniśmy wejść do środka i poszukać jakichś rękawiczek? – zaproponował. – Sporo tu tego szkła.

– Nie, dzięki – odpowiedziałam. – Poradzę sobie.

Były to pierwsze słowa, jakie do niego powiedziałam, mimo że minęło już… no właśnie, ile dokładnie? Kiedy rozmawialiśmy po raz ostatni? Pierwsza rzecz, jaką powiedziałam do niego od czasu naszego rozstania. Od czasu mojego wyjścia za mąż.

– W porządku – odpowiedział Nick, potwierdzając swoje słowa lekkim skinieniem głowy.

A później zabrał się do sprzątania. Zaczął zbierać odłamki potłuczonego szkła. Rozglądał się po ciemnym pomieszczeniu w poszukiwaniu widocznych kawałków, aż znalazł szyjkę jednej z butelek, na której wciąż znajdowała się nienaruszona etykietka. Wyciągnął ją w moją stronę, trzymając jak prezent.

Dopiero wtedy naprawdę na niego spojrzałam. Najpierw na szyjkę butelki, później na niego. Ubrany był w koszulkę z głupim nadrukiem przedstawiającym podobiznę Batmana. Do tego sprane, niebieskie jeansy. Na nosie spoczywały jego stare druciane okulary. Zupełnie tak, jakby nigdy nie przestał ich nosić. Wyglądał na nieogolonego i zdeterminowanego, dokładnie tak samo, jak kiedyś. Dla mnie zawsze była to jego najdoskonalsza wersja.

– Myślałam, że jesteś w Londynie – powiedziałam w końcu.

– Byłem. – Nick poprawił okulary. – Właściwie jestem.

– W takim razie co tutaj robisz?

– Przypadkiem tędy przejeżdżałem? – odpowiedział, usiłując zażartować.

Ale jego oczy wyglądały na przeraźliwie zmęczone i smutne. Mogłam to zauważyć, mimo że miał okulary. Nawet w ciemności panującej w szopie. Klęczeliśmy tak na podłodze pokrytej winem i resztkami szkła. Tkwiliśmy tam i patrzyliśmy na siebie.

– Muszę wracać do środka – powiedziałam, odsuwając się od niego o krok. – Przykro mi, że pokonałeś taki szmat drogi na marne. Naprawdę mi przykro, ale muszę wracać do środka. A ty musisz już jechać. Teraz.

Zaczęłam się podnosić, ale Nick wyciągnął rękę w moją stronę i delikatnie złapał mnie za ramię, nie pozwalając wstać. Zupełnie tak, jakby miał do tego prawo.

– Annie, zaczekaj – powiedział. – Przejechałem taki kawał drogi.

– Nikt cię o to nie prosił – odpowiedziałam stanowczo, kręcąc głową.

– Masz rację, ale mogłabyś poświęcić mi chociaż jedną chwilę?

– Dlaczego miałabym to zrobić?

Doskonale znałam odpowiedź na to pytanie. Nawet po tak długim czasie. To jedno wiedziałam na pewno. Między nami wszystko było jeszcze bardzo świeże. Zupełnie tak, jakbyśmy mogli kontynuować w miejscu, w którym przerwaliśmy. Na to właśnie liczył Nick. Miał nadzieję, że miłość mu w tym pomoże. Że miłość przypomni mi, że jest wieczna i bezgraniczna. Zupełnie jakby to było najważniejsze. Jakby to, co było między nami, miało jeszcze jakieś znaczenie.

Nick mógł zapytać mnie o wszystko, o co chciał, później. Mogliśmy pokłócić się i rozmawiać, i nie dojść do żadnych sensownych wniosków, później. Mogliśmy przeanalizować wszystkie te nieistotne szczegóły, które wydarzyły się w czasie, kiedy nie byliśmy razem, później. Ale jeśli kazałby mi zostać tak jeszcze przez chwilę... Gdyby trzymał rękę na moim ramieniu jeszcze przez ułamek sekundy, zbliżając swoje usta niebezpiecznie blisko moich, jeśliby mnie wtedy pocałował, mógłby zdecydować za nas oboje, że to ciągle coś znaczy. Że, być może, znaczy wszystko.

Nie wiem, jak długo tak trwałam. Chciałam uwolnić się od dotyku Nicka, ale jeszcze tego nie robiłam. Nawet nie zaczęłam. Zamiast tego klęczałam na mokrej od wina podłodze szopy. Ponieważ zawsze istnieje ten krótki moment pomiędzy postanowieniem, że coś się zrobi, a faktycznym wykonaniem tej czynności.

I właśnie w tej krótkiej chwili pojawił się mój mąż.

ROZDZIAŁ 27

Griffin stał w progu drzwi do szopy. W ręce trzymał dużą latarkę. Patrzył prosto na Nicka, kiedy on i ja niemal jednocześnie zerwaliśmy się z podłogi, co sprawiło, że cała ta niezręczna sytuacja wyglądała jeszcze gorzej. Niestety, nie wróżyło to niczego dobrego.

– Griffin… – zaczęłam.

– Hej – powiedział Griffin.

Ani raz na mnie nie spojrzał. Nie patrzył nigdzie w moim pobliżu. Jego wzrok był twardo wbity w osobę, która nigdy nie powinna się była tu znaleźć. W mężczyznę, który zdecydowanie nie powinien pojawiać się nieproszony w jego szopie z winem.

Czułam się odpowiedzialna za wyjaśnienie tej sytuacji, ale nie miałam pojęcia, jak to zrobić. Chciałam powiedzieć, że to nie jest to, na co wygląda, ale prawda była taka, że było to dokładnie to, na co wyglądało. Przynajmniej ja nie wyobrażałam sobie innej interpretacji. Ja, klęcząca na podłodze szopy z winem mojego męża z ostatnią osobą, z którą powinnam się znaleźć na podłodze tejże szopy. Dwie butelki wina roztrzaskane pomiędzy nami, no i nie zapominajmy o jego ustach nieuchronnie zbliżających się do moich.

Poza tym słyszałam to zdanie w zbyt wielu kiepskich serialach telewizyjnych, w zbyt wielu filmach klasy B, i zawsze całkowite przeciwieństwo tych słów było o wiele bliższe prawdy. Przecież kilka dni wcześniej usłyszałam je również od Griffina, czyż nie? On i Gia siedzieli w jego restauracji. Rozmawiali, pijąc gorącą kawę. Oddzielał ich tylko ciężki, masywny barowy kontuar. Nie sądzę, żeby był to odpowiedni moment, by do tego wracać, mimo że pewna cząstka mnie bardzo tego chciała. Jak gdyby mogło to jakoś zrównoważyć zaistniałą sytuację.

Zamiast tego postanowiłam się postarać i powiedzieć coś bardziej stosownego.

– Co ty tu robisz? – zapytałam. – Nie powinieneś pilnować swojego strzępiela w kuchni?

Najwyraźniej nie postarałam się wystarczająco mocno.

Griffin wyciągnął rękę, by podać mi latarkę. Po raz pierwszy na mnie spojrzał. Kiedy zobaczyłam jego wzrok, od razu pożałowałam, że to zrobił.

– Pomyślałem, że przyda ci się latarka – powiedział.

– Dzięki. Rzeczywiście miałam niewielkie trudności. Strasznie tu ciemno. Upuściłam Adami. – Włączyłam latarkę, oświetlając podłogę przede mną i pokazując mu rozbite szkło oraz rozlane wino jako dowód. – Właściwie to upuściłam obydwie butelki – dodałam. – Całe szczęście, że nie trzy.

Naprawdę, ktoś powinien był mnie zakneblować.

Griffin wyciągnął dłoń w kierunku Nicka.

– Ty pewnie jesteś Nick? – zapytał spokojnym głosem. Nieco zbyt spokojnym jak na mój gust.

– Miło mi – powiedział Nick.

Uścisnęli sobie dłonie. Zrobili to w ten dziwaczny sposób, sugerujący, że za chwilę ktoś oberwie. Ale uniknęliśmy tego. Oczywiście, że nikt nie oberwał. Griffin był najbardziej opanowaną osobą, jaką znałam. Nigdy nie pozwoliłby, żeby obecność Nicka wyprowadziła go z równowagi. No i nie zapominajmy o jeszcze jednej, dość istotnej kwestii. W końcu wszyscy byliśmy dorośli.

– Strasznie przepraszam, że pojawiłem się bez żadnego uprzedzenia, zwłaszcza w tak ważny wieczór – powiedział Nick. – Nie wiedziałem, że dzisiaj świętujecie otwarcie restauracji. Przynajmniej nie do chwili, kiedy mój samolot wylądował, a taksówka podwiozła mnie pod twój dom.

– Skąd właściwie przyjechałeś? – zapytał Griffin, a ja uświadomiłam sobie, że nie ma takiej możliwości, by stwierdzenie, że Nick przyleciał specjalnie z Londynu, zabrzmiało dobrze. Nie było takiej opcji. Może właśnie dlatego Nick zdecydował się to przemilczeć.

– Leciałem do Nowego Jorku w sprawach służbowych – skłamał.

Nick spojrzał na mnie, ale ja nie miałam zamiaru patrzeć na niego. Byłam zbyt zajęta gapieniem się w punkt znajdujący się gdzieś pomiędzy Griffinem a Nickiem. A Griffin patrzył wyłącznie na Nicka. Wyglądało to trochę jak grupowa gra w spojrzenia. Kto się złamie wcześniej? Kto nie wytrzyma napięcia i odwróci wzrok? Wersja dla dorosłych.

– Nie uwierzycie w to, co mam wam do powiedzenia! – Usłyszeliśmy głos kogoś jeszcze.

Wszyscy odwróciliśmy się, by zobaczyć Jesse'a. Stał w drzwiach szopy, która stawała się coraz bardziej zatłoczona. Jesse wyglądał na nieco bardziej niż zagubionego. Stał w progu, trzymając paczkę chipsów o smaku grillowanego kurczaka. Dlaczego zajęty był pochłanianiem chipsów o smaku grillowanego kurczaka w trakcie otwarcia restauracji swojego brata, w którym miał pomagać? Nie miałam pojęcia.

– Cheryl jest w ciąży – zakomunikował.

– Co takiego? – zapytałam, podnosząc latarkę.

Jej mocne światło go oślepiło, więc pośpiesznie zasłonił oczy ręką.

– Jezu, wyłącz to! – krzyknął. – Nie sądzisz, że mam wystarczająco dużo problemów?

Jak my wszyscy, pomyślałam, kątem oka zauważając zdziwiony wyraz twarzy Nicka.

Jednym kliknięciem wyłączyłam latarkę i odłożyłam na półkę. Odsunęłam ją daleko od siebie, na wypadek gdybym znowu poczuła niepohamowaną chęć włączenia jej.

Tymczasem Jesse kontynuował swoją opowieść.

– Nie mogę w to uwierzyć – powiedział, potrząsając głową z kompletną rezygnacją. – Co wy na to? Odbieram dzisiaj telefon, by usłyszeć głos mojej żony w słuchawce. Miejcie na uwadze, że był to pierwszy raz od wielu tygodni, kiedy Cheryl zadzwoniła do mnie, nie żądając od razu, bym zawołał któregoś z chłopców do telefonu. Więc mówię do niej: „Witaj, żono, co słychać?", a ona na to, że nie dzwoni, by rozmawiać o pierdołach, i krzyczy do słuchawki coś w stylu: „Jestem w ciąży, dupku!". Zupełnie tak, jakby to była moja wina. No, może rzeczywiście trochę się do tego przyczyniłem, przynajmniej częściowo. – W tym momencie Jesse zauważył stojącego obok Nicka. – A to kto?

– Jesse – przerwał mu Griffin i poklepał go po plecach. – Chodźmy do restauracji. Porozmawiamy o tym w środku.

– Nie chcę iść do środka i o tym rozmawiać. – Jesse najwyraźniej nie miał zamiaru nigdzie się stąd ruszać. – Chcę rozmawiać o tym tutaj. Tu, gdzie znajduje się cała gorzała!

– Skoro tak, pozwólcie, że was zostawię – powiedział Griffin. – Czeka na mnie restauracja pełna ludzi, którymi muszę się teraz zająć. – Po tych słowach odwrócił się i wyszedł.

– Griffin! – zawołałam za nim, ale nie zareagował.

Być może powinnam była pójść za nim. Zamiast tego stałam w miejscu i patrzyłam, jak odchodzi. Czułam, że serce staje mi gardle, kiedy znikał za drzwiami prowadzącymi do restauracji.

– A jemu o co chodzi? – zapytał Jesse, odwracając się w moją stronę. – Przecież to ja spodziewam się dziecka. A w zasadzie dwójki. – Jesse wyglądał na całkowicie oszołomionego i zbitego z tropu. Było to widoczne nawet w ciemności panującej w szopie.

– Annie, przepraszam cię za to wszystko – odezwał się Nick. – Naprawdę mi przykro. Ale jeśli mogłabyś poświęcić mi chociaż jedną chwilę, zanim wyjadę, moglibyśmy spokojnie porozmawiać.

– Nie ma mowy – powiedziałam bez zastanowienia, a Nick spojrzał na mnie, potrząsając tylko głową. Wiedział, że nie zmienię zdania.

– W porządku. W takim razie najlepiej będzie, jeśli już pójdę.

Powinien być to koniec rozmowy. Koniec tej niezręcznej sytuacji. Koniec niezapowiedzianej wizyty. Koniec tej podróży. Przynajmniej na razie. Jedynie Jesse miał inne zdanie na ten temat. Dla niego był to najwyraźniej początek.

– Chwila... kim tak właściwie jesteś? – zapytał, kiedy Nick zbliżył się do drzwi.

Był już tak blisko pokonania ostatnich centymetrów oddzielających go od wyjścia. Prawie minął już Jesse'a.

– Nieważne, Jesse. On już i d z i e. – W tym momencie Nick się zatrzymał i odwrócił w stronę Jesse'a, by się przedstawić.

– Jestem Nick Campbell – powiedział. – Jestem przyjacielem Annie.

Jesse skinął głową, ponownie skupiając całą uwagę na mnie. Nagle na jego twarzy pojawił się wyraz świadczący o tym, że właśnie coś sobie uświadomił. Jego oczy stały się większe.

– Ty jesteś Nick? – zapytał. – Nick, były facet naszej Annie?

Ale zanim Nick zdążył odpowiedzieć na to pytanie, zanim ja zdążyłam na nie odpowiedzieć za Nicka, Jesse upuścił paczkę chipsów o smaku grillowanego kurczaka i jednym ciosem powalił Nicka na ziemię. Jednym precyzyjnym ciosem prosto w szczękę zmiótł Nicka z pola widzenia.

– Nic ci się nie stało? – Instynktownie schyliłam się nad Nickiem, łapiąc go za oba ramiona.

– Chyba nie – odpowiedział Nick, usiłując rozmasować zakrwawioną szczękę.

– Na pewno?

– Tak. Nic mi nie jest – powtórzył. – Wygląda na to, że sobie zasłużyłem.

– Co ty, do cholery, wyprawiasz? – Spojrzałam na Jesse'a. – Co chciałeś tym osiągnąć? Nie mogłeś sobie darować? Nie jesteśmy przecież bandą dzieciaków!

– Przecież właśnie powiedział, że sobie zasłużył – odparł Jesse.

– To nie ma znaczenia! Jesteśmy dorośli! – powiedziałam jeszcze głośniej. Byłam już na dobrej drodze, by kompletnie puściły mi nerwy.

Jesse obojętnie wzruszył ramionami i zatrzymując się tylko, by podnieść z ziemi paczkę chipsów, wyszedł na zewnątrz. Zostawił nas w punkcie wyjścia. Znowu byłam sama z Nickiem. I, co dziwniejsze, znowu klęczałam koło niego na podłodze.

ROZDZIAŁ 28

– Chciałabym zrozumieć, o czym ty sobie w ogóle myślałeś, pojawiając się tutaj tak po prostu? – zapytałam.

Ja i Nick siedzieliśmy teraz w łazience znajdującej się w najbliższym hotelu. Hotel Northampton, jedyne miejsce, w którym mogłam go zostawić, biorąc pod uwagę to, w jakim był stanie. Stałam obok niego, usiłując zetrzeć krew z jego rozciętej wargi za pomocą jednego z eleganckich ręczników z wyszytym logo hotelu. Nick siedział naprzeciwko mnie na kontuarze umywalki. Jedną ręką trzymał się za kark, w drugiej natomiast ściskał szklaneczkę szkockiej, która miała pewnie pomóc mu wrócić do równowagi.

– Przecież już cię przeprosiłem. Naprawdę mi przykro – odpowiedział.

– W porządku, ale nie sądzisz chyba, że taka odpowiedź mi wystarczy? – powiedziałam, odsuwając się o krok. Chciałam oszacować, jak mi idzie przywracanie Nicka do stanu używalności.

– A jakie było pytanie? – Spojrzał na mnie pełnym dezorientacji wzrokiem.

– Nie żartuj sobie ze mnie.

Wrzuciłam ręcznik do małego wiklinowego kosza na pranie znajdującego się w łazience i usiadłam na starym krzesełku niedaleko Nicka, zakładając ręce na piersi. Bałam się nawet pomyśleć, jaki wpływ na otwarcie restauracji Griffina mogło mieć to zdarzenie. Niewybaczalne zdarzenie. A jednak siedziałam teraz w hotelowej łazience, twarzą w twarz z tym, który to wszystko spowodował. Oko w oko z prawdą, którą ze sobą przywiózł.

– Wszystko się pogmatwało – powiedziałam, bezradnie kręcąc głową. – Dokonałeś swojego wyboru, Nick. A ja dokonałam swojego.

– Wiem.

– Najwyraźniej nie wiesz. W przeciwnym razie nie siedzielibyśmy tu teraz. – Spojrzałam na niego.

Jeśli mam być szczera, pytanie, co Nick tutaj robił, nie było najważniejsze. O wiele bardziej zastanawiające było to, co j a tu robiłam. Siedziałam w hotelowym pokoju osiemnaście kilometrów od mojego męża. Dlaczego właściwie nie wróciłam do restauracji?

Wróciłam. A właściwie próbowałam. Ale kiedy zobaczyłam Griffina w kuchni, postanowiłam zejść mu z pola widzenia. Pogrążony był już w ferworze pracy. Z dużą swobodą i pewnością siebie przyrządzał kolejne potrawy. Widać było, że stara się zapomnieć o tym, co wydarzyło się w szopie z winami. Nie przerwał pracy nawet wtedy, kiedy zobaczył, że przyszłam. Pomyślałam, że lepiej będzie, jeśli zniknę mu z oczu. Nie chciałam wywierać na nim presji rozmowy o tym, co zaszło, póki sam nie będzie na to gotowy. Nie chciałam doszczętnie psuć mu tego wieczoru, a przynajmniej tego, co z niego jeszcze zostało. Pozwoliłam, żeby skupił się na sobie, na pracy i na tym, czego w tym momencie najbardziej potrzebował. A sama pojechałam do hotelu. Wierzyłam, że Nickowi przyda się pomocna dłoń. Zwłaszcza w jego dość opłakanym stanie. Wierzyłam również, że muszę uzyskać odpowiedź na moje pytanie. Że ta informacja coś zmieni. Potrzebowałam tej ostatecznej odpowiedzi. Myślałam, że dzięki temu będę umiała w końcu zamknąć ten rozdział. Że pozwoli mi to uporać się z przeszłością i zamknąć za sobą drzwi. Zupełnie tak, jakby istniały. Ostateczna odpowiedź. Drzwi do przeszłości.

– Nie moglibyśmy porozmawiać o czymś innym? – odezwał się Nick. – Przynajmniej przez chwilę?

Krew kapiąca z jego rozciętej wargi spłynęła na koszulkę z Batmanem oraz jasne jeansy, zostawiając na nich wielkie, ciemnoczerwone plamy. Sprawiało to wrażenie, że jego stan jest o wiele gorszy, niż był w rzeczywistości. Nie przypominam sobie, żebym kiedykolwiek go takim widziała. Ten widok sprawiał, że nie miałam sumienia być dla niego taka twarda i niewzruszona, jaka byłabym w normalnych okolicznościach.

– Na przykład o czym? – zapytałam o wiele łagodniej.

– O czymkolwiek.

Podniósł szklaneczkę szkockiej i przyłożył sobie do twarzy. Przez dłuższą chwilę trzymał ją przy spuchniętym podbródku.

Nagle poczułam, że dalsza walka przestała mieć jakikolwiek sens i znaczenie. Nawet jeśli to wszystko było wyłącznie jego winą. Poczułam, że on już dawno przegrał tę bitwę.

Wzięłam głęboki wdech.

– Jak się miewa mój pies? – zapytałam.

– Dobrze. Naprawdę dobrze – odpowiedział.

– Tak?

– Przywiozłem ci kilka zdjęć. Chcesz je zobaczyć? – zapytał, sięgając do kieszeni spodni, żeby wyciągnąć telefon.

Skinęłam głową. Oczywiście, że chciałam je zobaczyć. To była jedyna rzecz, której wtedy pragnęłam. Bez wątpienia jedyna. Nick rzucił telefon w moim kierunku. Złapałam go i zaczęłam przeglądać zdjęcia znajdujące się w folderze. Czułam, jak serce zaczyna bić mi szybciej, kiedy patrzyłam na moją ukochaną Milę. Moja stara, dobra psina: ucinająca sobie drzemkę na parapecie w mieszkaniu Nicka, spacerująca przez park Battersea, flirtująca z kotem koło znaku w pobliżu dworca Victoria Railway Station, właśnie tak, z kotem. Najwyraźniej moja mała dziewczynka nie do końca wiedziała, do kogo lepiej nie uderzać. Zupełnie jak jej naiwna pani.

– Moja Mila – powiedziałam, nie odwracając wzroku od zdjęć. – Kto by pomyślał, że taka z niej Europejka?

– Niespodzianka, prawda? Nieco mniej zaskakujący jest fakt, że strasznie za tobą tęskni.

– Z wzajemnością. Z drugiej strony, pokazywanie mi jej zdjęć to trochę chwyt poniżej pasa, Nick.

– Sama chciałaś!

Miał rację. Sama o to prosiłam. Chciałam wiedzieć o wszystkim, co się dzieje u Mili. Jeśli mam być szczera, to chciałam również wiedzieć o wszystkim, co się dzieje u Nicka. Tymczasem on zajęty był pochłanianiem szkockiej znajdującej się w jego szklance. Brał kolejny, długi łyk alkoholu, kiedy zobaczyłam coś w jego oczach. Zobaczyłam, że usiłuje zdecydować, czy wie wystarczająco dużo na temat mojego nowego życia, żeby czuć się bezpiecznie i coś powiedzieć. Coś, co przywiodło go tu, cały ten szmat drogi z Londynu.

– W zasadzie to mieszkałem w Pimlico – powiedział.

– Jak to? – Spojrzałam na niego, kiedy wzruszał ramionami.

– Czułbym się zbyt dziwnie, wiesz? Mieszkając w miejscu, które dla nas wybrałaś.

Kiwnęłam głową, spoglądając na ostatnie zdjęcie Mili w telefonie Nicka. Robiłam wszystko, żeby uniknąć kontaktu wzrokowego, który on za wszelką cenę starał się ze mną nawiązać. Później, nadal na niego nie patrząc, rzuciłam telefon w jego kierunku.

Myślę, że właśnie dlatego nie trafiłam. Telefon Nicka wylądował na podłodze tuż obok jego nóg. Oboje wpatrywaliśmy się w niego przez dłuższą chwilę, ale żadne z nas nie ruszyło się z miejsca, żeby go podnieść.

Zamiast tego Nick wziął kolejny łyk szkockiej.

– Chodzi o to, że ostatnio dużo rozmyślałem… siedząc cały ten czas w swoim mieszkaniu, w miejscu, w którym nie powinienem był się znajdować. W kółko analizowałem jedną rzecz. To, jak spędziliśmy tyle czasu, usiłując słuchać tego, co do siebie mówimy. Wiesz, co mam na myśli? Spędzamy tyle czasu, nagradzając się za to, że staramy się słuchać siebie nawzajem i spełniać swoje oczekiwania, że w jakiś sposób możemy to przeoczyć... – Przerwał na chwilę. – Przeoczyć tę jedną rzecz, którą osoba, którą kochamy najbardziej na świecie, boi się nam powiedzieć.

Oparłam stopy na brzegu fotela, na którym siedziałam, podciągnęłam kolana pod brodę i oplotłam wokół nich ręce.

– Dobrze, Nick. O czym tak się bałam ci powiedzieć?

Wtedy Nick wolno i nerwowo sięgnął do kieszeni jeansów. Wyciągnął z niej coś, co według niego miało być odpowiedzią na moje pytanie. Przez chwilę trzymał to w dłoni i się temu przyglądał. Później delikatnym ruchem rzucił to w moim kierunku. Małe czerwone pudełeczko. Może nie było pokryte aksamitem, ale dokładnie wiedziałam, co to jest. Pudełeczko na pierścionek. Otworzyłam je. W środku znajdował się pierścionek z diamentem. Był piękny. Wyglądał jak antyk. Jakby trafił do nas z dawnych czasów. Pasował do tego miejsca. Do tego starzejącego się hoteliku i jego antycznych foteli.

Wyciągnęłam pierścionek z pudełeczka. Trzymałam go pomiędzy palcem wskazującym a kciukiem, kiedy spojrzałam na Nicka.

– Nie rozumiem – powiedziałam. Nadal trzymałam pierścionek między palcami. Nadal nie wiedziałam, co się dzieje.

– Przyjechałem tutaj dzisiaj, żeby się oświadczyć.

– Komu?

– Tobie.

Ponownie spojrzałam na pierścionek. Kompletnie zaniemówiłam.

– Ale... Ja mam już męża.

– Wiem – odpowiedział, kiedy popatrzyłam na niego.

– Czekałeś, aż będę mężatką, żeby mi się oświadczyć? – Chciał odpowiedzieć, ale podniosłam dłoń, powstrzymując go. – Zwariowałeś?

– Po prostu spójrz. – Wskazał na wewnętrzną stronę pierścionka, gdzie wygrawerowane były te same słowa, które kiedyś, w naszym dawnym życiu, które dzieliliśmy ze sobą, kazał wygrawerować na moim naszyjniku: „Dla ciebie, na zawsze".

– To szaleństwo! – Spojrzałam jeszcze raz na napis. W tym momencie podniosłam się z fotela i ruszyłam w kierunku wyjścia. Dlaczego tyle czasu trwało dojście do drzwi tego cholernego pokoju?

– Annie, zaczekaj. Wiem, że między nami wszystko się pochrzaniło – powiedział. – Wiem też, że w przeważającej części to moja wina.

Nick stał teraz naprzeciwko mnie. Zagrodził mi drogę. Wyciągnął rękę, zatrzymując ją między nami. Zrobił to spokojnym, powolnym ruchem.

– Ale musisz wiedzieć, że między mną a Pearl nigdy do niczego nie doszło. Tu nigdy nie chodziło o nią. Chodziło o samą myśl o niej. Myśl o innym życiu. O bardziej stabilnym, prostszym życiu. O tę rozbieżność między tym, czego wydawało mi się, że pragnę, a tym, co przy sobie miałem. Nie wiem, czy ma to jakiś sens…

– Nie – powiedziałam.

Nick spojrzał na mnie. W pewnym sensie spodziewałam się od niego wyjaśnienia. Czekałam na nie, choć z drugiej strony wydawało mi się, że doskonale wiem, co ma na myśli. A on doskonale zdawał sobie z tego sprawę. Usiłował przekonać mnie, że nic wielkiego się nie stało. Próbował zapytać, gdzie są granice, które można przekroczyć i wrócić. Ale czy po ich przekroczeniu powrót jest jeszcze w ogóle możliwy?

– Chcemy tego samego, Annie. Budowaliśmy wokół tego nasze życie i kariery. I wciąż możemy to mieć. Możemy odzyskać nasz dom i rodzinę. Możemy mieć to wszystko, nie przywiązując się przy tym do jednego miejsca. Zawsze będziemy mogli stworzyć sobie możliwość ucieczki. – Przerwał na chwilę. – W najbliższym czasie mam zaplanowanych kilka projektów. Kolejny rok będę pracował w Europie, później w Brazylii. Możemy pojechać tam razem. Byłem niesprawiedliwy, mając ci za złe, że pragniesz wolności. Ja też tego właśnie chcę.

Usiłowałam wymyślić sposób, żeby powiedzieć „nie". Chciałam znaleźć sposób, by przekonać go, że już t e g o nie chcę. Ale jak mogłam wyjaśnić to, że część mnie chciała uciec z Williamsburga od chwili, kiedy się w nim znalazłam?

– Muszę stąd wyjść – powiedziałam.

– Wiem, co bałaś się mi powiedzieć – kontynuował, całkowicie ignorując moje słowa. – Pewnie teraz już o tym nie myślisz, ale w dniu, kiedy odszedłem, zapytałaś mnie… a może tak naprawdę wcale nie zadałaś tego pytania wprost… ale nie byłaś tak bardzo zaskoczona… Jakaś część ciebie spodziewała się tego…

– Do czego zmierzasz?

– Po prostu wszystko mi się na chwilę pomieszało. Pogubiłem się. Cały ten sukces związany z filmem i moje pięć minut sławy. Jest mi naprawdę przykro z tego powodu. Mam nadzieję, że o tym wiesz. I ciągle myślę, że właśnie teraz, kiedy to zrozumiałem, będę mógł ci to wynagrodzić. Będę mógł sprawić, że wszystkie twoje obawy znikną na zawsze.

– Wynagrodzić mi to? Niby jak?

– Będziesz mogła na mnie liczyć. Będziesz mogła uwierzyć, że zawsze będę przy tobie.

Patrzyłam na niego w totalnym szoku.

– Wiem, że nawaliłem i zaprzepaściłem wszystko, co było między nami. Ale jeśli dasz mi jeszcze jedną szansę, przysięgam, że wszystko naprawię.

Czułam, jak coś we mnie pęka. Wiedziałam, że muszę stamtąd natychmiast wyjść. Że muszę znaleźć się jak najdalej od Nicka. Nie dlatego, że byłam cholernie wściekła i wkurzona. Powód był zupełnie inny. Musiałam się stamtąd wydostać, ponieważ część mnie nie była ani cholernie wściekła, ani wkurzona. Ta część czuła coś zupełnie innego.

– Muszę już iść. – Energicznie ominęłam go, by jak najszybciej dostać się do drzwi.

Natychmiast poczułam się lepiej. Poczułam ulgę, kiedy znalazłam się z dala od niego. Kiedy te ciężkie, stare drzwi zamknęły się za mną. Wzięłam głęboki oddech. Przez chwilę przytrzymałam powietrze w płucach, nim je wypuściłam. Poszłam przed siebie.

Tyle tylko, że mniej więcej w połowie drogi między pokojem a głównym wyjściem poczułam, że coś ciągle znajduje się w mojej dłoni. Spojrzałam w dół, żeby sprawdzić, co to jest. To był pierścionek. W zaciśniętej dłoni wciąż trzymałam pierścionek, który przed chwilą podarował mi Nick.

Ponownie wzięłam głęboki oddech. Jednak tym razem nie przyniósł mi ulgi. Wręcz przeciwnie. Zdałam sobie sprawę z tego, że muszę tam wrócić. Otworzyłam drzwi łazienki, by zobaczyć zakrwawionego Batmana, który stał dokładnie w tym samym miejscu, w którym go zostawiłam.

Nie odezwałam się ani słowem. Nick też niczego nie powiedział.

W kompletnej ciszy położyłam pierścionek na podłodze tuż obok jego telefonu. Nie chciałam ryzykować wręczania mu go bezpośrednio do ręki. Nie chciałam ryzykować kontaktu z nim.

Obydwoje spojrzeliśmy na pierścionek leżący na posadzce. Nasze oczy przez chwilę zatrzymały się na tym widoku. Wtedy ja odwróciłam się i wyszłam. Jednak tym razem, kiedy zamknęłam za sobą drzwi, zaczęłam biec.

ROZDZIAŁ 29

Wróciłam do domu chwilę przed trzecią nad ranem. Niosłam ze sobą dwie brązowe torby. Weszłam do kuchni, gdzie zastałam Griffina siedzącego przy stole, tak jak się spodziewałam. Jeszcze nie spał. Pozwalał, by opadły z niego emocje związane z wydarzeniami mijającej nocy. Koło niego stał duży kubek kawy. Gotująca się woda w czajniku stojącym na kuchence sugerowała, że planuje zrobić sobie kolejną. Otwarta książka leżała naprzeciwko niego.

– Cześć – powiedziałam.

– Cześć. – Jego wzrok powędrował w stronę brązowych toreb, które trzymałam w rękach. Później spojrzał na mnie. Wyglądał na bardzo zmęczonego. Nie był zły, tylko wyczerpany. Siedział przy kuchennym stole zupełnie spokojnie, co sprawiło, że było mi jeszcze trudniej. Nie miałam pojęcia, od czego zacząć.

Ostrożnie odsunęłam krzesło i usiadłam naprzeciwko niego. Obydwie brązowe torby położyłam na stole.

– Kiedy wróciłeś do domu? – zapytałam.

– Niedawno – odpowiedział, podnosząc kubek. Zbliżył go do ust i przytrzymał przez chwilę. – Po północy zdecydowaliśmy, że przygotujemy jeszcze późną kolację dla wszystkich tych, którzy wytrwale czekali przez całą noc.

– Co przyrządziliście?

Spojrzał na mnie tak, jak gdyby nie miał ochoty odpowiadać na to pytanie. Zupełnie, jakby było to ostatnie pytanie na świecie, które powinno paść w tym momencie. Jestem skłonna przyznać, że miał rację. Ale była to część mojego planu. Przynajmniej tak mi się wydawało.

– Na początek kanapki z serem burrata i figami. A później potrawkę z truskawek z dodatkiem odrobiny musu z ricotty.

– Miałeś czas, żeby samemu coś zjeść? – zapytałam.

– Nie bardzo. – Pokręcił przecząco głową. Dłońmi nadal mocno obejmował kubek z kawą.

– To dobrze, ponieważ…

Sięgnęłam do jednej z toreb i wyciągnęłam niespodziankę, którą dla niego przygotowałam. Idealne, piękne, czerwone homary od Lassego. Homary, o których opowiadał mi w noc, kiedy się poznaliśmy. Te same, które obiecał mi, kiedy siedzieliśmy w podobnej kuchni, tyle tylko, że na drugim końcu kraju. Te same, które obiecał mi, kiedy zaczęliśmy obiecywać sobie cokolwiek. Wydawało mi się, że to by coś znaczyło, może nie wystarczająco dużo, ale na pewno coś, jeśli udałoby mi się spełnić tę obietnicę dla niego.

– Pomyślałam, że przygotuję ci jajecznicę – powiedziałam, wciąż trzymając homary.

– Pojechałaś taki kawał drogi do Lassego? – Griffin wyciągnął rękę w moim kierunku i zabrał ode mnie homary.

– W środku nocy – dodałam.

– Jak udało ci się go przekonać, żeby cię obsłużył?

– Użyłam moich magicznych mocy – wzruszyłam ramionami, udając obojętność.

– Nie wątpię – odpowiedział, wkładając homary z powrotem do torby. – To bardzo miłe z twojej strony. Dziękuję.

– Nie ma sprawy – powiedziałam, uśmiechając się do niego zupełnie tak, jakbym zdobyła te skarby bez żadnego wysiłku. W rzeczywistości była to naprawdę wyczerpująca misja specjalna, podczas której prawie na kolanach błagałam Lassego, żeby pozwolił mi zabrać chociażby resztki. Skończyło się na tym, że obiecałam Lassemu kilka przedmiotów, które według niego stanowiły wystarczającą zapłatę za homary. Dodam tylko, że zastosowałam przy tym mały blef, ponieważ tak naprawdę nie miałam zielonego pojęcia, jak zdobyć pierwsze wydanie mojego czasopisma oraz autograf Jacka Nicholsona.

Zbliżyłam się do kuchenki i zapaliłam jeden z palników.

– Co powiesz na jajecznicę z homarami? – zapytałam.

– Nie musisz tego robić, Annie.

– Żartujesz sobie? Przecież ja chcę. Sama też umieram z głodu. Wprawdzie mogą nie wyjść mi tak dobrze jak tobie, ale nigdy nie wiadomo, prawda? W końcu mam magiczne homary po swojej stronie.

Właśnie wtedy otworzyłam lodówkę i zobaczyłam, czego zdecydowanie nie miałam po swojej stronie. Brakowało najistotniejszego składnika – jajek.

– Nie mamy jajek? – zapytałam z niedowierzaniem.

Griffin uśmiechnął się.

– Przyrządzimy to jutro.

To przepełniło czarę goryczy. Miałam dość. Siadłam przy stole i bezsilnie oparłam głowę na rękach.

– Kto nie ma w domu jajek? – zapytałam, i było to bardziej pytanie retoryczne niż takie, na które spodziewałam się sensownej odpowiedzi. – A tak przy okazji, nie znasz przypadkiem kogoś, kto mógłby skontaktować mnie z Jackiem Nicholsonem?

Spojrzał na mnie z konsternacją. Później przysunął się i położył dłoń na mojej, starając się mnie pocieszyć.

– Nic się nie stało – powiedział.

Potrząsnęłam głową z rezygnacją, a później spojrzałam na niego.

– Nic nie rozumiesz. Chciałam chociaż tę jedną rzecz zrobić dobrze. Pomyślałam, że jeśli chociaż to jedno mi się uda…

– Jest wiele rzeczy, które robisz dobrze.

– Ale zniszczyłam twój wieczór. A właściwie Nick to zrobił – powiedziałam. – Strasznie cię przepraszam. Nie masz pojęcia, jak bardzo jest mi przykro. Jak bardzo chciałabym ci to wynagrodzić.

– Wiem. – Griffin wzruszył ramionami.

– Naprawdę? – zapytałam z nadzieją w głosie. – Więc się nie gniewasz?

Spojrzał na mnie wzrokiem, który w ułamku sekundy uświadomił mi, że jest inaczej. Griffin na pewno był zły. Później zerknął do swojego kubka z kawą, który robił się pusty.

– Tego bym nie powiedział.

– Jak to?

Podszedł do kuchenki i nalał sobie kolejną porcję kawy. Następnie sięgnął do szafki i wyciągnął drugi kubek. Nalał do niego kawy i mi go podał.

– Jakiś Michael z twojej redakcji przyszedł do restauracji zaraz po twoim wyjściu – powiedział.

– Kto taki? – Kilka dobrych minut zajęło mi skojarzenie, o kogo może chodzić, ponieważ znałam z pracy kilkunastu Michaelów. W końcu przypomniałam sobie tego, o którym prawdopodobnie mówił Griffin. Miałam go przed oczami: niewysoki facet, pochodził z Martha's Vineyard. Pisał całkiem niezłe artykuły do „Wine and Spirits".

– Masz na myśli Michaela Thomasa, tego krytyka wina? – zapytałam, a Griffin skinął tylko głową, siadając z powrotem przy stole.

– Odwiedzał córkę w Smith College. Pomyślał, że po drodze zajrzy do restauracji, żeby sprawdzić, czy znajdzie u nas coś, o czym warto napisać. – Przerwał na chwilę, unosząc kubek do ust. – Poprosił, żeby przekazać ci gratulacje z okazji awansu.

Spojrzałam na niego, ale wzrok Griffina skierowany był w zupełnie innym kierunku.

– Zaproponowali ci pracę w Londynie?

– Tak. A właściwie w filii w Londynie.

– Kiedy? – zapytał. – Nie chodzi o to, że ma to jakieś szczególne znaczenie w tym momencie, ale chciałbym wiedzieć, kiedy ci to zaproponowali?

Zaczęłam się nieporadnie tłumaczyć.

– Miałam zamiar ci powiedzieć. Przysięgam. Ale przy całym tym zamieszaniu związanym z otwarciem restauracji i przy tych wszystkich przygotowaniach, którymi byliśmy zajęci, po prostu nie miałam jeszcze okazji. A skoro i tak nigdzie nie jadę…

– Do Londynu? Tam, gdzie mieszka teraz Nick?

– On tam tylko pracuje – wymamrotałam pod nosem, jakby miało to jakieś znaczenie. – Zresztą Nick będzie tam jeszcze tylko przez jakiś czas.

– Myślisz, że tego właśnie chcesz? – zapytał.

Przez chwilę nie byłam pewna, czy mówi o Nicku, czy o mojej ofercie pracy. Moje oczy robiły się coraz szersze.

– Że chcesz przyjąć tę pracę? – powiedział, patrząc na mnie z lekką irytacją.

– Nie. – Potrząsnęłam głową. – Nie chcę.

Spojrzał mi prosto w oczy, nadal trzymając kubek tuż przy ustach. Najwyraźniej czekał, aż powiem coś, co będzie bardziej zbliżone do prawdy.

– Nie wiem – przyznałam w końcu. – Naprawdę sama już nie wiem. Ale martwię się, że nie znajdę tu nic, co mogłabym robić w zamian. Ale to przecież żadna tajemnica…

Ponownie spojrzałam na Griffina, który siedział w milczeniu. Zastanawiałam się, czy zdawał sobie sprawę z moich pozostałych wątpliwości. Czy domyślał się, jak wyglądało moje spotkanie z Nickiem? Co się podczas niego wydarzyło i jakie mogło to mieć dla mnie znaczenie? Nie wyglądał już na zdenerwowanego. Wręcz przeciwnie, miałam wrażenie, że staje się coraz spokojniejszy.

I uśmiechnął się do mnie w sposób, którego nie umiałam zinterpretować.

– O co chodzi? – zapytałam, a Griffin tylko potrząsnął głową.

– Zanim weszłaś do domu, przyszło mi do głowy pewne wspomnienie z dzieciństwa. Pamiętam, jak moja mama zabierała mnie i Jesse'a ze sobą do sklepu, kiedy byliśmy jeszcze mali. Robiła to w każde piątkowe popołudnie. Ona zajmowała się zakupami na weekend, a nam pozwalała wybrać sobie ulubione słodycze. Mogliśmy wybrać tylko po jednym. Jesse zawsze dokładnie wiedział, na co ma ochotę. Za każdym razem wybierał te małe, twarde skurczybyki. Jak one się nazywały? Pop Rocks*? – Griffin zabrał torebki z homarami ze stołu i schował je do lodówki.

– Pamiętam je. – W mojej głowie pojawiło się wspomnienie smaku słodyczy, o których mówił Griffin. – Czy to nie te cukierki, o których mówiło się, że można po nich umrzeć, jeśli popije się je oranżadą? Te, które podobno wykończyły tego dzieciaka z reklamy?

– Właśnie te – powiedział. – I nie jestem do końca pewien, że to właśnie one go wykończyły.

– Te cukierki były najlepsze.

– Właśnie – potwierdził. – Jesse zawsze chwytał jedno opakowanie i od razu wychodził ze sklepu. Dosłownie. Zajmowało mu to tylko piętnaście sekund. A ja ciągle stałem i wpatrywałem się w półki pełne słodyczy, dopóki mama nie skończyła zakupów. W tym sklepie puszczali stare płyty. Leciały piosenki Beatlesów, Beach

---

* Pop Rocks – rodzaj musujących cukierków.

Boysów albo Billie Holiday. Przez długi czas wmawiałem sobie, że stoję tam tak długo, żeby posłuchać muzyki. Ale tak naprawdę nie mogłem się zdecydować. Sięgałem po opakowanie jakichś, jak mi się wydawało, supersłodyczy, a po chwili odkładałem je z powrotem na miejsce, żeby wybrać coś innego. A kiedy mama zaczynała wołać, że czas upłynął, Jesse krzyczał zza drzwi sklepu, żebym wziął jeszcze jedno opakowanie pop rocksów. Zaczynałem wtedy panikować, na tyle, na ile jest w stanie spanikować sześciolatek, i kończyło się na tym, że wybierałem coś naprawdę niedobrego.

– Na przykład Fun Dip*?

– Kilka razy.

– To najsmutniejsza historia, jaką w życiu słyszałam – skomentowałam.

Griffin uśmiechnął się do mnie i na chwilę nawet się roześmiał. Później spojrzał poważnie.

– Myślę, że nie powinnaś przyjmować tej oferty – powiedział pewnym i spokojnym głosem. – I nie mówię tego ze względu na siebie. Albo dlatego, że tu mieszkamy. Ani nawet dlatego, że trudno byłoby mi pojechać tam z tobą. Wymyśliłbym na to jakiś sposób, gdybym sądził, że to właśnie jest potrzebne tobie albo nam.

– W takim razie dlaczego to mówisz?

– Ponieważ boję się, że tylko przekonałaś samą siebie, że musisz to zrobić. A musieć coś zrobić to zupełnie co innego niż chcieć tego.

– Nie rozumiem.

---

* Fun Dip – oranżada w proszku.

– Przecież to ty sama powiedziałaś mi, że chcesz od życia czegoś innego.

– Nie jestem pewna, czy to i n n e życie jest w ogóle możliwe – powiedziałam.

– Kto tak twierdzi?

– Chociażby setki zniszczonych zdjęć, Griffin. I ja. Ponieważ nie wiem, co mogłabym z nimi zrobić, nawet jeśli nie byłyby zniszczone. I moja praca, i podróże. I cała reszta, która składa się na jedyne życie, jakie kiedykolwiek znałam.

Spojrzał na mnie wzrokiem mówiącym, że rozumie, co chcę mu powiedzieć. Jednak wyjaśnienie, które mu przedstawiłam, nie było dla niego wystarczająco przekonujące. Sprawiło to, że poczułam się trochę samotna. A uczucie to zostało spotęgowane przez fakt, że niespełna kilka godzin wcześniej znalazłam tyle zrozumienia u kogoś, kto zupełnie nie powinien mnie już rozumieć.

– Nie mogę tak po prostu stać się kimś innym – powiedziałam.

– A kto mówi o tym, żebyś stawała się kimś innym? – zapytał. – Chodzi mi o to, żebyś była w końcu bardziej sobą.

Odchyliłam się na krześle, odsuwając się od niego. „Bardziej sobą". I to było w tym wszystkim najgorsze. Nie miałam pojęcia, co to w ogóle oznacza.

– Właśnie to miałem na myśli, kiedy opowiadałem ci historię z mojego dzieciństwa. Ponieważ byłem wtedy strasznie wściekły na to, że Jesse wie dokładnie, czego chce. Że potrafi się tym po prostu cieszyć. Że jest zadowolony... naprawdę zadowolony. Myślałem, że ja nigdy taki nie będę. A później wszystko się zmieniło.

– Kiedy? – zapytałam.

– Przypomnij mi, kiedy się spotkaliśmy? – Griffin uśmiechnął się do mnie. Odwzajemniłam jego uśmiech, a później wbiłam wzrok w stół.

– Nieprawda.

– Niezupełnie. Ale nie to chcę ci teraz powiedzieć. Chcę, żebyś wiedziała, że minęło naprawdę dużo czasu, zanim zrozumiałem, że nie chodziło o to, żebym znalazł swoje pop rocksy.

– A o co?

– Chodziło o to, żebym nauczył się, jak wyjść ze sklepu, nim upłynie czas. – Griffin wstał od stołu i zabrał ze sobą kubek.

Później nachylił się nade mną i pocałował mnie w policzek. Zupełnie tak, jakbyśmy mieli to w zwyczaju od zawsze.

– Przyjmij tę posadę, Annie – szepnął mi do ucha. – Jedź do Londynu.

Spojrzałam na niego, kiedy odsunął się ode mnie.

– Nie rozumiem. Czy nie mówiłeś przed chwilą, że nie powinnam tego robić? Czy nie powiedziałeś tego jakieś dwie minuty temu?

Przechylił lekko głowę i spojrzał mi w oczy.

– Po prostu cały czas zastanawiam się, co kazało Nickowi myśleć, że może tutaj przyjechać – powiedział. – Czy miało to związek z nim, czy może raczej z tobą?

Nie znałam odpowiedzi na to pytanie, co wydawało się jedyną odpowiedzią, jakiej Griffin potrzebował.

Zaczął iść w kierunku drzwi. Jakaś cząstka mnie chciała zatrzymać go i powiedzieć, że to nie ma nic wspólnego z Nickiem. Ale nie mogłam zmusić się do wypowiedzenia tych słów. Nie mogłam tego zrobić, ponieważ była też inna cząstka mnie. Cząstka, która patrzyła na pierścionek i przysłuchiwała się obietnicom Nicka o tę jedną sekundę za długo, by zdać sobie sprawę z tego, że Nick nie ma już udziału w moim zagubieniu. A później odezwała się jeszcze większa cząstka mnie, która kazała mi wierzyć, że to nie ma związku z Nickiem. Że wcale nie chcę do niego wrócić. Jednej rzeczy nie mogłam jednak zignorować: spotkanie z nim sprawiło, że pewna kwestia stała się jasna. Uświadomiłam sobie, że nadal nie znam odpowiedzi na pytanie, czego tak naprawdę chciałam i dlaczego myśl o zostaniu tak bardzo mnie przerażała.

– Sama już nie wiem, Griffin – powiedziałam, kiedy wychodził. – Pewnego dnia obudziłam się i poczułam się, jakbym znalazła się w jakimś zupełnie nowym życiu. Wiem, że był to świadomy wybór, ale to i tak niczego mi nie ułatwia. I boję się, że popełnię błąd…

Griffin stał przy drzwiach. Był już o krok od wyjścia z kuchni. O krok od zostawienia mnie samej. A moje słowa nie wystarczyły, żeby go zatrzymać.

Patrzył na mnie jeszcze przez chwilę. Tę jedną ostatnią chwilę. Nie wyglądał na zdenerwowanego czy poruszonego. Był zupełnie spokojny i pewny siebie.

– A co jest złego w popełnianiu błędów? – zapytał.

A później wyszedł.

ROZDZIAŁ 30

Następnego ranka zadzwoniłam do Petera.

– Chyba wszystko schrzaniłam – powiedziałam.

Stałam w kuchni. Dom był pusty i panowała w nim kompletna cisza. Pierwsze promienie słońca oświetlały podwórko przed domem i pobliski las. Sprawiały, że drzewa błyszczały w ich blasku niczym diamenty.

Odwróciłam się od okna.

– Peter, nie denerwuj się, ale co gdybym powiedziała ci, że być może miałeś rację, mówiąc, że powinnam jechać? Mam na myśli Londyn.

Te słowa sprawiły, że poczułam się dziwnie. Dziwnie i niewłaściwie. Oczywiście, byłam w stanie to zignorować. A nawet musiałam to zrobić, ponieważ poczułam również pewien rodzaj ulgi, która pojawiła się w chwili, kiedy to powiedziałam. Kiedy słowa te wypłynęły z moich ust w świat, gotowe, by poszły za nimi czyny.

– Moja droga. – Po głosie Petera słychać było, że dopiero co się obudził. – Wydaje mi się, że mogłaś poczekać przynajmniej do siódmej rano, żeby podzielić się ze mną swoimi nowymi spostrzeżeniami na temat tego, o czym wiem już od dawna. Jest pewna niepisana zasada. Nie dzwoni się do kogoś przed siódmą rano, żeby przekazać informacje, które wcale nie są zaskakujące.

– Więc nie jest jeszcze za późno, żebym przyjęła tę posadę? – zapytałam.

– Oczywiście, że nie jest za późno – odpowiedział. – W zasadzie to jakiś tydzień temu przyjąłem tę propozycję w twoim imieniu.

Spojrzałam na swój telefon kompletnie zdezorientowana.

– Jak mogłeś to zrobić?

– To nie było takie trudne. Niejaka Melinda Beckett Martin, która pełni obowiązki zastępcy redaktora prowadzącego i tak się składa, że zupełnie przypadkowo jest również ukochaną siostrzenicą Caleba Becketta Pierwszego, zadzwoniła do mnie, żeby dowiedzieć się, czy zdecydowałaś się przyjąć ofertę. Odpowiedziałem, że oczywiście, że tak, i że nie możesz się już doczekać, żeby zrewolucjonizować cały dział podróżniczy, zapewniając mu światowy poziom. W końcu, pomimo twojego ostatniego zamiłowania do wsi, nie jesteś jeszcze skończoną idiotką.

– Nie to miałam na myśli…

Rozejrzałam się po kuchni. Dookoła mnie porozkładane były rzeczy bliźniaków, a konewka Cheryl leżała koło zlewu. Przypomniałam sobie, że Griffin śpi na górze. Ponownie zaczęłam myśleć o tym wszystkim, z czego chciałam zrezygnować przez swoje wątpliwości, czy trafiłam tu z właściwych powodów i czy w ogóle chciałam tu jeszcze zostać.

– A co, gdybym się nie zdecydowała? – zapytałam.

Peter głośno westchnął. Później zrobił to ponownie, na wypadek gdybym nie usłyszała za pierwszym razem.

– Moja droga, jak mam powiedzieć ci to delikatnie, zanim odłożę słuchawkę i położę się spać? – powiedział. – Nigdy bym tego nie zrobił, gdybym nie był pewien, że się na to zdecydujesz.

Nie pamiętam dokładnie, kto pierwszy to zaproponował, ale skończyło się tym, że poszliśmy na spacer. Tak naprawdę nie miało to żadnego znaczenia. Wydaje mi się, że oboje doskonale wiedzieliśmy, co się wydarzy, i żadne z nas nie chciało być wtedy w domu.

Było już po północy. Księżyc prowadził nas daleko poza miasteczko, w stronę odległych domów, w stronę samych gór.

Nie wiedziałam, od czego powinnam zacząć rozmowę, ale czułam, że byłoby nie w porządku, gdyby musiał zrobić to Griffin. Nie było takiej rzeczy, która mogłaby sprawić, bym poczuła się lepiej. Jedyne, co mogłam zrobić, to postarać się, by wszystko odbyło się jak najmniej boleśnie. Zupełnie, jakby było to w ogóle możliwe.

– Pamiętasz naszą rozmowę? – zaczęłam. – Tę, którą odbyliśmy tamtego dnia na plaży? Podczas której usiłowałam opowiedzieć ci o najlepszej i najgorszej rzeczy w moim związku z Nickiem? Powiedziałam ci wtedy, że najgorszą rzeczą było to, że nie pamiętam, żebym kiedykolwiek czuła się przy nim bezpieczna.

– Pamiętam…

– Myślę, że to nie było całkiem w porządku, że go o to obwiniałam. To poczucie bezpieczeństwa… Nie jestem pewna, czy kiedykolwiek je miałam. Myślę, że zamiast wmawiać sobie, że to Nick stanowił jedyny problem albo ten ostatni z całej serii problemów, powinnam była spojrzeć na to z odmiennej perspektywy i zdać sobie sprawę z czegoś zupełnie innego.

– To znaczy?

– Może problem tkwi właśnie we mnie – powiedziałam, wzruszając ramionami.

– A może on po prostu nie był tą właściwą osobą? – Griffin spojrzał na mnie.

– A jaką wobec tego powinnam mieć wymówkę tym razem? – zapytałam. – Prawda jest taka, i istnieją na to niezbite dowody, że nie potrafię stworzyć z kimś domu. Nie potrafię zbudować trwałego związku i w nim wytrwać, czuć się w nim dobrze. I być może nie będę w stanie tego zrobić, dopóki nie nauczę się żyć sama ze sobą. Dopóki sama nie sprawię, że poczuję się w końcu bezpieczna. Dopiero wtedy będę mogła w pełni świadomie podejmować decyzje co do całej reszty.

Nie było to dokładnie to, co chciałam powiedzieć. Ale było dostatecznie prawdziwe. Te słowa wystarczyły Griffinowi, by mógł zrozumieć, co mam na myśli, ponieważ przysunął się w moją stronę i mnie objął.

– Wiem, że brzmi to jak totalne szaleństwo. W końcu w jaki sposób można sprawdzić, czy chce się zostać, odchodząc? – powiedziałam, usiłując znaleźć jak najlepsze wytłumaczenie. – Ale tylko kolejne wyjazdy zawsze pozwalały mi znaleźć to, czego szukałam.

Griffin cały czas mnie przytulał. Nie widziałam jego twarzy, kiedy mi odpowiedział.

– Annie, nie wydaje mi się, byśmy mogli mieć na to wpływ. Nie jestem pewien, czy możemy decydować o tym, kiedy lub gdzie znajdujemy to, czego szukamy w życiu.

Zaczęłam mówić, że być może to prawda. Być może spotkaliśmy się w złym miejscu i w nieodpowiednim czasie. Może gdybyśmy poznali się pięć lat później albo pięć miesięcy, albo nawet pięć minut, ale… Zaczęłam szukać w głowie tego jednego „ale", które pozwoliłoby mi znaleźć wyjście z sytuacji. Zupełnie tak, jakby Griffin powiedział to, co powiedział, żeby mnie zatrzymać. Żeby sprawić, bym została tu razem z nim i postarała się bardziej.

Wtedy spotkałam jego silne, zdecydowane spojrzenie i zrozumiałam, że powiedział to właśnie po to, by pozwolić mi odejść.

Później mnie pocałował. Ten ostatni raz.

ROZDZIAŁ 31

Kilka lat po tym, jak zaczęłam pracować w redakcji, przez pewien czas tworzyliśmy dodatek do kolumny, w którym skupialiśmy się na wyszukiwaniu najlepszych okazji podróżniczych. Polecaliśmy w nim rozmaite zajęcia i atrakcje, na które można było trafić, odwiedzając różne miejsca. Ich największą zaletą było to, że kosztowały naprawdę niewiele, a z części z nich można było skorzystać zupełnie za darmo. Przykładowo, w Montrealu zamiast płacenia za luksusową kolację zorganizowaną na łodzi odbywającej rejs po rzece St. Lawrence polecaliśmy skorzystanie z promu na przystani Jacques-Cartier, który gwarantował gościom malowniczy widok na centrum miasta. Przy okazji można było też odwiedzić stary fort w Musée David M. Stewart. Wszystko to za niezwykle okazyjną cenę.

Niestety, ku mojemu wielkiemu zaskoczeniu dodatek ten poniósł gigantyczną klęskę, i to w błyskawicznym tempie. Był to mój autorski projekt i byłam przekonana, że odniesie sukces. W końcu, kto nie chciałby odbyć magicznej podróży w jakiś bajeczny zakątek świata bez konieczności napadania na bank, żeby móc sobie na nią pozwolić. Dopiero kilka lat później uświadomiłam sobie, co było przyczyną tego niepowodzenia. Nie chodziło o to, że proponowaliśmy coś za bezcen albo nawet za darmo, ale o to, że oprócz tego przedstawialiśmy również te drogie oferty. Fakt, że nasi czytelnicy mieli możliwość porównania ze sobą tych opcji, sprawił, że przegraliśmy z kretesem. Kiedy mieli przed sobą ofertę cudownej wyprawy, na którą nie było ich stać, a obok tę, która według nich stanowiła tylko namiastkę ich marzenia, myśleli wyłącznie o tym, co minie ich, kiedy skorzystają z tańszej wersji.

Dotarłam do Londynu późnym niedzielnym popołudniem. Zeszłam na pole startowe lotniska Heathrow dobre siedemnaście godzin przed planowanym spotkaniem w moim nowym biurze w Buckingham Gate.

Jak na drugą tak dużą przeprowadzkę w ostatnim czasie zabrałam zadziwiająco mało rzeczy. Miałam przy sobie tylko dwie walizki, dwa zdjęcia Mili i dwa numery telefonów do jedynych osób, które znałam w tym kraju. Jeden należał do mojej nowej szefowej Melindy Martin, a drugi do kogoś, do kogo zdecydowanie nie miałam ochoty zadzwonić. Przynajmniej na razie.

Redakcja wysłała po mnie samochód, co sprawiło, że moje pierwsze wrażenia z miasta, mającego stać się moim nowym domem, były o wiele przyjemniejsze niż te, które zagwarantowałaby mi podróż metrem. Słońce nad Londynem zaczęło już zachodzić, kiedy kierowca

Thomas zabrał mnie na długą przejażdżkę do mojego nowego mieszkania. Całą drogę pokazywał mi rozmaite miejsca, które jego zdaniem były warte uwagi: Trafalgar Square, kolumnę Nelsona, Galerię Narodową, most Waterloo, Piccadilly Circus, nie zapominając też o sławnym pałacu Buckingham. Nie miałam serca powiedzieć mu, że byłam już we wszystkich tych miejscach przy okazji pisania artykułów. Pomyślałam, że milej i uprzejmiej będzie, jeśli przemilczę ten drobny szczegół.

– Co takiego pisze pani w tej gazecie? – Kierowca uśmiechnął się do mnie w lusterku wstecznym.

– Głównie nekrologi – odpowiedziałam, wzruszając ramionami.

Thomas skręcił w prawo i pojechał wzdłuż Sloane Street. Popatrzyłam przez okno na pośpiech, w którym Londyńczycy oddawali się swoim codziennym sprawom. Jedni biegli do sklepów, z nadzieją że uda im się trafić na jakąś niepowtarzalną okazję. Inni wybierali się do restauracji na wczesną kolację. Powoli wypełniali lokale, zajmując najlepsze stoliki przy oknach, póki były jeszcze wolne. Chwilę później skręciliśmy w wąską, boczną uliczkę, która sprawiała wrażenie, jakby pochodziła z całkiem innego świata. Była wyjątkowo spokojna i kameralna. Dawała poczucie niesamowitej intymności. Znajdowało się na niej jedynie kilka wypielęgnowanych ogrodów oraz ślicznych, stylowych domów.

– Jak tu pięknie! – zachwyciłam się.

– To najlepsza okolica w całym Londynie. Naprawdę. Napisano nawet kilka książek o tym miejscu – wyjaśnił z dumą w głosie.

– Jestem w stanie w to uwierzyć.

– Cieszę się, że się pani podoba, zwłaszcza że to pani nowy dom. – Thomas wyłączył silnik i odwrócił się do mnie, uśmiechając się szeroko.

– Naprawdę? – zapytałam szczerze zaskoczona.

Starałam się chociaż sprawiać wrażenie tak szczęśliwej jak on. Usiłowałam przekonać o tym samą siebie: „To dobra decyzja, Annie". Z całego serca chciałam w to uwierzyć.

Jedno wiedziałam na pewno. Była to jedyna decyzja, jaką udało mi się podjąć.

Całe szczęście, że kiedy weszliśmy razem do mojego nowego mieszkania, a każde z nas trzymało w ręce po jednej dużej walizce, nie musiałam już tak bardzo się starać, żeby w to uwierzyć. Bez wątpienia było to najpiękniejsze mieszkanie, jakie widziałam w całym swoim życiu.

Budynek wyglądał jak stary, wiejski dom. Miał duże okna i wysokie, białe filary. Kuchnia urządzona była w rustykalnym stylu, a tradycyjne meble poustawiane były wzdłuż korytarza aż do samych schodów prowadzących do pięknej sypialni. Z każdego pomieszczenia rozpościerał się cudowny widok na niekończącą się rzekę, która niczym diament mieniła się w promieniach słońca.

– Niezłe mieszkanko – powiedział Thomas, kiedy staliśmy przy oknie w salonie, a ja wypełniałam potrzebne kierowcy dokumenty. – Zupełnie jakby dostała pani gotowe życie.

Spojrzałam na niego, kiedy to powiedział. Jego słowa zwróciły moją uwagę: „Gotowe życie".

Zmusiłam się do uśmiechu, a później podążyłam wzrokiem za jego spojrzeniem. Najpierw w kierunku rzeki, a następnie nieco dalej, w stronę Battersea. Nick i mój niedoszły dom znajdowali się właśnie tam. Gdzieś tam. A ja mogłam teraz patrzeć na to z całkiem niewielkiej odległości, stojąc w salonie mojego nowego mieszkania. Minęło dopiero kilka miesięcy od chwili, kiedy wspólnie to planowaliśmy. Czy to mogło mieć jeszcze jakieś znaczenie? Czy po tym wszystkim, co się wydarzyło, przez co przeszliśmy, jest to właśnie to miejsce, w którym powinnam być?

Szybko podpisałam się w wyznaczonych miejscach.

– Powinna się pani uważać za szczęściarę. Widziałem kilka innych mieszkań, w których ulokowali nowo przybyłych – powiedział kierowca. – Musi być pani wyjątkowo dobra w pisaniu o umarlakach.

– Najlepsza! – dobiegł mnie czyjś głos.

Odwróciliśmy się i zobaczyliśmy Petera stojącego w progu drzwi kuchennych. Trzymał w ręku butelkę szampana oraz dwa kryształowe kieliszki.

– Peter! – krzyknęłam, nie kryjąc zaskoczenia i radości. – Jak się tu znalazłeś?

– Schowałem się w kuchennej spiżarni – odpowiedział. – Kobieta mieszkająca samotnie… Naprawdę powinnaś sprawdzać wszystkie drzwi po wejściu do mieszkania.

Podbiegłam do Petera, żeby mocno go uściskać. Wtulałam się w jego ramiona pewnie dobrych kilka sekund dłużej, niż wymagał tego przyjacielski uścisk na powitanie. Na tyle długo, by Peter wykorzystał w końcu butelkę bardzo drogiego szampana, aby nas rozdzielić.

– Nie rozklejaj mi się tu teraz, moja droga – powiedział.

– Po prostu nie mogę uwierzyć, że cię widzę. Co cię sprowadza?

– Wspominałem ci przecież, że chcą przysłać mnie tutaj, żebym rzucił na ciebie urok. Więc przyjechałem przywitać cię jak należy. Na początek oczaruję cię szampanem.

– Nawet nie wiesz, jak się cieszę, że cię widzę – powiedziałam i uśmiechnęłam się szeroko.

Kiedy zbliżyłam się do niego ponownie, szykując się do kolejnego zbyt czułego uścisku, a łzy napłynęły mi do oczu, Peter podał mi kieliszek szampana.

– Wydawało mi się, że zdecydowaliśmy już, że nie będziesz się rozklejać – przypomniał. – Trzymajmy się tego planu.

Tego samego dnia wieczorem poszliśmy uzbrojeni w butelkę wyśmienitego wina na przyjęcie zorganizowane przez moją nową szefową Melindę Beckett Martin w South Kensington.

Peter powiedział mi tylko kilka ogólnych rzeczy dotyczących Melindy, dlatego też nie miałam pojęcia, czego się spodziewać po naszym pierwszym spotkaniu. Wiedziałam tylko, że była doskonałym przykładem kobiety sukcesu. Trzydziestoletnia żona wybitnego profesora wykładającego na uniwersytecie oksfordzkim, no i oczywiście „integralna część imperium Beckett Media". Peter opowiadał mi również, że zajmowała się tworzeniem programów telewizyjnych dla największych firm w Australii i Azji. Podobno przyczyniła się do gigantycznego wzrostu zysków w obydwu tych miejscach.

Nawet gdyby Peter dostarczył mi wszystkich możliwych informacji na jej temat, nie jestem pewna, czy byłabym chociaż w niewielkim stopniu przygotowana na to, co czekało mnie, kiedy zbliżaliśmy się do jej nieziemsko pięknego wiktoriańskiego domu. Kiedy drzwi się otworzyły, w progu stanęła sama Melinda, by osobiście nas przywitać. Wyciągnęłam rękę, chcąc wręczyć gospodyni prezent w postaci wina, które ze sobą przynieśliśmy.

Był to mój pierwszy błąd. Cudem uniknęłam zderzenia butelki z parą jej cycków.

Spojrzałam w górę, a moim oczom ukazało się ponad sto osiemdziesiąt centymetrów kobiety ubranej w modną pomarańczową sukienkę w groszki i białe baleriny. Wystarczającym dodatkiem do jej kreacji był piękny, ciepły i przyjazny uśmiech, który zdobił jej twarz.

– Peter Shepherd! – powiedziała radośnie ze zniewalającym australijskim akcentem. – Witam! Witam!

Trzymała w ręku tacę z apetyczną mieszanką rozmaitych przystawek, którą natychmiast odłożyła na bok, by pochylić się i pocałować Petera w oba policzki.

Później odwróciła się do mnie.

– Ty musisz być Annie. Bardzo dużo o tobie słyszałam.

– To ja. Cieszę się, że mogę cię…

Zanim zdążyłam dokończyć zdanie, Melinda przysunęła się bliżej, żeby mnie również pocałować w obydwa policzki. Następnie objęła mnie ramieniem. Zupełnie tak, jakbyśmy przyjaźniły się od lat.

– Mamy tyle do obgadania – powiedziała.

Poprowadziła nas wzdłuż głównego korytarza zdobionego pięknymi kafelkami. Był to typowo brytyjski dom, wyposażony w wielki stół jadalny i pełny rodzinnych fotografii. Zdjęcia ze ślubów oraz wszelkich innych uroczystości, zdjęcia męża, zdjęcia z podróży, a także zdjęcia z dzieciństwa stanowiły nieodłączny element każdego pomieszczenia. Podobnie jak wspaniałe meble, które sprawiały, że dom wydawał się pełny ludzi i przesiąknięty radością, muzyką i śmiechem, nawet kiedy tak nie było.

Tego wieczoru w domu Melindy można było znaleźć wszystkie wyżej wymienione elementy. Kiedy Peter rozgościł się przy barze i zaczął rozmowę z dawnym przyjacielem z uniwersytetu, Melinda oprowadziła mnie po domu i zapoznała chyba z każdą znajdującą się w nim osobą. Przedstawiła mi moich przyszłych redakcyjnych współpracowników oraz ich drugie połówki, które towarzyszyły im na przyjęciu, swoich przyjaciół, a także sąsiadów i przyszłą nianię.

Kiedy przedzierałyśmy się przez tłum gości, Melinda cały czas dokarmiała mnie przepysznymi przekąskami znajdującymi się na tacy, z którą nie rozstawała się ani na chwilę. W końcu dotarłyśmy do dwóch aksamitnych foteli stojących w rogu salonu, a wysoka niczym modelka Melinda pokonała tę odległość z dużo większą finezją niż ja. Następnie usadowiła swoje szczupłe ciało w fotelu, opierając jedną rękę na karku. Wydaje mi się, że w ciągu tych zaledwie kilku minut, które spędziłyśmy razem, zdążyłam się w niej trochę zakochać.

– Pozwól, że zacznę od tego, że ci podziękuję – powiedziała.

– Za co?

– Za uratowanie mnie przed koniecznością wymyślania tematów do rozmów z tymi wszystkimi ludźmi. I to w dodatku bez niczyjej pomocy. – Melinda spojrzała na mnie i mrugnęła zawadiacko. – Szczerze mówiąc, nienawidzę takich przyjęć.

– Wiem, co masz na myśli.

– Wszystkie sprawy związane z pracą zostawimy sobie na jutro, ale chciałam po prostu oficjalnie cię u nas powitać. Dobiegły mnie słuchy, że mój kuzyn Caleb nie był aż tak życzliwy, oficjalnie czy też nie.

– Tak bym tego nie ujęła – powiedziałam. – Po prostu nie mieliśmy jeszcze okazji się poznać.

– Jeśli dopisze nam szczęście, uda się utrzymać ten stan rzeczy jeszcze przez jakiś czas. On należy do tych osób, które są święcie przekonane, że znają odpowiedź na wszystkie pytania. Żeby go porządnie wkurzyć, dwa razy dziennie wysyłam mu maile oznaczone jako bardzo pilne, w których zadaję mu podchwytliwe pytania, dotyczące na przykład ceny kwarty mleka w miejscowości Adjar w Indiach.

Zaczęłam się śmiać, kiedy nagle usłyszałam, jak ktoś ją woła.

– Problem polega na tym, że on rzeczywiście zna na nie odpowiedź – kontynuowała. – Czy może być coś gorszego?

– Chyba niewiele rzeczy.

Melinda wskazała na osobę, która przed chwilą ją zawołała, i dała mi znak, że za chwilę wróci. Posłała mi przy tym najżyczliwszy uśmiech, jaki może powstać na ludzkiej twarzy.

– Przepraszam, że zostawiam cię samą, ale wydaje mi się, że muszę ugasić pożar w południowej części przyjęcia – powiedziała, dając mi do zrozumienia, że pewna niezręczna sytuacja zaczyna wymykać się spod kontroli i wymaga jej natychmiastowej interwencji. – Spójrz tam, na godzinie trzeciej.

Odwróciłam się, żeby zobaczyć dość osobliwą parę młodych ludzi. Najwyraźniej zaangażowani byli w jakąś dziwną dyskusję, a właściwie w kompletny brak dyskusji, ponieważ stali naprzeciwko siebie, wlepiając wzrok w podłogę.

– Nie ma sprawy – powiedziałam. – W zasadzie to powinnam podziękować ci za to, że poświęciłaś mi aż tyle czasu.

– Bardzo się cieszę, że mogłyśmy się poznać. – Melinda zatrzymała się jeszcze na chwilę i pochyliła nade mną w dość krępujący sposób. Następnie wręczyła mi ostatni kawałek babeczki krabowej.

– Ja również – odpowiedziałam, patrząc, jak odchodzi. Sukienka w groszki poruszała się z taką samą gracją jak jej właścicielka.

Zaczęłam rozglądać się po pokoju w poszukiwaniu Petera. Chciałam powiedzieć mu, że mam zamiar wracać już do mieszkania. Ale właśnie w tym momencie usłyszałam dzwonek telefonu. Na wyświetlaczu pojawił się komunikat, że to numer prywatny, więc nie mogłam od razu zidentyfikować dzwoniącego.

Miałam nadzieję, że to Griffin. Nie rozmawialiśmy ze sobą od chwili, kiedy opuściłam dom i pojechałam najpierw do Nowego Jorku, a później do Londynu. Właściwie to nie pamiętam, kiedy ostatnio tak naprawdę ze sobą rozmawialiśmy. Wiedziałam tylko, że ta rozmowa powinna zostać zainicjowana przeze mnie, jeśli w ogóle jeszcze tego chciałam. Wiedziałam również, że nie mam całej wieczności, żeby to zrobić. Miałam zdecydowanie mniej niż całą wieczność, jeśli chciałam jeszcze wszystko naprawić. Mimo to nie traciłam nadziei, że po drugiej stronie słuchawki usłyszę głos Griffina. Niestety, nie był to on, ale Jordan.

– Czy wciąż jesteś na mnie zła? – zapytała. – I zanim odpowiesz mi na to pytanie, miej na uwadze fakt, że zrobiłam bardzo długą listę przekonujących powodów, dla których nie powinnaś się już gniewać. To prawie jak oda do mojej ulubionej kolumny. A to właściwie jest powód numer jeden na mojej liście. Twoja kolumna jest moją ulubioną. No i napisałam więcej listów do redakcji, żeby to potwierdzić, niż jakikolwiek inny czytelnik.

Wyszłam na balkon, gdzie panowała dużo większa cisza i spokój. Przez okno widziałam odbywające się w środku przyjęcie. Wyglądało to jak niemy film rozgrywający się na moich oczach.

– A jaki jest sens dalszego wściekania się? – zapytałam, wydając z siebie głośne westchnienie.

– Serio? Miło mi to słyszeć!

– Cieszę się, że się cieszysz. Ale zastrzegam sobie prawo do ponownego wściekania się, kiedy uznam, że zaszła taka potrzeba.

– Umowa stoi! – krzyknęła wyraźnie zadowolona. – Opowiadaj, jak ci się tam podoba?

Zerknęłam na wspaniałe przyjęcie, od którego oddzielały mnie szklane drzwi, a później odwróciłam się, by spojrzeć na gwieździste niebo tuż nad głową. Poczułam, jak delikatny wiatr chłodzi moją skórę.

– Powiedziałabym, że pogoda jest dość łagodna jak na tę porę – stwierdziłam.

– To chyba dobry znak, prawda? Nawet bardzo dobry! A kiedy zaczynasz pracę?

– Jutro rano.

Jeszcze raz spojrzałam przez szybę drzwi balkonowych i zauważyłam Melindę. W zasadzie nie było to zbyt trudne, biorąc pod uwagę jej wzrost. Dawała właśnie mały pokaz stepowania dla niewielkiej grupki gości. Wyglądało to dość komicznie, ponieważ w trakcie występu w jednej ręce trzymała tort w polewie czekoladowej. Goście żywo oklaskiwali jej poczynania. Nie byłam tylko pewna, czy owacje są wyrazem uznania dla jej talentu tanecznego, czy umiejętności utrzymania równowagi z tacą w jednej ręce.

– Moja nowa szefowa wydaje się świetną osobą – dodałam, nie odwracając wzroku od szalonego przedstawienia w salonie.

– To mi się podoba!

– Tak?

– Oczywiście! Annie, to naprawdę wspaniale! Tak powinno być – dodała Jordan, starając się okazać entuzjazm, po czym na chwilę przerwała. – A widziałaś się już z Nickiem? Wiesz chyba, że on ciągle jest w Londynie?

Po usłyszeniu tego zdania poczułam nagłą ochotę rozłączenia się bez słowa wyjaśnienia.

– Rozłączam się! – powiedziałam.

– Dobrze już, dobrze. Nie denerwuj się tak. Cofam to, co powiedziałam. Przepraszam. Nie powinnam była o to pytać. To i tak nie ma znaczenia. Zadzwonisz do niego albo nie zadzwonisz. Twój wybór. Chcę tylko, żebyś wiedziała, jak bardzo się cieszę, że się pozbierałaś. Że wracasz do życia i znowu otwierasz się na świat.

Przez drzwi balkonowe nadal widziałam, jak Melinda bez reszty oddaje się swojemu występowi. Podniosła sobie poprzeczkę, trzymając teraz tacę z tortem nad głową. Energicznie podnosiła ją i opuszczała w rytm muzyki. Później rozejrzałam się po salonie, obserwując pozostałych gości. Zobaczyłam Petera, rozmaitych dziennikarzy i redaktorów, a także wielu przyjaciół Melindy. Wszyscy oni zgotowali mi tak niezwykle miłe i przyjazne powitanie.

Nie mogłam przestać myśleć o tym, co powiedział mi kierowca Thomas niespełna kilka godzin wcześniej, kiedy staliśmy przy oknie mojego nowego salonu.

– To takie gotowe życie – powiedziałam.

– A komu nie przydałoby się takie gotowe życie? – odparła moja przyjaciółka. – Nie ma w tym nic złego. Zupełnie nic.

ROZDZIAŁ 32

Następnego dnia minęło trochę czasu, nim udało mi się, za pomocą trzech kubków mocnej kawy, okiełznać bolesne symptomy skołowania będącego wynikiem morderczej mieszanki zmiany strefy czasowej i długiej podróży samolotem. Siedziałam już za biurkiem w zatłoczonym pokoju redakcji w kwaterze głównej potentata prasowego Beckett Media. Moje biuro zajmowało niewiele ponad dziesięć metrów kwadratowych powierzchni, ale było to wspaniałe dziesięć metrów. Znajdowało się w samym rogu i otoczone było wielkimi oknami, z których rozpościerał się cudowny widok na Buckingham Gate oraz placówkę dyplomatyczną Hongkongu, z pięknymi ogrodami oraz łodziami unoszącymi się na rzece tuż za nią.

Usiłowałam nakreślić w głowie plan działania, za pomocą którego rozpocznę pracę nad swoją nową kolumną. Chciałam, żeby było to coś ekscytującego i totalnie nowego. Po chwili jednak zrezygnowałam z tego zadania. Odwróciłam się w stronę okna i podziwiałam niesamowity widok. Byłam wystarczająco zadowolona z samego patrzenia na otaczające mnie piękno. Chociaż może „zadowolona" nie było adekwatnym słowem. Powinnam raczej powiedzieć: samotna. To byłoby chyba bardziej szczere.

Moją kontemplację przerwało pojawienie się Melindy, która stanęła przy moim biurku i delikatnie zapukała w jego błyszczący blat, wyrywając mnie z zadumy. Podniosłam wzrok, żeby zobaczyć, jak przygląda mi się z góry. Ubrana była w sukienkę w grochy, tylko nieznacznie różniącą się od tej, którą miała na sobie na przyjęciu. W zasadzie jedynym, co różniło te dwie sukienki, był kolor. Jej wczorajsza kreacja była pomarańczowa, natomiast ta, w której pojawiła się w biurze, miała kolor wiśniowy, ale i tak trzeba było się bardzo mocno przyjrzeć, by zauważyć tę różnicę. Najwyraźniej ja to właśnie robiłam.

– Świetna sukienka – pochwaliłam.

– Świetny gust! Jak podoba ci się twoje nowe biuro? Musiałam przenieść kogoś z działu architektury, żeby zapewnić ci miejsce z widokiem. Nie widzisz w tym lekkiej ironii?

– Jest wspaniałe. Dziękuję – powiedziałam i uśmiechnęłam się.

– Cieszę się, że ci się podoba! Posłuchaj, słoneczko... – zaczęła, po czym przerwała, jakby coś nagle wpadło jej do głowy. – Czy ktoś już kiedyś mówił do ciebie „słoneczko"?

– Pewnie moja mama – odpowiedziałam, usiłując przywołać to wspomnienie. – Kiedy miałam jakieś sześć lat.

– W takim razie nie będziemy ci tego przypominać. – Zaczęła się śmiać, odchylając głowę do tyłu.

– Tak będzie chyba najlepiej.

Melinda rzuciła mi pióro marki Montblanc i żółty notatnik. Jakimś cudem udało mi się złapać obydwie te rzeczy.

– Chodź ze mną.

Szłyśmy wzdłuż korytarza. Melinda pokonywała drogę szybkim krokiem, a ja usiłowałam za nią nadążyć. Nie było to jednak łatwe, ona miała niebotycznie długie nogi.

– Wczoraj, kiedy udało mi się już pozbyć ostatnich gości, jeszcze raz przeczytałam twoje artykuły.

– Wszystkie?

Melinda delikatnie zbliżyła ramię do mojego, co musiało być dla niej dość skomplikowane, zważywszy na dzielącą nas różnicę wzrostu. Jednak udało jej się to bez żadnego problemu.

– Każdy jeden, Annie – powiedziała. – I muszę przyznać, że jestem teraz twoją fanką. Na pewno praca nad rozbudową kolumny sprawi nam obu wiele radości. Mam już całe mnóstwo pomysłów.

– Cieszę się.

Melinda uśmiechnęła się do mnie.

– Wydaje mi się jednak, że mogłabyś... że powinnaś opowiedzieć dużo więcej na temat wszystkich miejsc, w których byłaś. Zwłaszcza że było tego tak wiele. Musimy myśleć innowacyjnie i nieszablonowo, aby nadać temu przedsięwzięciu odpowiednią oprawę, która sprawi, że twoja kolumna będzie jeszcze bardziej spektakularna i dostępna dla odbiorców na całym świecie.

– Tak myślisz?

– Oczywiście.

Jej entuzjazm sprawił, że i ja zaczęłam czuć się podekscytowana, nieco wbrew samej sobie, a uśmiech sam pojawił się na mojej twarzy. Miałam ochotę opowiedzieć jej również o moich fotografiach, o wszystkich tych domach, których historie czekały, by ktoś je w końcu opisał. Powstrzymałam się jednak, ponieważ przypomniałam sobie, że wszystkie zostały zniszczone. Przypomniałam też sobie w jaki sposób, a także co straciłam razem z nimi. Chłopców, Jesse'a, Williamsburg. I Griffina. Wszystko to wydawało się tylko iluzją. Światem, którego być może już nie znałam.

– Wyglądasz, jakby coś cię martwiło. Co się dzieje?

– Nie. To nic – odpowiedziałam, wzruszając ramionami.

– Nie wiem, czy to kiedykolwiek jest „coś"… – stwierdziła, uśmiechając się szeroko. – Chcę tylko, żebyś wiedziała, że jestem otwarta na wszystkie pomysły. Wiem, że każdy tak mówi, ale w moim przypadku to prawda. I mam na myśli wszystkie pomysły. Dobre i złe. Ale zwłaszcza na te dobre.

Uśmiechnęłam się.

– Zanim zaczniesz działać, chcę, żebyś wiedziała, że najważniejszą rzeczą, na jakiej się teraz skupiamy, jest sposób na zmodyfikowanie kolumny tak, by można było podciągnąć ją pod naszą markę. Chcemy w niej więcej ciebie. Wiesz, co mam na myśli?

– Czy to bardzo źle, jeśli powiem, że nie do końca?

Melinda zaczęła się śmiać. Zbliżałyśmy się do sali konferencyjnej.

– Być może moje plany jeszcze nie do końca są jasne, ale chcę, żebyś wspierała mnie swoimi pomysłami i kreatywnością.

– To się chyba da zrobić.

– To dobrze – powiedziała, odsuwając ramię od mojego. – Otwierają się dla nas nowe możliwości. Wspaniałe możliwości.

Melinda mrugnęła do mnie i zniknęła za drzwiami sali konferencyjnej. Zanim zdążyła je zamknąć, zauważyłam, że w środku czekał już na nią Peter.

Spojrzałam na notatnik, który wręczyła mi wcześniej. U góry strony napisała: „Annie »Słoneczko« Adams = Światowej klasy specjalista do spraw podróży".

Pod spodem, na całej stronie rozpisała kilka głównych działów składających się na Beckett Media. Wyszczególniła między innymi działy zajmujące się tworzeniem programów telewizyjnych o tematyce podróżniczej, podobnych audycji radiowych, a także stron internetowych.

Wszystkie te działy wpisane były w jedno wielkie kółko, w którego samym środku ponownie umieściła moje imię.

Ja najwyraźniej nie napisałam nic.

W następny piątek, aby uczcić mój pierwszy tydzień pracy, wraz z Peterem postanowiliśmy wybrać się na sztukę wystawianą na West Endzie. Po spektaklu planowaliśmy pójść na późną kolację.

Niestety, w chwili kiedy weszliśmy do taksówki, wydarzyło się coś, co sprawiło, że nasz misternie zaplanowany wieczór został niespodziewanie zepsuty. Dostałam esemesa z powiadomieniem, że w skrzynce czeka na mnie nowy e-mail. Serce zaczęło bić mi szybciej, kiedy logowałam się na pocztę, pełna nadziei, że nadawcą jest Griffin. Mijało coraz więcej czasu, a ja zaczynałam martwić się, że taka wiadomość nigdy nie nadejdzie. Ale co tak naprawdę pragnęłam od niego usłyszeć? Myślę, że każda wiadomość byłaby dobra. Chciałam po prostu, żeby się w końcu odezwał. Niestety, to nie e-mail od Griffina czekał na mnie w skrzynce.

Nadawcą tej wiadomości był Nick.

A oto, co napisał:

Droga A.,
mam nadzieję, że nie pomyślisz, że pisząc do ciebie, chcę wywierać jakąkolwiek presję. Wiedz tylko, że myślę o tobie. Nie tylko kiedy jesteś w Massachusetts. Nie tylko kiedy jesteś żoną kogoś innego. Nie tylko wtedy, kiedy nie powinienem o tobie myśleć, nawet jeśli mogę. Nie chcę, żebyś sądziła, że wtedy chodziło mi tylko o to, ponieważ to nieprawda. Chodzi o wszystko inne. O wszystko to, co mogłoby się wydarzyć, gdybyś tylko na to pozwoliła.

Wyjeżdżam z Londynu w przyszłym tygodniu. Może uda nam się spotkać, zanim to się stanie.

Mam nadzieję, że pojawi się powód, dla którego nie będę musiał wyjeżdżać w ogóle.

Twój Nick

– Dobry e-mail, czyż nie? – powiedział Peter.

Odwróciłam się, by zobaczyć, jak zerka zza mojego ramienia i czyta wiadomość.

– Peter!

– Dobrze już, dobrze. Jeszcze ktoś pomyśli, że naprawdę jesteś taka skryta.

– Nieważne. To i tak nie ma dla mnie żadnego znaczenia.

– Dlaczego nie?

– Nie wiem, czy będę umiała znaleźć odpowiednie słowa, żeby ci to sensownie wytłumaczyć. – Wzruszyłam ramionami.

– Oto moja gwiazda dziennikarstwa. Osoba utrzymująca się z szukania odpowiednich słów – powiedział Peter, troskliwie gładząc moją dłoń.

– Chodzi o to, że Nickowi wydaje się, że jest w stanie zaoferować mi to, czego pragnę. Chce, bym dała mu szansę, żeby mógł mi to udowodnić.

– Więc w czym problem?

Starałam się wyszukać w głowie najlepsze wyjaśnienie tej sytuacji. Nie chodziło tylko o to, że byłam wściekła na Nicka za to, że mnie rozczarował, opuścił i postawił wtedy w takiej trudnej sytuacji. Nie chodziło nawet o to, że ponownie pojawił się moim życiu w najgorszym możliwym momencie i postawił w trudnej sytuacji teraz. Chodziło o coś zupełnie innego. Jeśli mam być szczera, to zaczęłam zastanawiać się nad tym, czy to, co chciał zaofiarować mi Nick, nie było przypadkiem czymś, czego pragnęłam w przeszłości, a nie tym, czego chciałam i potrzebowałam teraz.

– Chodzi o to, że nie jestem już wcale pewna, czego tak naprawdę chcę. A skoro ja tego nie wiem, to skąd może wiedzieć to Nick?

– Jeśli chcesz czekać do momentu, kiedy będziesz w stu procentach pewna, może okazać się, że będziesz musiała czekać w nieskończoność.

– Jezu. Dzięki, Peter. To rzeczywiście bardzo pocieszające.

– Dlaczego nie chcesz dać mu jeszcze jednej szansy? – Peter mocno ścisnął moją dłoń. – Zawsze lubiłem Nicka.

Spojrzałam na niego, nie kryjąc zdziwienia.

– L u b i ł e ś? Przecież nigdy go nawet nie poznałeś.

– Właśnie dlatego go lubię.

– Nie rozumiem.

Peter podrapał się po nosie.

– Po tym, jak wyszłaś za Griffina, byłaś zawsze bardzo zajęta. Nie chciałaś nawet podróżować. Z Nickiem jesteś wolna.

Wolność. Znowu pojawiło się to słowo. Motyw wolności przewijał się ostatnio we wszystkich moich rozmowach. Zbudowałam całe swoje życie na wolności, prawda? Przynajmniej wszystkim tak się właśnie wydawało. Wszystkim, włączając w to mnie samą, wydawało się, że muszę mieć możliwość wyjazdu zawsze i wszędzie, kiedy tylko zapragnę. Wydawało im się, że ta swoboda jest mi niezbędna do życia. Ale teraz zaczęłam się zastanawiać, czy przypadkiem nie umknęło mi to, jak ta wolność powinna naprawdę wyglądać. Może w wolności nie chodziło o to, by zawsze mieć możliwość ucieczki. Być może żeby przekonać się, co ona w rzeczywistości oznacza, trzeba było zanurzyć się głębiej.

– Więc chodzi tu o ciebie? – zapytałam.

– Nie. Tu chodzi tylko i wyłącznie o ciebie i o to, żebyś w końcu zaakceptowała to, kim jesteś. Jaka tak naprawdę jesteś w środku i czego oczekujesz od życia. Może on rzeczywiście jest twoim pierwszym mężem, ale to wcale nie oznacza, że musi być tym ostatnim! – Peter odwrócił się w stronę okna. Najwyraźniej miał już dość tej dyskusji.

– To cudowna pointa naszej rozmowy – powiedziałam sarkastycznie.

– Posłuchaj, skarbie, może ci się to nie spodoba, ale uważam, że ty i Griffin... To wszystko jest po prostu bardzo skomplikowane.

– Co masz na myśli, mówiąc „skomplikowane"?

– Zagmatwane, pokręcone, dające sporo do myślenia. Często trudne do przeanalizowania, zrozumienia czy wyjaśnienia.

Sama rozmowa o Griffinie sprawiła, że poczułam silne ukłucie w sercu. Może dlatego, że sama nie widziałam w tym jeszcze żadnego sensu. Kiedy byłam w Massachusetts, czułam się tak bardzo przytłoczona i niespokojna, że nie mogłam znaleźć w sobie siły, która pozwoliłaby mi tam zostać. Dlaczego więc, będąc po drugiej stronie globu, czułam tak intensywnie coś zupełnie innego na sam dźwięk jego imienia? Dlaczego nagle to wszystko stało się tak banalnie proste?

– A poza tym – Peter kontynuował – nie ma potrzeby, żebyś się na mnie złościła wyłącznie dlatego, że chcesz się z nim zobaczyć.

Przeszyłam go spojrzeniem.

– Nieprawda. Wcale nie chcę się z nim zobaczyć – powiedziałam. – Czekaj… właściwie, to o którym z nich teraz mówisz?

– Doskonale wiesz, o którym.

– Niespecjalnie.

– Przecież to oczywiste – powiedział, ściskając mocniej moją dłoń.

ROZDZIAŁ 33

Tamtej nocy, po powrocie z teatru, długo nie mogłam zasnąć.

Lista myśli, które zaprzątały mi głowę, była długa i treściwa. Jedno zwolnienie z pracy. Jedno nieudane otwarcie restauracji. Niespodziewane oświadczyny kogoś z przeszłości. Żadnych planów na kolejną podróż w najbliższym czasie. Żadnych hucznych urodzin. Po jednym dziwnym spotkaniu z naszymi rodzicami. Małe, zimne i wietrzne miasteczko, w którym nie czekały na mnie żadne fascynujące oferty pracy. Ani żadna konkretna przyszłość. Miałam w nim za to zwariowanego szwagra, dom pełny tęskniących za swoją matką bliźniaków oraz pięćset zniszczonych fotografii. Miasteczko, w którym było zbyt zimno na spacery po godzinie piątej po południu i zbyt hałaśliwie, by znajdować się w nim przed tą godziną. Miasteczko, w którym mój mąż (jeśli w ogóle wciąż tak o sobie myślał) miał piękną i zdolną byłą dziewczynę, matkę, która nie żywiła do mnie zbyt ciepłych uczuć, oraz nową, bezimienną restaurację w samym środku tego zamieszania. Restaurację, która nas tam trzymała, która trzymała nas w nieskończonej ciszy. W tej ciszy bardzo wyraźnie słyszałam wszystkie swoje lęki i wątpliwości, które przypominały mi o tym, że bez zastanowienia wskoczyłam w zupełnie nowe życie i że zawsze będę pamiętać tego jednego mężczyznę, który miał być moją odpowiedzią na wszystkie pytania. Tę jedyną miłość, która miała dać mi wszystko. Po raz pierwszy.

Było jeszcze i to: poczucie, że być może tylko jeden raz w życiu ktoś kocha nas za coś, czego jeszcze w sobie nie dostrzegamy. I jeśli stracimy go zbyt wcześnie w imię wszystkich obietnic, które składa nam świat, obietnic nowej pracy, nowego miasta, starej miłości obiecującej szczęśliwe zakończenie, możemy na zawsze stracić szansę, by stać się najwspanialszą wersją nas samych.

ROZDZIAŁ 34

Następnej niedzieli, na dzień przed planowanym wyjazdem Nicka, poszłam na długi nocny spacer po okolicy ubrana w spodnie od piżamy. Przed chłodem i deszczem chronił mnie wyłącznie mój zdobiony kryształowymi kamieniami płaszcz kupiony w Massachusetts. Mimo okropnej pogody spacerowałam tak długo, aż opuściłam znane mi okolice. Poszłam na wschód, nie przyznając się sama przed sobą, że zmierzam w kierunku dworca Victoria, w miejsce, gdzie całkiem przypadkowo mogłabym spotkać Nicka, w pobliże jego londyńskiego mieszkania, aż w końcu wylądowałam w Pimlico. Stanęłam naprzeciwko małej, popularnej knajpki The Orange.

Nie planowałam nigdzie wchodzić. Zresztą, mój strój nie był chyba najlepszym wyborem, jeśli rzeczywiście chciałabym pokazywać się publicznie, ale nawet pomimo sporego tłumu znajdującego się w lokalu, postanowiłam wejść do środka. Znalazłam dla siebie miejsce na końcu baru tuż obok pianina, ponieważ dziwnym zrządzeniem losu jakaś starsza para, która tam siedziała, postanowiła opuścić lokal w chwili, kiedy ja zdecydowałam się do niego wejść.

Kiedy szybko, by nikt nie zdążył mnie ubiec, zajęłam świeżo zwolnione miejsce, podeszła do mnie barmanka i wytarła kontuar tuż przede mną. Zbyt mocno starała się przy tym nie zwracać uwagi na mój osobliwy strój i nie gapić się na kryształowe serca pokrywające mój płaszcz.

Barmanka nie zdawała sobie jednak sprawy, że nie mogłam zdjąć płaszcza, ponieważ pod spodem miałam na sobie jedynie kiczowatą koszulkę z nadrukiem przedstawiającym wodospad Niagara i kolorową tęczę, którą kupiłam podczas jednego z moich pierwszych dziennikarskich zleceń. Przy tej koszulce mój płaszcz wyglądał jak ostatni krzyk mody.

– Co podać? – zapytała, usiłując przekrzyczeć otaczający nas hałas.

Rzuciłam okiem na *menu*, starając się zapomnieć o tym, że niespełna kilka godzin wcześniej zjadłam pokaźną kolację.

– Poproszę podwójną porcję pieczonych ziemniaków z rozmarynem. A w kwestii drinków zdaję się na panią. Wezmę to, co pani poleca.

– Robię wyśmienite martini – powiedziała.

– Wszystko tylko nie to. – Uśmiechnęłam się do niej. – Cokolwiek pani przyrządzi, proszę dodać do tego bourbon z odrobiną soli.

– Już podaję. – Barmanka odwzajemniła mój uśmiech i zaczęła przygotowywać dla mnie drinka.

Zauważyłam, że para, która przed chwilą opuściła lokal, zostawiła na barze egzemplarz gazety „The Guardian". Zaczęłam przeglądać go w oczekiwaniu na zamówienie. Nie zauważyłam nawet, że ktoś stoi obok drugiego wolnego miejsca przy barze.

– Myślę, że popełniłaś błąd, rezygnując z martini. – Usłyszałam męski głos ze znajomym amerykańskim akcentem.

W pomieszczeniu było tak przeraźliwie głośno od dudniącej muzyki i ludzi krzyczących do siebie, że przez moment wydawało mi się, że słyszę głos Nicka. Myślałam, że to właśnie on stoi przy barze, co mogłabym potraktować jako znak zesłany mi przez jakieś kosmiczne siły przeznaczenia. Pomijając oczywiście ten drobny, nieistotny szczegół, że trochę pomogłam przeznaczeniu, wchodząc do jednego z najpopularniejszych pubów znajdujących się w okolicy, w której przypadkiem mieszkał Nick.

Jednak przeznaczenie szykowało dla mnie coś zupełnie innego.

Spojrzałam w górę, by zobaczyć zupełnie obcego mężczyznę. W jednej dłoni trzymał kieliszek z martini, a w drugiej skórzaną aktówkę i swój egzemplarz „The Guardian". Nie mógł mieć więcej niż trzydzieści lat, chociaż elegancki garnitur, schludnie zawiązany krawat i lśniące buty, które kosztowały zapewne tyle, ile moje miesięczne wynagrodzenie, bez wątpienia dodawały mu powagi. Nosił okulary, a ich oprawki wyglądały zupełnie tak, jak oprawki okularów Nicka. Ponadto był przystojny. Nieziemsko przystojny. Był bardzo wysoki, miał rozbrajający uśmiech i mocno zarysowaną, silną szczękę.

Sposób, w jaki rzucił aktówkę na bar i usiadł na pustym miejscu tuż obok mnie, nie zadając sobie trudu, by zapytać, czy nie mam nic przeciwko, kazał mi myśleć, że doskonale zdawał sobie z tego sprawę.

– Jestem pewna, że mój wybór też będzie dobry, ale dziękuję za cenną wskazówkę.

W tym momencie ponownie pojawiła się barmanka, niosąc kieliszek do martini wypełniony jasnopomarańczowym alkoholem. Do tego dorzuciła jeszcze żółtą parasolkę, która ostentacyjnie wystawała ze szklanki. Ponownie spojrzałam na pana elegancika w garniturze, który od niechcenia przesunął swoje martini w moim kierunku, dając jednocześnie znak barmance, że prosi jeszcze raz o to samo.

– Spróbuj. Nie pożałujesz – powiedział nieznajomy. – Nie martw się, jeszcze nie piłem. Jest nietknięte. Potraktuj to jako zapłatę.

– Zapłatę?

– Za miejsce obok ciebie.

Uśmiechnęłam się do niego i zgodziłam się przyjąć martini w chwili, kiedy barmanka podawała mu drugi kieliszek. Może jednak zbyt pochopnie go oceniłam.

– Dziękuję. To miłe z twojej strony – powiedziałam.

Podniósł drinka i stuknął swoim kieliszkiem o mój.

– W takim razie na zdrowie.

Spojrzał na swój egzemplarz gazety, a ja pomyślałam, że wszelkie uprzejmości mamy już za sobą i możemy zająć się czytaniem. Ale najwyraźniej się myliłam, ponieważ mój nowy znajomy kontynuował rozmowę, nie podnosząc wzroku znad gazety.

– Od jak dawna przebywasz na wygnaniu?

– Niedługo.

– To znaczy?

Spojrzałam na niego, usiłując zdecydować, czy miałam ochotę odpowiedzieć na to pytanie i wdać się w rozmowę, czy też może powinnam się przesiąść albo rzucić jakiś krótki, oschły komentarz, by zakończyć tę niespodziewaną pogawędkę. A co z moimi cekinami, które miały zagwarantować mi brak towarzystwa? Najwyraźniej nie działały najlepiej.

– Niecały miesiąc – odpowiedziałam po chwili namysłu.

– Co cię tu sprowadza?

Powiedziawszy to, odłożył magazyn i ponownie na mnie spojrzał. Podniosłam szklankę i spróbowałam drinka, usiłując przestawić myślenie na właściwe tory i szukając w sobie chociażby namiastki życzliwości. Przypomniałam sobie, że w końcu teraz tu mieszkam. To mój nowy dom.

– Praca – odpowiedziałam. – A ciebie?

– W czterdziestu dwóch procentach sprawy zawodowe, a w pięćdziesięciu ośmiu prywatne. – Nie spodziewałam się takiej precyzji. – W przybliżeniu.

– Tylko w przybliżeniu?

– Jestem świetny w procentach – dodał, słysząc ironię w moim głosie.

Uśmiechnęłam się i wróciłam do przeglądania gazety. Przewróciłam stronę, by zatrzymać się na artykule dotyczącym spraw krajowych.

– Więc, kiedy zobaczyłem cię na przyjęciu u Melindy… – Spojrzał na sufit, zupełnie jakby przeprowadzał w myślach skomplikowane obliczenia matematyczne, usiłując ustalić prawdopodobieństwo jakiegoś zdarzenia. – To musiało być niedługo po twoim przyjeździe, zgadza się?

Spojrzałam na niego kompletnie zdezorientowana.

– Słucham?

– Mówię o przyjęciu u Melindy Martin. Domyślam się, że pracujesz w redakcji? – Wskazał palcem na egzemplarz „The Guardian" leżący przede mną. – Nie martw się. Nikomu nie powiem, że zdradzasz swoją redakcję.

– Kim jesteś?

Wyciągnął dłoń w moim kierunku, żeby się przedstawić.

– Przyjaciele mówią na mnie Aly – powiedział. – Miałem zamiar przedstawić się na przyjęciu, ale rozmawiałaś z kimś przez telefon. No i wyglądałaś na dość przygnębioną. Chyba jeszcze bardziej niż teraz.

– Przynajmniej jest jakaś zauważalna poprawa – skomentowałam.

– Bez wątpienia.

Uśmiechnęłam się do niego.

– Czym zajmujesz się w redakcji?

– Niczym – odpowiedział. – Jestem prawnikiem. Specjalizuję się w prawie ochrony środowiska. Pomagam niezrozumianym korporacjom wyjść z opresji, kiedy zadrą z zielonymi.

Roześmiałam się, podnosząc drinka.

– Sprawiasz, że świat staje się lepszy?

– Robię, co do mnie należy.

– A co robiłeś na tamtym przyjęciu?

– Moja żona pracuje w redakcji… – przerwał na chwilę. – W zasadzie była żona.

Zaintrygowało mnie to.

– Wybacz, że pytam, ale dlaczego towarzyszyłeś swojej byłej żonie na imprezie zorganizowanej przez jej pracodawcę?

Podniósł swoją szklankę i wziął duży łyk martini, zastanawiając się nad moim pytaniem.

– Życie jest pogmatwane.

– Czy to również hasło reklamowe twojej kancelarii prawnej?

– Mogłoby być – odpowiedział. – A jaka jest twoja historia? Byłaś kiedyś mężatką?

Skinęłam głową, kiedy on spojrzał na mój serdeczny palec, na którym nie było obrączki. Poczułam nagłą ochotę, by ukryć dłoń.

– Jestem w separacji. Ale nie dlatego nie noszę obrączki. Bratanek męża ją zjadł.

– Nie będę wnikał w szczegóły – przechylił głowę na bok.

– To chyba dobry pomysł.

Uśmiechnął się do mnie, a jego uśmiech był niezwykle szczery i przyjazny.

– Przykro mi – powiedział. – Wiem, że to trudne. Ale z czasem staje się mniej trudne.

– Jesteś tego pewien?

– Nawet bardzo – odpowiedział z pewnością w głosie. – A przebywanie w tak wspaniałym mieście jak Londyn może tylko pomóc. Mieszkanie w pobliżu miast takich jak Dublin, Edynburg i Rzym też. A pieczone ziemniaki z rozmarynem podawane w tym miejscu potrafią zdziałać cuda.

Jakby na zawołanie, właśnie w tej chwili moje zamówienie z podwójnymi pieczonymi ziemniakami z rozmarynem pojawiło się tuż przede mną, sprawiając, że poczułam się cudownie.

Spojrzałam najpierw na mojego rozmówcę, a później na stojący przede mną talerz.

– Zaplanowałeś to sobie?

– Obawiam się, że nie mam aż takich mocy.

Mój najwyraźniej nowy przyjaciel Aly sięgnął w stronę mojego talerza, żeby się poczęstować. Następnie spojrzał na swój egzemplarz gazety i przerzucił kolejną stronę.

– Możesz teraz w spokoju zjeść – powiedział. – Chciałem się tylko przedstawić… i postawić ci przyzwoitego drinka… i ukraść ziemniaka… i mówić najwyraźniej o wiele za dużo, nie pozwalając ci nawet powiedzieć, jak masz na imię…

– Annie – dokończyłam za niego. – Mam na imię Annie.

Wtedy wręczył mi swoją wizytówkę.

– Możesz zawsze do mnie zadzwonić, gdybyś miała ochotę na małą przerwę w pracy albo przerwę od swojej typowej przerwy w pracy. Zabiorę cię na polowanie na ziemniaki. Bez zobowiązań.

– Polowanie na ziemniaki?

Wskazał na moje podwójne zamówienie.

– Domyślam się, że jesteś kobietą, która nie boi się przyznać do swojej ukrytej miłości do pieczonych ziemniaków.

Nie byłam pewna, jaki typ kobiet reprezentowałam, ale miłośniczka pieczonych ziemniaków nie wydawała mi się najgorszą kategorią.

Spojrzałam na wizytówkę, na której znajdowała się nazwa firmy, dla której pracował. Nie była to jakaś kancelaria prawnicza, której się spodziewałam, ale... Beckett Media. W centralnym punkcie wizytówki znajdowało się również jego nazwisko: Caleb Beckett.

Spojrzałam na niego zaskoczona.

– Nazywasz się Caleb Beckett?

– Przyjaciele mówią do mnie Aly, pamiętasz?

Podniosłam wizytówkę, jakby na dowód jego tożsamości.

– Ale ja nie jestem twoją przyjaciółką. Jestem twoją podwładną.

– Nie jestem twoim bezpośrednim przełożonym, prawda? – Wzruszył ramionami. – Gdyby tak było, nie spotkalibyśmy się dopiero teraz. Ale skoro wolisz przejść na grunt czysto zawodowy, to sugerowałbym ci, żebyś nie nosiła tego płaszcza do pracy.

Mocno otuliłam się płaszczem.

– Dlaczego nie masz australijskiego akcentu? Mówiłeś poważnie, opowiadając mi historię o swojej byłej żonie? I co to jest w ogóle za przezwisko Aly? I dlaczego nie powiedziałeś mi prawdy od razu?

Zaczął odliczać na palcach lewej ręki wszystkie moje pytania i po chwili trzymał w powietrzu cztery palce.

– Nie mam akcentu od drugiego roku Yale – powiedział. – I wydaje mi się, że moja żona nie była zbyt znaczącą częścią tej historii. A tam, skąd pochodzę, Aly to bardzo popularne zdrobnienie od imienia Caleb. I tak sobie pomyślałem, że jeśli przemilczę ten drobny szczegół o nazwisku, zwiększę swoje szanse na twoje pieczone ziemniaki z rozmarynem.

W tym momencie sięgnął do mojego talerza, a ja dałam mu małego klapsa w dłoń, nie pozwalając zabrać ani jednego ziemniaka więcej.

– Gorzej już być nie mogło – powiedziałam.

– Raczej lepiej.

– Skąd ten optymizm?

– Teraz będziesz mogła wracać do domu bardzo zadowolona z faktu, że facet, który spodobał ci się w barze, nie jest jakimś nudnym prawnikiem wykorzystującym swoje przesadnie drogie umiejętności w celu chronienia podłych i złych korporacji, które niszczą środowisko naturalne, ale kimś, kogo znasz z pracy. To chyba nic nadzwyczajnego?

– Po pierwsze, wcale mi się nie spodobałeś.

– Nie? – zapytał, uśmiechając się zawadiacko.

– Nie – odpowiedziałam, usiłując powstrzymać się od śmiechu. – A po drugie, jeśli nie przestaniesz do mnie mówić, powiem wszystkim w pracy, że czytasz obce gazety.

– Chyba będę musiał kupić sobie własną porcję pieczonych ziemniaków. – Obojętnie wzruszył ramionami.

– I bardzo dobrze.

Ruchem ręki przywołał kelnerkę i poprosił, żeby przyniosła mu porcję ziemniaków. Następnie wrócił do przeglądania gazety. Ja zrobiłam to samo. I tak w całkowitej ciszy jedliśmy ziemniaki z rozmarynem, siedząc obok siebie, gazeta przy gazecie.

Kiedy wróciłam do domu i zajrzałam do kieszeni płaszcza, która kształtem przypominała serce, znalazłam w niej wizytówkę od Caleba. Na odwrocie zapisał numer telefonu, który w ogóle nie przypominał żadnego z numerów wydrukowanych na wizytówce, i podpisał się Aly.

A pod swoim imieniem dodał jeszcze następujące zdanie: „Spodobałem ci się w dziewięćdziesięciu siedmiu procentach".

ROZDZIAŁ 35

Przez pierwsze dwa lata pisania kolumny przy moim nazwisku zawsze pojawiała się pewna sentencja. Były to słowa Ernesta Hemingwaya. Jedno proste zdanie, które głosiło: „Nigdy nie wybieraj się w podróż z kimś, kogo nie kochasz".

Wydawało mi się, że to świetny cytat o podróżowaniu, ale ostatecznie Peter zdecydował, że powinniśmy z niego zrezygnować. Nie zrobił tego dlatego, że zaczął dostawać listy od czytelników, którzy odnosili się krytycznie do tych słów, uważając je za zbyt ckliwe i sentymentalne. W zasadzie czytelnicy, którzy pisali do redakcji, przeważnie opisywali historie o koszmarnych podróżach, które odbyli z osobami, których nie znali wystarczająco dobrze. Ale Peter nie zwracał uwagi na te straszne opowieści. Wręcz przeciwnie, uważał nawet, że podróżowanie z kimś, kogo się nie kocha, podróżowanie z nieznajomym gwarantuje zdobycie wielu cennych doświadczeń. Taka podróż wzbogacona była o bezcenny dreszczyk emocji.

Oczywiście Peter miał rację. Ale była jedna rzecz, którą pominął w swojej teorii, a którą ja uważałam za najwspanialszą w wypowiedzi Hemingwaya. Nie chodziło o te wszystkie koszmarne sytuacje ani o brak porozumienia. Coś takiego może przytrafić się podczas każdej podróży, nawet podczas tej, którą odbywamy z ukochaną osobą. Dla mnie sensem jego słów było to, że jeśli zdecydowałeś się wyruszyć w podróż z kimś, do kogo nie czułeś miłości, na sam jej koniec zostawały ci wyłącznie wspomnienia przeżytych chwil. Natomiast jeśli wyruszyłeś z kimś, kogo kochałeś, mogłeś wynieść z tej podróży o wiele więcej niż tylko wspomnienia. Taka podróż dawała możliwość przeżycia wszystkiego podwójnie, ponieważ dzieliło się ją z tą jedną, najważniejszą osobą.

Następnego dnia w pracy prawie w tym samym momencie, kiedy usiadłam przy biurku, usłyszałam głośne pukanie w wysoką ściankę oddzielającą mnie od reszty biura. Spojrzałam w górę, by zobaczyć Melindę, która ubrana była w kolejny zestaw w grochy. Tym razem były one w sympatycznym jasnobordowym kolorze. Posłała mi szeroki, przyjazny uśmiech i zanim zdążyłam cokolwiek powiedzieć, siedziała już na brzegu mojego biurka, wymownie zasłaniając usta dłonią.

– Co się stało? – zapytałam, trochę zdziwiona.

– Ależ zupełnie nic – odpowiedziała. – Po prostu ktoś tu chyba zrobił całkiem niezłe wrażenie na moim kuzynie. To wszystko.

Spojrzałam na dokumenty rozłożone przede mną, usiłując się nie zarumienić.

– To minie – westchnęłam. – Często zdarza mi się zrobić takie wrażenie, zwłaszcza kiedy się o to nie staram.

– A później co się dzieje?

– Zaczynam się starać za bardzo i wszystko się psuje – powiedziałam, wzruszając ramionami.

Melinda zaczęła się śmiać.

– W takim razie powinnyśmy zacząć realizować mój doskonały plan, zanim zaczniesz się za bardzo starać. – Melinda dyskretnie przechyliła się w moim kierunku. – Powinnam chyba życzyć ci miliona pierwszych wrażeń! – powiedziała.

– Nie rozumiem.

– Mamy pewien plan. Dotyczy on tego, jak opowiedzieć światu twoje niezapomniane historie z podróży. Stworzymy wideobloga z tobą w roli głównej.

– Brzmi to trochę nieprzyzwoicie.

Położyła dłoń na moim policzku i przytrzymała ją przez chwilę.

– Mamy zamiar filmować cię w każdym nowym miejscu, które odwiedzisz w ramach projektu. To będzie taka kolumna wideo. Nazwiemy ją *Checking in.*

– *Checking in*?

– Właśnie tak! Kolumna wideo, która pozwoli na poznanie tej jednej rzeczy, sprawiającej, że dane miejsce jest wyjątkowe. A ponieważ będziesz skupiać się wyłącznie na jednej rzeczy, koszty związane z produkcją znacznie się zmniejszą. Genialne, prawda?

Na jej twarzy pojawił się gigantyczny uśmiech, co świadczyło o tym, że właśnie sama odpowiedziała sobie na to pytanie. Następnie nakreśliła w powietrzu niewidzialny napis, mający zapewne przedstawiać moje imię i nazwisko.

– Annie Adams, numer jeden wśród podróżników w Europie.

– Kto tak twierdzi?

– My! To część nowego planu współdziałania Beckett Media. To pozwoli zaistnieć ci pod naszym szyldem. Będziesz pojawiać się w lokalnych programach telewizyjnych, w wywiadach, programach informacyjnych i tak dalej. A kiedy będziesz czuć się już pewnie w nowej roli, zaczniemy działać globalnie. Co o tym sądzisz?

– Wydaje mi się… – Spojrzałam na Melindę. – Jestem trochę oszołomiona. To wszystko będzie stanowiło dodatek do mojej kolumny *Checking out*? – zapytałam. – Taki materiał filmowy zza kulis?

– Ależ skąd. Ten projekt zastąpi twoją dotychczasową kolumnę.

– Zastąpi? – Czułam, jak moje oczy stają się wielkie. – Nie będę już pisała artykułów podróżniczych? Moja kolumna przestanie istnieć?

– Zgadza się. – Melinda klasnęła w dłonie z zadowoleniem. – Mogłabyś się chociaż lekko uśmiechnąć? Ciekawe, jak zareagujesz, kiedy rzeczywiście będę musiała przekazać ci jakieś złe wiadomości. Te są fantastyczne!

– A ja jestem ci bardzo wdzięczna. Naprawdę. Nie zrozum mnie źle… – powiedziałam, usiłując znaleźć słowa, które najlepiej wyraziłyby to, co chciałam jej wytłumaczyć. – Ale skoro rozmawiamy już o zmianach w kolumnie, ja miałam zupełnie inny pomysł.

– W takim razie opowiadaj. – Melinda wykonała nonszalancki gest. – Tak jak już mówiłam, jestem otwarta na wszystkie pomysły.

To była moja szansa. Teraz albo nigdy. Wzięłam głęboki oddech, decydując się skorzystać z tej okazji.

– Przez te wszystkie lata, kiedy pracowałam nad kolumną, udało mi się zgromadzić mnóstwo zdjęć, które sama zrobiłam. Przedstawiają one domy ludzi mieszkających we wszystkich miejscach, które odwiedziłam. Pomyślałam sobie, że może warto byłoby opowiedzieć ich historie. Opowiedzieć o tym, jak ludzie wybierają swoje miejsce na ziemi, tworzą sobie dom. I co sprawia, że decydują się w nim zostać.

Melinda przez chwilę stała w całkowitej ciszy. Widziałam, że analizuje mój pomysł i stara się przerobić go na jakiś chwytliwy plan działania, który mogłaby podpiąć pod swoją strategię.

– Wiesz co? Podoba mi się ten pomysł – powiedziała po chwili. – Naprawdę mi się podoba.

– Serio?

Melinda skinęła głową.

– Już widzę cię, jak stoisz przed jednym z tych domów i rozmawiasz z jego mieszkańcami, a nasza ekipa kręci materiał do wideobloga. Co miesiąc wybieralibyśmy inny dom w innym miejscu.

Marzyłam, żeby przestała mówić o wideoblogu, ale usiłowałam skupiać się wyłącznie na pozytywach. Najważniejsze, że mój pomysł jej się spodobał.

– Naprawdę uważasz, że to może się udać?

– Oczywiście. I nie są to tylko puste słowa. Włączymy ten pomysł w cały projekt. Uwierz mi, że c h c ę to zrobić.

Sposób, w jaki to powiedziała, sprawił, że jej uwierzyłam. Usłyszałam w jej głosie szczerość i chęć zrealizowania tego pomysłu, ale niespełna minutę później, jakby nie miało to już najmniejszego znaczenia, przynajmniej nie w perspektywie jej własnych planów dotyczących projektu, powiedziała:

– Chodzi o to, Annie, że mamy już świetnego eksperta w naszym dziale dla domu, a ja potrzebuję eksperta w dziedzinie podróży. Umówmy się, że twój pomysł na razie odłożymy na bok. Chcę, żebyś skupiła się na tym, co tu i teraz. Ciesz się tym!

Ciesz się tym. Wszystkie znaki na niebie i ziemi właśnie to kazały mi robić. Kazały mi zainwestować w moje zupełnie nowe życie w Londynie, otworzyć się na to, co miały przynieść mi te zmiany, i na to, co miało na mnie czekać po drugiej stronie mojego wypaczonego małżeństwa, po drugiej stronie nieudanego początku i zbyt wielu złych decyzji. W końcu taki był plan, czyż nie? Żeby znaleźć w sobie wystarczającą odwagę, by rozpocząć życie, o jakim zawsze marzyłam, i wytrwać w tym postanowieniu.

Właśnie wtedy Melinda przysunęła się do mnie, aby kontynuować rozmowę. A jej następne słowa pomogły mi w tym. Pomogły mi postawić pierwszy krok.

– Może to, co teraz powiem, sprawi, że się w końcu rozchmurzysz i zaczniesz cieszyć tym wszystkim. Będziesz mogła wybrać dowolne miejsce na świecie, w którym zrobisz swój pierwszy program w ramach nowego projektu. I mam na myśli każde miejsce. Dokąd chcesz pojechać, Annie? Dokąd chciałabyś pojechać najbardziej na świecie?

Gdzie chciałabym pojechać najbardziej na świecie? Możliwości wyboru były nieograniczone. Czy nie usłyszałam ostatnio, że najlepszym miejscem byłby Dublin, Edynburg albo Rzym? Ale czy mogłam sama znaleźć wystarczające powody, żeby je odwiedzić? Czy byłam w stanie znaleźć wystarczająco solidne argumenty, żeby chcieć wybrać którekolwiek z miejsc, o których zawsze marzyłam?

Okazało się, że nie. Kiedy Melinda zadała mi to pytanie wprost, nie umiałam znaleźć żadnego przekonywającego powodu, dla którego chciałabym gdziekolwiek wyjeżdżać. Nie umiałam tego zrobić, ponieważ nagle zdałam sobie sprawę, że istnieje tylko jedno miejsce na ziemi, do którego naprawdę chciałam pojechać. Tylko jedno miejsce, w którym chciałam zostać na zawsze.

– Melindo, dziękuję ci za tę możliwość. Naprawdę doceniam wszystko to, co dla mnie zrobiłaś. Byłaś wobec mnie niezwykle hojna i życzliwa. Nawet nie zdajesz sobie sprawy, ile to dla mnie znaczy. – Melinda uśmiechnęła się do mnie, kiedy wstawałam od biurka. – Ale odchodzę.

– Co takiego? – Melinda o mało nie wyskoczyła ze swoich śnieżnobiałych balerin po usłyszeniu moich słów.

– Przepraszam – dodałam. – Zasługujesz na lepsze wytłumaczenie niż to, ale w tym momencie nie stać mnie na nic więcej.

Zaczęłam zbierać swoje rzeczy tak szybko, jak tylko umiałam, ponieważ coś zawsze sprawia, że w momencie, gdy tylko uświadomisz sobie, gdzie leży prawda, chcesz jak najszybciej tam dotrzeć, w obawie że znów ją utracisz.

– Annie, czy masz świadomość, z czego rezygnujesz? – zapytała, kiedy otrząsnęła się z szoku. – Jeśli wszystko pójdzie po naszej myśli, w przyszłym roku o tej porze twoje nazwisko będzie znane na całym świecie. Czy jest ktoś, kto nie marzy o takiej karierze?

Tylko ktoś, kto zdał sobie właśnie sprawę, że pragnie czegoś zupełnie innego, pomyślałam. Tylko ktoś taki mógłby coś takiego zrobić i nie widziałby w tej niepowtarzalnej okazji swojej szansy.

– Chyba tylko ktoś kompletnie szalony – powiedziałam i przepraszająco wzruszyłam ramionami. – Muszę już iść.

Pięć minut później znajdowałam się już na ulicy i biegłam w kierunku Regent Street. Przy uchu trzymałam telefon. Usiłowałam jak najszybciej dotrzeć do tej jednej osoby, której chciałam powiedzieć to, co właśnie sobie uświadomiłam. Chciałam natychmiast powiedzieć jej, że już wiem dokładnie, czego pragnę najbardziej na świecie.

Tymczasem próbowałam nawiązać połączenie telefoniczne, ale zostałam skierowana do poczty głosowej pierwszej osoby, z którą rozpaczliwie chciałam się skontaktować.

– Cześć, Nick – powiedziałam po usłyszeniu sygnału umożliwiającego mi nagranie wiadomości. – Możesz do mnie oddzwonić po odsłuchaniu tej wiadomości? Muszę z tobą o czymś porozmawiać. Myślę, że powinnam zrobić to osobiście, ale tak czy inaczej, chcę cię o coś zapytać. – Zaczęłam się rozłączać. – O, a tak przy okazji, mówiła Annie.

Później pobiegłam szukać taksówki, która zabrałaby mnie najpierw do mieszkania, a później na lotnisko, skąd mogłabym wsiąść w najbliższy samolot do Massachusetts, w miejsce, w które musiałam się dostać natychmiast. Ale zanim zdążyłam to zrobić, zadzwonił telefon.

Spojrzałam na wyświetlacz i zobaczyłam numer telefonu, który znałam doskonale. Nie mogłam uwierzyć, że to właśnie on. Byłam taka szczęśliwa na samą myśl, że za chwilę usłyszę głos, który pragnęłam usłyszeć. Ale głos, który mówił do mnie zbyt szybko i chaotycznie, nie należał do Griffina.

– Annie, musisz natychmiast tu przyjechać – powiedział. – Musisz wsiąść do samolotu i wracać do domu.

– Co się stało? – zapytałam.

Wtedy Jesse mi powiedział, a czas stanął w miejscu.

ROZDZIAŁ 36

Nawet gdyby zależało od tego moje życie, nie wiem, czy umiałabym powiedzieć, jak dostałam się na lotnisko (domyślam się, że taksówką) albo do samolotu (pewnie musiałam pokazać paszport, ale czy na pewno miałam go przy sobie? Nie pamiętam, żebym go zabierała), albo jak dotarłam z lotniska Logana w Bostonie do poczekalni oddziału intensywnej terapii w szpitalu Coolney Dickinson. Pewnie nie umiałabym sobie tego przypomnieć i nie sądzę, żebym chciała obejrzeć nagranie wideo z tej podróży, nawet gdyby istniało.

Jednak jakimś cudownym zrządzeniem losu udało mi się tu trafić: do tej małej, kiepsko oświetlonej poczekalni. Weszłam do środka, rozglądając się nerwowo w poszukiwaniu znajomej twarzy. W końcu zauważyłam Jesse'a. Stał zgarbiony w kącie, w towarzystwie kobiety, której nigdy wcześniej nie widziałam.

Kobieta, która mu towarzyszyła, miała burzę rudych włosów. Takie włosy widziałam tylko u Sammy'ego i Dextera. To musiała być Cheryl.

Na mój widok wszyscy poderwali się z miejsc. Jesse mocno mnie uścisnął. Najwyraźniej ulżyło mu, że w końcu ma co ze sobą zrobić. Nawet jeśli było to tak bezużyteczne, jak próba wyjaśnienia mi, jak wygląda sytuacja.

– Lekarze mówią, że to stan astmatyczny.

Czułam, jak serce zaczyna mi łomotać. Miałam wrażenie, że jego bicie słychać w całej poczekalni.

– Kochanie, tylko ją straszysz. – Cheryl odwróciła się do Jesse'a. – Takie gadanie nikomu nie pomoże.

Ta mała uprzejmość sprawiła, że na sekundę poczułam się lepiej.

– W zasadzie to taki poważniejszy atak astmy – powiedziała Cheryl ściszonym, spokojnym głosem.

– Jak poważny?

– Tego jeszcze nie wiadomo – dodał Jesse.

Spojrzałam w podłogę, a później odwróciłam wzrok w zupełnie innym kierunku, jak gdyby niepatrzenie na Jesse'a mogło sprawić, że jego słowa staną się mniej prawdziwe.

– Jego płuca przestały pracować – kontynuował Jesse. – Był nieprzytomny, kiedy ktoś znalazł go na podłodze w kuchni.

– W restauracji?

Jesse skinął głową.

– Pozostaje tylko kwestia, jak długo znajdował się w tym stanie, zanim go znaleźliśmy. A my tego właśnie nie wiemy. Ostatnio większość czasu spędzał w restauracji. Zapomniał zabrać ze sobą inhalator. Gdyby miał go wtedy przy sobie…

– Rozumiem – powiedziałam.

– Nie zdarzyło mu się to od czasu, kiedy byliśmy dziećmi.

– Musieli podpiąć go do respiratora – dodała Cheryl. – Jest podłączony do różnych rurek. Ma też maskę na twarzy. Powinnaś o tym wiedzieć, zanim wejdziesz do środka.

Cheryl delikatnie dotknęła mojego ramienia, zupełnie tak, jakbyśmy się znały. Wydaje mi się, że w pewnym sensie tak właśnie było.

– Czy chcesz przez to powiedzieć, że w rzeczywistości jego stan nie jest tak zły, jak wygląda?

– Chcę przez to powiedzieć, że wciąż jest gorzej, niż być powinno. Lekarz powiedział, że prawie go straciliśmy.

Prawie go straciliśmy.

W tym momencie ją zauważyłam. Wchodziła właśnie do poczekalni. W rękach trzymała tacę ze szpitalnego bufetu, na której znajdowało się niezbyt apetyczne jedzenie. Wyglądała na bardzo zmartwioną i zaniepokojoną. Ten rodzaj niepokoju mogła odczuwać wyłącznie matka, której dziecko znajdowało się w niebezpieczeństwie.

Emily.

Uśmiechnęła się na mój widok. Był to smutny, ale niezwykle życzliwy uśmiech.

– Będziemy tu na ciebie czekać, kiedy wyjdziesz – powiedziała.

Nie przywitała się ze mną, nie zapytała, gdzie się podziewałam przez ten cały czas albo dlaczego nie było mnie przy nim. Zamiast oskarżycielskiego tonu zaoferowała mi pełne życzliwości wsparcie. Z trudem powstrzymywałam łzy, które napływały mi do oczu.

– Dziękuję – powiedziałam, po czym odwróciłam się w stronę Jesse'a i Cheryl.

– W której jest sali?

Jesse wskazał mi drogę.

Griffin zaczął się powoli budzić, a ja wstałam z krzesła, na którym spałam, i usiadłam na brzegu jego szpitalnego łóżka.

Otworzył oczy i zamrugał, usiłując złapać ostrość widzenia. Po chwili spojrzał na mnie zaskoczony.

– Hej – powiedział.

– Hej...

Schyliłam się nad jego łóżkiem, żeby nasze oczy mogły się spotkać, choć znajdowałam się w tym momencie w dziwacznej pozycji, stojąc z ugiętymi kolanami.

– Zadzwonili do ciebie?

– Tak – powiedziałam zniżonym głosem odpowiadającym tonowi jego głosu. Starałam się nie patrzeć bezpośrednio na niego. Czułam, że byłby to jakiś rodzaj zdrady, gdybym patrzyła na niego zbyt wnikliwie. Zwłaszcza z tak bliskiej odległości, kiedy leżał bezsilnie w szpitalnym łóżku. Podłączony był do różnych urządzeń oraz do pajęczyny rurek i przewodów. Na jego twarzy znajdowała się maska doprowadzająca tlen. Za jego serce pracowały maszyny. Skórę miał bladą jak pergamin, a jego piękne, zielone oczy były przygaszone, jakby należały do kogoś innego. Zaczęłam rozumieć, co sprawia, że Griffin jest sobą. Jest taki dzięki blaskowi, który z niego bije. Widziałam, co się dzieje, kiedy tego blasku zabraknie.

Griffin ponownie zamknął oczy.

– Mówiłem im, żeby tego nie robili – powiedział słabym głosem.

Poczułam, jak jego słowa trafiają mnie prosto w serce, ale wiedziałam, co miał na myśli. Nie chciał, żebym wracała tylko z tego powodu. Nie chciał, żeby stan jego zdrowia miał jakikolwiek wpływ na podjętą przeze mnie decyzję. Zastanawiałam się, czy był to odpowiedni moment, żeby powiedzieć mu, że wyboru dokonałam wcześniej, zanim zdążyłam się o wszystkim dowiedzieć. Pomyślałam, że może lepiej nie mówić mu tego od razu. Być może dlatego, że nie chodziło wyłącznie o moją decyzję. Być może on sam zdecydował już coś zupełnie innego.

– Mogę położyć się obok ciebie?

– Jasne.

Wsunęłam się pod koc, kładąc się tuż obok niego. Wtuliłam się mocno w jego ramiona, a głowę położyłam delikatnie na jego klatce piersiowej. Wsłuchiwałam się uważnie w bicie jego serca, które wydawało się pracować bardzo wolno. Zdecydowanie za wolno. Ale jakie miałam w ogóle podstawy, żeby tak uważać? Przecież nie miałam żadnych danych porównawczych, żeby to stwierdzić. Dlaczego wcześniej nie zadałam sobie trudu, żeby zwrócić na to choćby najmniejszą uwagę? Nagle wydało mi się to najstraszniejszą rzeczą.

– Pamiętasz, jak to się stało? – zapytałam.

– Nie wszystko. Tak mi się przynajmniej wydaje. Urywki są poszarpane. Tak, jakbym pamiętał tylko tę najlepszą i najgorszą rzecz.

Podniosłam głowę, by na niego spojrzeć. Mój podbródek nadal spoczywał na jego piersi.

– Naprawdę?

Griffin skinął głową.

– Poszedłem do restauracji wcześnie rano. Było trochę przed siódmą. Chciałem sprawdzić zapasy w magazynie.

– To pewnie jest ta najgorsza rzecz.

– Zgadza się.

– A ta najlepsza?

– Wcale nie musiałem tego robić.

Poczułam, że się uśmiecham. Odwróciłam głowę na bok i teraz mój policzek spoczywał na jego klatce piersiowej. „Prawie go straciliśmy" – słowa Cheryl rozbrzmiały w mojej głowie niczym echo. Słyszałam je głośno i wyraźnie, a do moich oczu poczęły napływać łzy. Ale nie miałam zamiaru na to pozwolić. Nie chciałam, żeby Griffin widział, jak przy nim płaczę.

– To rzeczywiście dobra rzecz.

– Tak myślałem.

Zauważyłam, że zaczyna znowu zasypiać. Mocniej wtuliłam się w jego ramiona, starając się zatrzymać go przy sobie tak długo, jak tylko mogłam.

– Wyglądasz inaczej – powiedział.

– Wcale nie.

– Masz rację. Może rzeczywiście nie tak bardzo.

Przez chwilę żadne z nas nic nie mówiło. Leżeliśmy w całkowitej ciszy.

– Będziesz tu, kiedy się obudzę? – zapytał.

– Będę tu na ciebie czekać.

Griffin zdążył przysunąć się do mnie o kilka milimetrów bliżej, zanim znowu zasnął. Tylko o kilka milimetrów, aż poczułam jego dłoń na swoich plecach.

Leżałam tuż obok niego, słuchając, jak oddycha, zupełnie jakby zależało od tego całe moje życie. Prawdę mówiąc, chyba tak właśnie było.

ROZDZIAŁ 37

Poczułam, jak ktoś usiłuje mnie obudzić. Nie wiedziałam, czy minęło kilka, czy kilkanaście godzin, odkąd zasnęłam. Straciłam poczucie czasu. Jedyne, czego byłam pewna, to to, że Jesse stał przede mną, trzymając w dłoniach dwa gigantyczne kubki z kawą. Spojrzałam na zegarek, który wskazywał godzinę piątą. Nie byłam pewna, czy jest ranek, czy popołudnie. Siedząc w ciemnym szpitalnym pokoju, czułam się, jakbym była w mrocznym, podziemnym kasynie. Słabe światło przebijało się przez zasłonięte żaluzje.

– Co się dzieje?

– Muszę ci coś pokazać.

Z trudem zamrugałam oczami. Usiłowałam przyzwyczaić je do panującego oświetlenia. Wciąż nie mogłam uwierzyć, że znajduję się właśnie w tym miejscu. W szpitalu. Zauważyłam, że Griffin oddycha delikatnie obok mnie. Poczułam ulgę.

– Nie. – Zdecydowanie potrząsnęłam głową. – Obiecałam mu, że tu będę, kiedy znowu się obudzi.

– Już się budził – wyszeptał Jesse. – Ominęło cię kilka okazji.

– Naprawdę? – Zamrugałam jeszcze kilka razy. Byłam całkowicie zdezorientowana i rozkojarzona. – Jest ranek czy wieczór?

Jesse podał mi rękę, pomagając wstać.

– Chodź i przekonaj się sama.

Był wczesny wieczór, gdy wraz z Jesse'em odjeżdżaliśmy z parkingu znajdującego się przed szpitalem. Następnie jechaliśmy autostradą numer dziewięć samochodem Jesse'a. Trzymaliśmy po kubku z kawą, a z radia dobiegała muzyka.

Odwróciłam się w stronę mojego szwagra, który wystukiwał na kierownicy wolny rytm piosenki zespołu The Avett Brothers.

– Masz zamiar powiedzieć, dokąd właściwie jedziemy?

– A co, jesteś nowa w tym mieście? – Jesse obojętnie wzruszył ramionami.

Uśmiechnęłam się lekko.

– Najwyraźniej nie jestem. – Ponownie spojrzałam na drogę, która prowadziła nas w miejsce znane tylko jemu.

– Pewnie byłaś zaskoczona, widząc w szpitalu Cheryl?

– Ostatnio staram się nie dawać zaskakiwać tak często jak kiedyś.

– To zbyt ryzykowne?

– Właśnie – odpowiedziałam, a później, przygryzając plastikową pokrywkę kubka z kawą, spojrzałam na Jesse'a. – Chcesz o tym porozmawiać?

– A o czym tu rozmawiać? Po prostu będziemy mieli kolejną dwójkę.

– Dzieci?

– Cheryl spodziewa się bliźniąt. – Jesse uśmiechnął się, potrząsając głową. – Bliźnięta.

Czułam, jak szczęka opada mi na podłogę samochodu.

– Jakie jest w ogóle prawdopodobieństwo, że coś takiego się wydarzy?

Uśmiech zniknął z jego twarzy, zastąpiony przez wyraz głębokiej zadumy. Jesse najwyraźniej zaczął wnikliwie analizować moje pytanie.

– Właściwie to prawdopodobieństwo, że mając już jedną parę bliźniąt, uda ci się począć kolejną, jest dwa razy większe.

Spojrzałam na niego z kompletnym niedowierzaniem.

– To niesamowite, ponieważ wyglądasz na całkiem normalnego faceta.

– Dokładnie. Mogłabyś nawet uwierzyć, że taki facet otrzymał propozycję objęcia stanowiska profesora nadzwyczajnego na Uniwersytecie Massachusetts na Wydziale Fizyki i Fizyki Stosowanej.

– Tutaj, na Uniwersytecie Massachusetts?

– W rzeczy samej.

– Wyjeżdżam tylko na kilka tygodniu i co zastaję po powrocie?

– To niesamowite, jaką motywację daje człowiekowi perspektywa konieczności utrzymania kolejnej trójki dzieci – powiedział, uśmiechając się szeroko. Wyglądał na tak szczęśliwego, że miałam ochotę nie zadawać mu pytania o dziecko numer trzy.

– A co z Jude?

– W tym momencie Jude pęka z dumy ze względu na propozycję objęcia przeze mnie stanowiska profesora nadzwyczajnego na Uniwersytecie Massachusetts na Wydziale Fizyki i Fizyki Stosowanej. Cała reszta jakoś się ułoży.

– Naprawdę? Ciekawe jak.

Jesse obrócił się i spojrzał na mnie wymownym wzrokiem.

– Przepraszam. Nie chciałam, żeby to zabrzmiało w ten sposób.

Spojrzał ponownie na drogę i głośno westchnął.

– Długi okres spokoju bez burzy – powiedział.

– Co takiego?

– Od tych słów wywodzi się powiedzenie „cisza przed burzą". Po raz pierwszy pojawiło się w szesnastym wieku. Autor nieznany. Jest to w zasadzie pierwsza znana wersja tego stwierdzenia. Z czasem zaczęło ewoluować. Ta wersja bardziej mi odpowiada, ponieważ w oryginale oznacza to, że spokój nie może trwać, nie jeśli pozostajesz w jednym miejscu zbyt długo. Burza i tak cię dopadnie.

– Brzmi to trochę jak argument popierający teorię, że należy być w ciągłym ruchu bez względu na konsekwencje.

– To argument popierający teorię, że spokój jest przeceniony. Mówię tu o wartościach, które da się zmierzyć.

Ochrona przed cząsteczkami. W życiu, które ma jakieś znaczenie, w tym, w którym jesteśmy narażeni na niebezpieczeństwo, takie rzeczy nie trwają. I może nie powinny.

Spojrzałam na niego wymownie.

– Czyżby pan profesor chciał się przede mną popisać?

– Ktoś musi.

Zaczęłam się śmiać.

– Jednak nie było łatwo ją przekonać. Do tego, żeby dała nam jeszcze jedną szansę.

– Mówisz o Cheryl? Więc jak ci się to udało?

Jesse uśmiechnął się nieśmiało.

– Ciąża sprawiła, że mogliśmy w końcu usiąść i spokojnie porozmawiać. Mogłem powiedzieć Cheryl, że jej nieobecność pozwoliła mi poznać pewien sekret.

– Sekret czego?

– No wiesz, sekret prawdziwej miłości.

– A, mówisz o tym.

– Właśnie o tym.

Zanim zdążyłam zapytać go, co tak naprawdę sobie uświadomił, poznając ten sekret, Jesse zjechał na pobocze i zatrzymał samochód. Zaparkował przed małym budynkiem, który doskonale znałam. Przed restauracją Griffina.

– To tutaj chciałeś mnie zabrać?

– Tak – powiedział, wyłączając silnik.

– Ale po co?

Moje pytanie nie doczekało się odpowiedzi, ponieważ Jesse był już na zewnątrz. Obszedł samochód dookoła, żeby otworzyć mi drzwi.

– Chodź ze mną – powiedział, kiedy wysiadłam.

Posłuchałam go. Poszłam za nim do głównego wejścia restauracji, nad którym zobaczyłam wielki, czerwony szyld. Ten sam, który jeszcze niedawno stał oparty o tak samo czerwone drzwi. Wtedy był pusty, a teraz wisiał dumnie, prezentując światu swoje nowe oblicze. W samym jego środku, pięknymi, czarnymi literami napisana była nazwa tego miejsca. Tylko jedno słowo. Jednowyrazowa nazwa: „DOM".

Spojrzałam w górę, by upewnić się, że to, co widzę, nie jest tylko wytworem mojej wyobraźni.

– D o m. Podoba mi się.

Jesse nic nie powiedział. Skinął tylko głową i prawie niezauważalnie, lekko się do mnie uśmiechnął. Następnie otworzył drzwi i przytrzymał je dla mnie, kiedy wchodziłam do środka.

Przekroczyłam próg i od razu poczułam się totalnie zagubiona. Nie wiem, czy umiałabym to sensownie wytłumaczyć. Nie wiem, czy ktokolwiek potrafiłby to zrobić. To takie uczucie, kiedy ma się wrażenie, że wszystkie zmysły zaczynają zawodzić. Czas staje w miejscu, a otaczający świat zaczyna poruszać się jakby szybciej i wolniej jednocześnie. Przestrzeń krąży wokół ciebie i po chwili zaczyna cię pochłaniać, aż do momentu, kiedy przeniesiesz się do całkowicie innej rzeczywistości.

Ściany restauracji, które świeciły pustkami, kiedy byłam tutaj ostatnim razem, zostały w magiczny sposób zapełnione. Pokrywały je rozmaite ramki. Były to najpiękniejsze ramki, jakie kiedykolwiek widziałam. Różniły się i kolorem, i fakturą. Były drewniane, metalowe, czarne i błyszczące.

We wszystkich tych ramach znajdowały się moje zdjęcia.

Zupełnie tak, jakby nigdy nic im się nie stało. Jakby nie nastał ich koniec pośród jagód i sosu barbecue za sprawą dwóch małych chłopców. Wyglądały tak, jakby wisiały tutaj od zawsze. Jakby były nieodłączną częścią tego miejsca.

Dotknęłam ściany z niedowierzaniem. Przyglądałam się wszystkim zdjęciom po kolei. Zobaczyłam fotografię dużego, wiejskiego flamandzkiego domu, która wisiała obok zdjęcia jeszcze większego nowoczesnego mieszkania w Cape Town. Tę z kolej umieszczono obok zdjęcia prezentującego kościół zaadaptowany na dom.

– Jak mu się to udało?

Jesse stał cały czas za mną i w ciszy przyglądał się, jak podziwiam dzieło jego brata.

– To niesamowite – powiedział. – To niesamowite, czego można dokonać, kiedy ma się wystarczająco dużo silnej woli i chęci.

Poczułam, jak wypełnia mnie bezgraniczna radość. Byłam przytłoczona, chociaż nie jestem pewna, czy to stwierdzenie w pełni oddaje wszystkie emocje, które mi wtedy towarzyszyły.

Odwróciłam się w stronę Jesse'a a łzy, które napłynęły mi do oczu, zaczęły spływać po policzkach.

– Czy to właśnie to? Czy to jest ten sekret, o którym mówiłeś, czy coś zupełnie innego?

– Co? – Jesse lekko nachylił się w moją stronę.

– Czy to jest sekret prawdziwej miłości?

– Ach, o to chodzi. – Skinął porozumiewawczo głową. – Nie do końca to miałem na myśli, ale to też brzmi dobrze.

Uśmiechnęłam się i zbliżyłam, by przytulić Jesse'a. Wytarłam oczy rękawem płaszcza i przytrzymałam go przy nich przez dłuższą chwilę, nie mogąc powstrzymać napływających łez. Jeszcze raz spojrzałam na ściany restauracji. Moje ściany. Chłonęłam ten widok całą sobą i usiłowałam zapamiętać każdy, najdrobniejszy nawet szczegół.

– Mój był prostszy.

– Zdradzisz mi go w końcu?

– Czasami po prostu udaje nam się dokonać dobrego wyboru.

ROZDZIAŁ 38

Kiedy wróciliśmy do szpitala, Gia właśnie z niego wychodziła. Zobaczyłam ją, gdy przechodziła przez drzwi obrotowe. Towarzyszyła jej Emily. Przeszły przez te drzwi r a z e m i ruszyły w naszym kierunku.

Jesse szybko zboczył z trasy, którą szliśmy, i skierował się w stronę bocznych drzwi.

– Dokąd idziesz? Przecież one nas widzą!

– Nieważne – powiedział. – To zbyt dziwne.

Złapałam go za ramię i zaczęłam mówić groźnym szeptem:

– Jesse! Nie zostawiaj mnie tu samej. Już to przerabialiśmy.

Uwolnił się z mojego uchwytu i ścisnął za ramię.

– Jasne, że tak. To dla nas takie typowe.

Później poszedł w kierunku bocznych drzwi, ledwie machając Emily i Gii na powitanie. Zanim jednak zniknął na dobre, zdążył nachylić się ku mnie i wyszeptać mi do ucha:

– A tak przy okazji, to właśnie Gia znalazła Griffina. Myślę, że powinnaś o tym wiedzieć, zanim ktoś zaskoczy cię tą wiadomością.

– Co masz na myśli?

Ale zanim zdążył mi odpowiedzieć, był już przy drzwiach, a przede mną stała Gia razem z Emily. Stały tuż obok siebie, ramię w ramię. Razem tworzyły jakby front jedności, miały na sobie eleganckie szale, które były bardzo podobne. Obydwie stanowiły moje całkowite przeciwieństwo. Spróbowałam jeszcze doprowadzić się do umiarkowanego ładu, przeczesując palcami potargane włosy i przyciągając stary sweter bliżej ciała.

– Cześć. – Uśmiechnęłam się do nich, a one odwzajemniły mój uśmiech.

– Griffin mówił, że wróciłaś. Witaj w domu – odpowiedziała Gia.

– Dziękuję. – Spojrzałam na nią, zastanawiając się, co powinnam powiedzieć na temat tego, że to ona znalazła Griffina. W końcu nie znałam żadnych szczegółów tej sytuacji. – I dziękuję.

– Za co?

– Za to, że go znalazłaś.

Gia ponownie się do mnie uśmiechnęła. Tym razem jej uśmiech znaczył coś więcej niż tylko uprzejmość na powitanie.

– Podziękuj raczej sobie za to, że wróciłaś. Griffin czuje się znaczenie lepiej. Powoli staje się znowu sobą.

– Miło mi to słyszeć – powiedziałam, czując, jak schodzi ze mnie całe napięcie. Pomyślałam, że może uda nam się w końcu dać sobie szansę.

Później odwróciłam się do Emily.

– Jesse pokazał mi restaurację. Widziałam Dom.

Chciałam dodać, że miejsce wygląda niesamowicie. Określenie to jednak nawet w połowie nie odzwierciedlało tego, co tak naprawdę poczułam na widok restauracji, którą stworzył Griffin podczas mojej nieobecności. Pozostawała mi nadzieja, że Emily usłyszała to w moim głosie.

I chyba tak właśnie było. Nadzwyczajne, ale takie sprawiała wrażenie. Jakby dokładnie wiedziała, co chcę powiedzieć.

– Zrobił tam coś wspaniałego, prawda?

– Bez wątpienia.

Skinęła głową, przyznając sobie rację. Jej słowa nie były komplementem pod adresem moich fotografii. Nie były nawet opinią dotyczącą moich prac. Były raczej komentarzem na temat motywów Griffina. Tego, dlaczego to zrobił. Nie byłam w stanie rozgryźć tego do końca i postanowiłam się na tym nie skupiać.

– Powinnam już chyba wracać do domu – wtrąciła Gia. – Brian na mnie czeka.

Emily założyła kosmyk włosów Gii za jej ucho.

– W porządku, skarbie. Dzięki, że wpadłaś zobaczyć, co słychać.

– Powiedz G, że gdyby czegoś potrzebował, może na mnie liczyć.

– Oczywiście.

G? Mówi na niego G. To przecież nic wielkiego. Po prostu coś, o czym nie wiedziałam. Mówiła na niego G i wiedziała, być może nawet lepiej niż ja, co oznacza dla niego fakt, że zaczyna być sobą. Mają za sobą wspólne życie, swoją historię, długą, pełną wyjątkowych wspomnień, i to nigdy się nie zmieni.

Ale teraz również my mieliśmy naszą wspólną historię, równie istotną i znaczącą. Nie można było temu zaprzeczyć. Nasze pierwsze małżeństwo. Pierwszy kryzys, który przetrwaliśmy. Pierwszy kryzys, który pozwolił nam zrozumieć, jak ważne jest podejmowanie właściwych decyzji.

„Życie jest pogmatwane" powiedział mi Aly w Londynie. „Długi okres spokoju bez burzy" usłyszałam dzisiaj od Jesse'a.

Patrząc na moją teściową i jej wymarzoną niedoszłą synową, którą chętnie widziałaby na moim miejscu, stojące przed szpitalnymi drzwiami, mogłam stwierdzić ze stuprocentową pewnością, że zarówno Aly, jak i Jesse mieli rację.

Ale przecież wszystko mogłoby potoczyć się zupełnie inaczej, prawda? A przynajmniej niektóre sprawy. Zwłaszcza w chwili, kiedy o mały włos nie straciliśmy najważniejszej dla nas rzeczy. Ale teraz otrzymaliśmy od życia najcenniejszy prezent, który sprawiał, że żaden zgiełk i hałas nie były w stanie mnie więcej pochłonąć.

Czy nie mogłam po prostu w tej właśnie chwili sprawić, by wszystkie sprawy stały się nadzwyczajnie jasne?

Czując przypływ odwagi i wewnętrznej siły, posłałam Emily i Gii nieustraszony uśmiech.

– Naprawdę cieszę się, że was widzę.

Następnie przysunęłam się o krok bliżej i mocno je objęłam, jakby była to najbardziej naturalna rzecz na świecie, jakbyśmy robiły to cały czas. Był to grupowy uścisk całej naszej trójki. Powinnam powiedzieć raczej, że ze mną w roli głównej, ponieważ Gia i Emily stały kompletnie nieruchomo. Po prostu czekały w totalnym osłupieniu, aż mój nagły przypływ czułości wreszcie się skończy.

Ostatecznie Gia przerwała nasz zaczarowany krąg i uwolniła się z moich objęć, odsuwając się o krok.

Emily podążyła w ślad za nią, poprawiając przy tym spódnicę. Bezskutecznie próbowała ukryć swoje zakłopotanie.

– Chyba już pójdziemy – powiedziała.

Ich reakcja nie miała dla mnie większego znaczenia. I tak warto był spróbować.

Patrzyłam, jak Griffin śpi. Widziałam go z mojego punktu obserwacyjnego znajdującego się na parapecie szpitalnego okna. Nie miał już założonej maski pomagającej mu oddychać, a wszystkie rurki i przewody, do których był wcześniej podłączony, powoli zaczynały znikać.

Spał od wielu godzin, a ja siedziałam tam i patrzyłam na niego. Słońce wschodziło za moimi plecami. Patrzyłam na Griffina i usiłowałam znaleźć sposób, by to zrobić. By mu to powiedzieć, podziękować za to, co dla mnie stworzył, za restaurację. Jak w ogóle można podziękować komuś za tak wspaniały dar, jakiego nikt ci nigdy wcześniej nie ofiarował? Za tę niesamowitą wiarę, której nic nie było w stanie naruszyć ani złamać? Jak podziękować takiej osobie za to, że bezwarunkowo uwierzyła w ciebie, w to, co niesie przyszłość?

Pomyślałam, że jedyne, co mogę zrobić, to być z nim całkowicie szczera.

Wtedy Griffin się obudził.

Odwrócił się do mnie i zasłonił oczy ręką, usiłując ochronić je przed promieniami słońca, brutalnie wdzierającymi się do pokoju. Kiedy wzrok przyzwyczaił mu się do światła, powoli zdjął rękę z oczu i wsunął ją pod głowę.

– Witaj – powiedział, uśmiechając się do mnie.

– Witaj. Jak się czujesz?

Nie odpowiedział od razu. Najpierw zastanowił się, jaka powinna być prawidłowa odpowiedź.

– Czuję się trochę lepiej. Przynajmniej tak mi się wydaje – powiedział. – Czuję się pomiędzy trochę lepiej a dużo lepiej.

Właśnie wtedy zobaczyłam to na jego twarzy. Gia się nie myliła. Griffin zaczął przypominać siebie. Nie było to jeszcze tak wyraźne, ale ta poświata, która sprawia, że Griffin jest, kim jest, zaczęła delikatnie przebijać się na zewnątrz.

– Cieszę się. Może to sprawi, że poczujesz się jeszcze lepiej. Lekarze mówią, że możesz wrócić do domu.

– Dzisiaj?

– Dzisiaj jeszcze nie, ale wkrótce. Może nawet jutro.

– Wkrótce mi pasuje. Zgadzam się na „może nawet jutro".

Uśmiechnęłam się do niego i zeskoczyłam z parapetu. Podeszłam do jego łóżka, ciągnąc za sobą jedno ze szpitalnych krzeseł. Postawiłam je na podłodze oparciem do przodu. Oparciem, które było jedyną rzeczą, która nas teraz oddzielała.

Griffin wyciągnął rękę i złapał moją dłoń pomiędzy szczebelkami krzesła.

– Chcę, żebyś mi to powiedziała…

– Co takiego?

– Chcę, żebyś opowiedziała mi o Londynie.

Spojrzałam w dół, na nasze splecione dłonie, zupełnie tak, jakby miały za mnie odpowiedzieć.

– Nie wiem nawet, od czego zacząć.

– Może od początku?

Skinęłam głową.

– Kiedy zadzwonił do mnie twój brat, żeby powiedzieć mi, co się stało, właśnie rzuciłam pracę.

Griffin spojrzał na mnie zdezorientowanym wzrokiem.

– Jesteś pewna, że to właśnie jest początek?

Uśmiechnęłam się.

– Tak czy inaczej i tak postanowiłam wyjechać z Londynu. Jeszcze zanim to wszystko się wydarzyło.

– Dlaczego?

– Może i była to wymarzona praca – odpowiedziałam, lekko wzruszając ramionami. – Ale okazało się, że miałeś rację. Nie było to już moje marzenie.

Griffin skinął tylko głową. Nic nie mówił. Patrzył na mnie, czekając na resztę historii. Czekał, aż powiem mu, dokąd zmierzam.

– Chodzi o to, że kiedy zadzwonił do mnie Jesse, ja właśnie chciałam zadzwonić do Nicka, żeby go o tym poinformować. – Po tych słowach wzięłam głęboki oddech, żeby dodać sobie odwagi przed dokończeniem opowieści o tym, co się wydarzyło w Londynie. – Właśnie to robiłam, kiedy zadzwonił twój brat. Wiedziałam już, czego tak naprawdę chcę, i chciałam zadzwonić do Nicka, żeby mu o tym powiedzieć.

– Powiedzieć?

– Może rzeczywiście powinnam zacząć od początku.

Griffina ścisnął moją dłoń i zaczął się śmiać.

– Teraz – powiedział. – Teraz chcesz zaczynać od początku.

– Musiałam wyjechać do Londynu, Griffin. Musiałam to zrobić, ponieważ wcześniej nie zdawałam sobie z tego sprawy. Nie miałam jeszcze pełnego obrazu.

– Czego?

– Dlaczego wybrałam ciebie.

Przerwałam na chwilę, aby móc złapać jego spojrzenie. Chciałam, żeby to poczuł. Żeby zobaczył to w moich oczach. Chciałam, żeby wiedział, że to, co mówię, jest szczerze. Że świadomie dokonałam wyboru.

– To nie odbyło się tak całkiem bez zapowiedzi. Całe swoje życie szukałam czegoś, co sprawiłoby, że poczułabym się wystarczająco dobrze. Szukałam tego wszędzie, przemierzałam setki kilometrów, z nadzieją że trafię w końcu na coś, co sprawi, że będę szczęśliwa. Udało mi się nawet zbudować na tym swoją karierę. W końcu znalazłam ciebie. A ty skupiałeś się wyłącznie na tym, żebym poczuła się wystarczająco dobrze sama ze sobą. – Przerwałam, usiłując powstrzymać łzy, które zaczęły napływać mi do oczu. – I stworzyłeś dla mnie restaurację, żebym to poczuła.

Griffin uśmiechnął się lekko i spróbował przyciągnąć mnie do siebie. Niestety, nie udało mu się to ze względu na krzesło, które nas oddzielało.

– Myślę, że powinnaś do mnie dołączyć – powiedział.

Skinęłam głową i położyłam się na łóżku, tuż obok niego. Leżeliśmy na boku, patrząc na siebie. Tak po prostu.

Griffin pocałował mnie w czoło, a później w oba policzki.

– W takim razie co z Nickiem?

Potrzebowałam chwili, żeby zastanowić się, jak to powiedzieć, do jakich wniosków doszłam w sprawie Nicka. Potrzebowałam całych pięciu lat związku, koszmarnego rozstania i spóźnionych oświadczyn, by zrozumieć, że naprawdę się kochaliśmy. (Wiem, czasem nie jestem zbyt bystra i zbyt późno wyciągam wnioski). Kochaliśmy się w skomplikowany, niemożliwy sposób. Kochaliśmy się jakby na przemian i nigdy nie udawało nam się czuć tej miłości jednocześnie. Być może tak naprawdę nigdy nie jest to do końca możliwe, ale czasem trzeba chociaż próbować. My ostatecznie nigdy nie byliśmy w tym dobrzy. Tak naprawdę nigdy nie wychodziło nam bycie razem. A to przecież powinno być najważniejsze. Ale to nie wszystko. Uświadomiłam sobie jeszcze jedną, bardzo istotną rzecz, która nie miała żadnego związku z Nickiem. Gdzieś po drodze się zmieniłam. Zmieniłam się dzięki Griffinowi. Taka była siła jego miłości. A ja nie chciałam robić kroku w tył i wracać do czasów, kiedy godziłam się przyjąć mniej niż to, na co zasługiwałam. Mniej niż to, co czekało na mnie, kiedy byłam z Griffinem.

Przysunął się do mnie.

– Zastanawiam się, dlaczego zadzwoniłaś do niego, skoro zdałaś sobie sprawę z tego wszystkiego?

– Oh! – Skinęłam energicznie głową, dopiero teraz rozumiejąc jego pytanie. – Ponieważ uświadomiłam sobie coś jeszcze.

– Co takiego?

– Że chcę, by oddał mi mojego psa.

Griffin się uśmiechnął. Przysunął się, żeby mnie pocałować, a uśmiech nie znikał z jego twarzy. Całowaliśmy się przez chwilę, gdy nagle zaczął się śmiać.

– Co cię tak bawi? – zapytałam, ale od razu zaczęłam śmiać się razem z nim, nie wiedząc dokładnie z czego. Chyba sam fakt, że znowu słyszałam jego radosny śmiech, sprawił, że sama się roześmiałam. Chwilę później nie mogliśmy się już opanować. Przestraszyłam się nawet, że ten nagły atak śmiechu może mu zaszkodzić.

– Miałam nadzieję, że uda mi się ją odzyskać, zanim wsiądę do samolotu i wrócę tutaj – powiedziałam. – Ale nie wyszło to tak, jak sobie zaplanowałam.

– Nie o to chodzi – powiedział Griffin, starając się powstrzymać śmiech. – Nie dlatego zacząłem się śmiać. Śmiałem się z zupełnie innego powodu.

– Z jakiego?

– Ja i Jesse wyglądaliśmy wcześniej przez okno – powiedział. – Widzieliśmy, jak rozmawiasz z moją mamą i Gią.

Czułam, jak moje oczy robią się wielkie. Zaczęłam rozumieć, co ma na myśli.

– Widziałeś, jak je przytulam? – powiedziałam ze strachem w głosie.

– Tak. Udało nam się to nawet sfilmować.

– Nie chcę nawet o tym myśleć. – Zamknęłam oczy z przerażeniem.

– Niepotrzebnie. Wydaje mi się nawet, że ten widok cudem przywrócił mnie do zdrowia.

– To nie było miłe – powiedziałam, czując, jak się rumienię.

Później całe napięcie opadło, kiedy leżałam wtulona w jego ramiona. Po raz pierwszy odkąd wyjechałam i musieliśmy spędzić tyle czasu osobno, poczułam się naprawdę zrelaksowana.

– Wiesz co, Griffin? – powiedziałam delikatnie, czując jego bliskość. – Jest jeszcze jedna rzecz, o której myślałam.

– Jeszcze jedna?

– Tak.

Spojrzał na mnie i odgarnął kosmyki włosów spadające mi na twarz.

– Nie trzymaj mnie w niepewności.

Schyliłam głowę w stronę jego dłoni, w której nadal trzymał pasmo moich włosów.

– Może to głupie, ale chcę mieć prawdziwe wesele. Chcę kupić za drogą, wielką, puchatą suknię ślubną. Chcę założyć moje ukochane buty do tanga i zatańczyć z tobą pierwszy taniec w ogrodzie przed domem. Chcę zrobić sobie naprawdę dziwne zdjęcie w towarzystwie naszych mam, a następnego ranka czuć strasznego kaca. Chcę móc powiedzieć, że to ma znaczenie.

Griffin przez chwilę patrzył na mnie, nic nie mówiąc. Później skinął głową.

– Wchodzę w to.

– Naprawdę? Nie musimy planować wszystkiego od razu. Wesele nie musi odbyć się jutro. Ale pewnego dnia.

– Tak. Myślę, że z jutrzejszym terminem może być ciężko.

Zaczęłam się śmiać, a Griffin przysunął się do mnie. Jego usta znalazły się tuż przy moim uchu.

– Ale chcę, żebyś wiedziała, że jeśli powiesz to teraz, to tak właśnie będzie.

Chwilę zajęło mi, zanim zrozumiałam, co ma na myśli. Potrzebowałam sekundy, aby jego słowa do mnie dotarły.

– To ma znaczenie.

Wtedy, jakby na zawołanie, do sali weszła pielęgniarka i powiedziała, że możemy wracać do domu.

ROZDZIAŁ 39

Być może najważniejszą rzeczą, jakiej nauczyłam się, pisząc kolumnę, było to, że w rzeczywistości nie istniało coś takiego jak doskonały cel podróży. Oczywiście w pewnym stopniu uświadamiałam to sobie za każdym razem, kiedy wyruszałam w kolejne miejsce. Ale jakimś sposobem utwierdzałam się w tym przekonaniu, kiedy moi czytelnicy wysyłali mi listy, pytając, gdzie najchętniej pojechałabym jeszcze raz, gdybym miała taką możliwość.

Nie istniała jednoznaczna odpowiedź na to pytanie. Jednego dnia najchętniej wróciłabym na Sycylię, tylko po to żeby jeszcze raz zobaczyć najpiękniejszy wodospad, jaki można sobie wyobrazić. Albo do Caracas w Wenezueli, dla bajecznych schodów prowadzących do najwspanialszego klubu tanga, w jakim miałam okazję tańczyć. Albo do Brattleboro w Vermoncie, żeby ponownie wypić drinka w malutkim barze, w którym spędziłam mnóstwo czasu, i to nie tylko dlatego, że przyrządzają tam najlepszy makaron z serem na świecie. A może byłby to zajazd położony w gęstym lesie w Big Sur w Kalifornii, gdzie czuję, że moja dusza może w końcu swobodnie oddychać, nie pytając nikogo o zdanie. To jedyne miejsce na świecie, które daje takie ukojenie.

Ostatecznie, niezależnie od tego, czy wybieramy bardziej skomplikowaną opcję, czy tę prostą, każde miejsce ma do zaoferowania ukryte skarby, których nie da się znaleźć nigdzie indziej. Ale żadne z miejsc nie może zagwarantować, że doświadczymy wszystkich tych cudów jednocześnie. Nie jest jednak łatwo się z tym pogodzić, ponieważ taka świadomość każe nam się zmierzyć z nieuchronną rzeczywistością. Musimy stawić czoła temu, z czym zdecydowaliśmy się żyć, i temu, co w imię tego poświęciliśmy.

Dwadzieścia cztery godziny przed moimi trzydziestymi trzecimi urodzinami, kilka tygodni po tym, jak na stałe wróciłam do Williamsburga, siedziałam na kanapie w salonie, usiłując trochę popracować.

Nie było to do końca zgodne z prawdą, ponieważ zamiast chociażby spróbować skupić się na pracy, czynnością, której oddawałam się w rzeczywistości, było oglądanie podwórkowych rozgrywek małej ligi baseballowej. Nie była to może tradycyjna gra w baseball, ponieważ bliźniacy wymyślili swoją własną, improwizowaną wersję. Biegali w pogoni za piłką w towarzystwie podekscytowanej Mili, skaczącej z piłeczką w pysku, którą chłopcy usilnie starali się odzyskać.

Ten widok sprawił, że zaczęłam się śmiać i nie mogłam zmusić się do tego, żeby ponownie spojrzeć w ekran komputera. Niestety, taka była umowa. Nie mogłam wyjść na zewnątrz, dopóki nie skończę pisać wstępu do mojej książki. Właśnie tak, do mojej książki. Samo wypowiadanie tego na głos sprawiało mi przyjemność. Uczuciu radości towarzyszyło przerażenie, ale starałam się nie zwracać uwagi na tę mniej przyjemną część przedsięwzięcia. Miała to być książka o fotografowaniu. Głównym tematem były moje zdjęcia wspaniałych domów, które zrobiłam podczas wszystkich podróży. Opowiadała również o tym, jak pewna dziennikarka zajmująca się pisaniem o podróżach zakończyła tę jedną najważniejszą wyprawę swojego życia, kiedy znalazła swój własny dom. Albo o tym, jak jej podróż się zaczęła, kiedy go znalazła. Zależy, z jakiej perspektywy na to spojrzeć.

– Puk, puk.

Odwróciłam się i zobaczyłam Griffina stojącego w progu drzwi do salonu. Trzymał gigantyczną miskę po same brzegi wypełnioną popcornem.

– Chciałem sprawdzić tylko, jak ci idzie.

– Jeśli zechcesz podejść bliżej z tą zachęcającą miską popcornu, zwiększysz swoje szanse na uzyskanie odpowiedzi.

Griffin podał mi miskę i usiadł na brzegu kanapy.

– No i? Jak ci idzie?

– Jak do tej pory... – Zerknęłam na ekran komputera, po czym podniosłam wzrok, by ponownie spojrzeć na Griffina. – Napisałam jakieś piętnaście.

Jego oczy stały się większe.

– Stron?

– Słów.

Griffin zamilkł na chwilę, analizując objętość napisanego przeze mnie wstępu.

– Czy są to przynajmniej dobre słowa?

– Nie są najgorsze.

– Myślę, że należy ci się przerwa.

– Dzięki Bogu!

Wyłączyłam komputer, wyciągnęłam ręce w kierunku Griffina i przyciągnęłam go do siebie, żeby mocno pocałować. Przytrzymał mnie blisko, a ja wtuliłam się w jego ramiona. Prawda była taka, że cały czas wsłuchiwałam się w bicie jego serca. Robiłam to zdecydowanie za często. Pomyślałam, że kiedyś nadejdzie taki dzień, kiedy będę mogła przestać. Albo kiedy przestanę się tego bać. Ale to nie była jeszcze ta chwila.

Griffin pocałował czubek mojej głowy.

– Tak sobie pomyślałem, że skoro mam dzisiaj wolne, moglibyśmy posiedzieć w domu i obejrzeć razem jakiś film, jeśli chcesz.

– Brzmi całkiem nieźle.

– Tak?

Wzięłam pokaźną garść popcornu ze stojącej obok mnie miski.

– Zdecydowanie. Jaki film?

Zamiast odpowiedzieć, Griffin włączył telewizor i sięgnął po pilota, żeby uruchomić DVD. Najwyraźniej płyta z filmem znajdowała się już w odtwarzaczu. Griffin musiał podstępnie wszystko przygotować tak, że tego nie zauważyłam. Na ekranie pojawiła się pierwsza scena. Najpierw pokazały się białe napisy, później w tle zaczęła grać wspaniała muzyka, następnie pojawiła się malownicza sceneria Rzymu. To były *Rzymskie wakacje*.

Z przerażeniem wskazałam palcem na ekran telewizora. Popcorn wysypał się na podłogę, kiedy otwierałam pięść.

– Tylko nie to!!! – krzyknęłam.

– Właśnie że tak.

Nie zadałam sobie nawet trudu, by wytrzeć z rąk resztki popcornu, zanim zasłoniłam sobie nimi oczy, tak szybko, jak tylko umiałam.

– Czy ty kompletnie oszalałeś? – zapytałam, a ton mojego głosu stał się zaskakująco wysoki. – Nic nie widzę! Nawet nie patrzę! Ktokolwiek jest tam na górze i decyduje o tym wszystkim niech wie, że zupełnie nic nie widziałam! Przynajmniej nic istotnego. Przysięgam. Nie widziałam nic, co mogłoby sprowadzić na mnie nieszczęście.

W tym momencie krzyczałam już na wszystko, łącznie z sufitem nad moją głową. To dość przygnębiające, ale Griffin śmiał się tak bardzo, że chyba nawet nie zauważył, jak głośne były moje wrzaski. Jedynym pocieszeniem było to, że w pewnym momencie wcisnął jednak pauzę na pilocie. Na swoje szczęście. Zaczął delikatnie odrywać moje dłonie od oczu, nie przestając się przy tym śmiać. Pocałował każdą z nich i położył sobie na kolanach, nie pozwalając, bym ponownie zasłoniła oczy.

– Ufasz mi, prawda?

Spojrzałam na niego. Na jego uprzejmą, cudowną twarz. Na jego zniewalający uśmiech, prawie się w nim zatracając.

– Bardzo.

– Więc uwierz mi, że wszystko będzie dobrze. Obiecuję ci to.

– Nic nie rozumiesz. Nie jesteś w stanie mi tego obiecać. – Ponownie wskazałam na ekran. – Jeśli włączysz ten film, możesz równie dobrze kazać mi siedzieć tu i czekać, aż wydarzy się jakaś katastrofa.

– Mam nieco inne zdanie na ten temat. – Wzruszył tylko ramionami.

– Niby jakie? Wydaje ci się, że możesz sprawić, że to wszystko obróci się na naszą korzyść? Sprawić, że dla odmiany tym razem *Rzymskie wakacje* spowodują, że wydarzy się coś dobrego?

– Niezupełnie. Myślę po prostu, że jeśli ma się wydarzyć coś złego, to wydarzy się bez względu na wszystko. Więc możesz równie dobrze usiąść na kanapie i obejrzeć swój ulubiony film, nie martwiąc się o nic.

– To dołujące.

– Takie jest życie. A film jest naprawdę dobry. Nie chcesz po prostu go obejrzeć?

Nie miałabym nic przeciwko temu. Chętnie po prostu siadłabym obok Griffina i obejrzała mój ukochany film. Obejrzałabym go ze wszystkich tych powodów, które sprawiały, że był on moim ulubionym filmem. I być może z jeszcze jednego powodu, którego do tej pory nie zauważałam. Chciałam zobaczyć moment, kiedy Audrey to odnalazła. W całym tym szalonym doświadczeniu, które pozwoliło jej choć przez jeden dzień żyć w sposób, o jakim zawsze marzyła, na swoich własnych warunkach, odnalazła miejsce, w którym poczuła się jak w domu.

– Zaczynamy?

Następnie podniósł pilota i ponownie uruchamiając film, nieznacznie pogłośnił dźwięk. Na ekranie znowu pojawiła wspaniała sceneria Rzymu.

– Będę przy tobie – powiedział. – Chcę, żebyś to wiedziała. Jeśli kiedyś wydarzy się coś złego, ja będę przy tobie, jeśli ma to jakieś znaczenie.

Miało to ogromne znaczenie. Żadne słowa nie byłyby w stanie opisać jak wielkie.

Ale mimo to podniosłam komputer i zniknęłam z pokoju z szybkością błyskawicy, zanim Griffin zdążył zareagować.

ROZDZIAŁ 40

Tej samej nocy znowu znalazłam się naprzeciwko komputera. W domu zalegała kompletna cisza, a światła były zgaszone. Mimo panującego spokoju, czułam unoszące się w powietrzu szczęście. Mila spała na podłodze, przykrywając swoim ciałem moje stopy i ogrzewając je. Pisałam wiadomość do Jordan.

Tytuł wiadomości brzmiał: *Pożegnanie z kolumną*. A pod spodem napisałam:

CHECKING OUT

Annie Adams

DLACZEGO ZDECYDOWAŁAM SIĘ
ZAMIESZKAĆ Z MISTRZEM PATELNI
NA KOMPLETNYM PUSTKOWIU

Oczy szeroko otwarte:
Otwórz oczy i spójrz w jego oczy.

Odważ się:

Cytując starego, dobrego przyjaciela Petera, Johna Steinbecka: „Zdarzało mi się mieszkać w dobrym klimacie i śmiertelnie się przy tym nudziłem. Nad klimat przedkładam pogodę". Mam nadzieję, że pewnego dnia będę mogła przyznać mu rację.

Sekretny składnik:

Polecam jajecznicę z homarem. Najlepiej w samym środku nocy. Pamiętaj, żeby siedzieć na zimnym kuchennym blacie, kiedy będziesz ją jeść. Nic nie może się równać z oczekiwaniem na kolejny kęs, który (nawet jeśli wydaje się to niemożliwe) zawsze jest lepszy od poprzedniego.

Zbaczając z kursu:

Ktoś mógłby powiedzieć, że zachodnie Massachusetts nie jest najlepszym wyborem. Zwłaszcza kiedy stanowi alternatywę dla innego, wydawałoby się idealnego, wyboru. Wyboru własnego mieszkania w najpiękniejszej dzielnicy Londynu, bajecznej kariery, drugiej szklanki martini oraz życia, które mogło dać mi wszystko to, czegokolwiek bym zapragnęła. Jest jednak jedna rzecz, której ostatnio nauczyłam się o słowie „czegokolwiek": przestajesz tego pragnąć, kiedy uświadamiasz sobie, że możesz mieć wszystko.

Jedna rzecz, której nie znajdziesz w żadnym innym miejscu:
Opowiedziałam Griffinowi o *Rzymskich wakacjach.* Jest pierwszą osobą, której o tym mówiłam, nie licząc Ciebie. Chciał zmusić mnie, żebym obejrzała ten film razem z nim. Zrobił to, żeby udowodnić mi, że siedzimy w tym razem. Że będziemy razem na dobre i złe, cokolwiek się wydarzy. I tak po prostu poczułam się bezpiecznie. Więc możesz się już nie martwić. Przestaliśmy się śpieszyć, ponieważ wiemy, że mamy przed sobą mnóstwo czasu. I on m a w końcu żonę. Na moje szczęście tą żoną jestem właśnie ja, więc wydaje mi się, że warto dać sobie szansę na odnalezienie wspólnego szczęścia.

Wysłałam wiadomość do Jordan i zaczęłam wyłączać komputer. Chciałam iść do sypialni i położyć się w łóżku obok Griffina. Cała reszta mogła poczekać do jutra. Ale zanim zdążyłam to zrobić, w mojej skrzynce pojawiła się odpowiedź od Jordan. Musiała odpisać natychmiast po otrzymaniu mojego maila.

Do redakcji:

Muszę przyznać, że bardzo spodobał mi się ten artykuł. Zwłaszcza ostatnia część. Nie chciałam do końca życia nosić w sobie tajemnicy dotyczącej szaleństwa Annie. Cieszę się, że już nie muszę.

Proszę powiedzieć jej, żeby nie popadała w zbyt wielką euforię, ale poważnie myślimy o wybraniu się do niej z wizytą. W porządku, na pewno przyjedziemy, więc może popaść w tak wielką euforię, jak tylko zapragnie.

I nie możemy się już doczekać. Najwyraźniej kompletne pustkowie jest najpiękniejszym miejscem na całym świecie, gdzie wszystko zaczyna się na nowo.

PODZIĘKOWANIA

Pragnę podziękować mojej rodzinie i przyjaciołom za ogromne wsparcie, jakiego udzielili mi podczas mojej pracy nad książką.

Dziękuję fantastycznemu zespołowi z wydawnictwa Viking Penguin, który przyjął mnie z niezwykłą gościnnością, umożliwiając wydanie już trzech książek. Jestem wdzięczna wszystkim pracującym tam ludziom, zwłaszcza mojemu cudownemu i wyrozumiałemu wydawcy Molly Barton. Specjalne podziękowania dla Clare Ferraro, Nancy Sheppard, Shannon Twomey, Andrew Duncana, Maureen Donnelly oraz Stephena Morrisona za mądrość i doświadczenie.

Dziękuję moim energicznym i bardzo rozsądnym agentkom Gail Hochman oraz Sylvie Rabineau za bezcenne wskazówki.

Jestem wdzięczna wszystkim, którzy zgodzili się przeczytać początkowe wersje tej książki i pomogli mi na wiele sposobów. Są to: Allison Winn Scotch, Jonathan

Tropper, Dustin Thomason, Heather Thomason, Ben Tishler, Dahvi Waller, Camrin Agin, Michael Fisher, Jessica Bohrer, Amy Cooper, Sam Baum, Jonas Agin, Bonnie Carrabba, Liz Squadron, Brett Forman, Melissa Rice, Alisa Mall, Carolyn Earthy, Becca Richards, Paula i Peter Noah, Gary Belsky, Brendan i Amanda O'Brien, Andrew i Crystal Li Cohen, Debora Cahn, Michael Heller, Shauna Seliy oraz Dana Forman, którzy przeczytali tę książkę niezliczoną ilość razy.

Ogromne podziękowania dla wspaniałych klubów książki oraz księgarni za okazaną gościnność, entuzjazm i życzliwość.

Dziękuję również mojemu bratu Jeffowi, a także całej rodzinie Dave'ów oraz Singerów za miłość i wsparcie.

Specjalne podziękowania składam mojej mamie i mojemu tacie, Rochelle oraz Andrew Dave'om, którzy zaszczepili we mnie miłość do książek i do pisania. Jestem dumna, mogąc być ich córką.

Na koniec pragnę okazać wdzięczność oraz wyrazy miłości mojemu ulubionemu pisarzowi Joshowi Singerowi, który nie tylko dbał o każdą stronę tej książki tak samo jak ja, ale również śpiewał mi utwory z płyty *The Gleam*, kiedy tylko o to poprosiłam, i który jest najlepszą częścią każdego mojego dnia.